LA PROMENEUSE D'OISEAUX

DIDIER DECOIN
de l'académie Goncourt

LA PROMENEUSE D'OISEAUX

roman

ÉDITIONS DU SEUIL
*27, rue Jacob, Paris VIe*

ISBN 2-02-025159-0

A Chantal, toujours...

... heureuse
D'un oiseau familier
Ravie
D'une goutte de pluie
Plus belle
Que le ciel du matin
Fidèle.

Paul Eluard,
Les Yeux fertiles

PREMIÈRE PARTIE

États d'Alderney, 1880

– 1 –

Aussi loin que Sarah pouvait remonter dans l'histoire de son clan, les McNeill avaient toujours eu froid. Leur tartan ne comportait d'ailleurs que des croisements de teintes pâles évoquant la froidure – le bleu et le vert des lacs glaciaires, le gris des oies sauvages descendant de la Scandinavie en striant le ciel hivernal, le blanc de la neige. Les chroniques familiales, qui couvraient près de six siècles, consacraient une large place aux efforts déployés par les McNeill des Hautes Terres d'Écosse pour tenter de vivre un peu plus chaudement. On y trouvait, presque à chaque page, des commentaires désabusés sur la difficulté à piéger des renards dont la fourrure ne soit pas trop clairsemée, sur la piètre qualité des laines noires ou rousses, trop rêches et trop lâches pour empêcher la chaleur naturelle de fuir le corps, sur les sautes de vent qui altéraient le tirage déjà hésitant des cheminées. Il est vrai que les McNeill se chauffaient à la tourbe, et que celle des environs du loch Schyn ne valait rien – ses mottes étaient spongieuses, toujours trop humides, chargées de terre incombustible.

Ces lamentations étaient parfois tracées d'une écriture si tremblée qu'on ne pouvait s'empêcher de penser que leur scribe, en les rédigeant, avait été lui-même secoué de frissons incoercibles.

Et comme si le froid était décidément la malédiction suprême des McNeill, c'est en combattant sur la glace fragile des marais de Culloden que les hommes du clan avaient été massacrés par les Anglais, un jour d'avril 1746, lors de la révolte des Highlanders. Ceux qui ne furent pas tués par les armes périrent engloutis dans les eaux glauques. A peine avaient-ils été avalés que la glace se reformait au-dessus d'eux, en plaques lisses et brillantes. Leurs compagnons s'arrêtaient un instant, s'agenouillaient, et, sur cette glace neuve, gravaient à la pointe du poignard les noms des disparus – parfois aussi, quand ils les connaissaient, les noms de leurs chevaux.

Après ce désastre, quelques rares survivants réussirent à échapper aux soldats qui, sur ordre du duc de Cumberland, parcouraient encore le champ de bataille pour achever les blessés à coups de baïonnette. Profitant du brouillard qui montait avec le soir, ils atteignirent le rivage, où ils prirent la mer sur des embarcations que des pêcheurs compatissants avaient tirées pour eux sur la plage. Mais ces barques n'étant pas gréées, elles furent aussitôt le jouet du vent et des vagues, et la plupart chavirèrent avant d'atteindre la haute mer.

C'est finalement une infime poignée d'hommes et de femmes, affamés et transis, qui réussit à prendre pied sur une grève d'Alderney – la plus septentrionale des îles de l'archipel anglo-normand, mais qui, pour eux, faisait évidemment figure de Grand Sud.

Constatant qu'il n'y avait pas de tourbières à Alderney, que les moutons y portaient une laine blanche et riche, et que des volutes d'épaisse fumée montaient de presque toutes les cheminées, les exilés caressèrent un moment l'espoir d'en finir avec le froid. Ils durent en fait s'accommoder de pire que leur tourbe natale : le bois de vache.

Comme les argols de yack ou de chameau des Tibétains, le bois de vache d'Alderney n'était jamais que de la crotte desséchée, et cela dit assez quelle place – la dernière – il pouvait prétendre occuper dans la hiérarchie des combustibles ; il donnait énormément de fumée (d'où l'illusion rassurante qui avait abusé les naufragés à leur débarquement), un peu de lumière, assez belle d'ailleurs, plus suave et plus dorée que celle de la tourbe d'Écosse, mais la tiédeur qu'il dispensait était si molle, si lente à s'épanouir, qu'elle suffisait tout juste à dégourdir l'air ambiant. Mais que pouvait-on brûler d'autre dans cette île où les arbres étaient si peu nombreux que les habitants en connaissaient le recensement exact, à la souche près ?

De la forêt impénétrable qui, des millénaires auparavant, couvrait la profonde cassure entre la France continentale et cette semelle de granit qui allait devenir l'île d'Alderney, il ne restait sous les vagues que des futaies pétrifiées, se confondant avec les écueils, aussi acérées et dures qu'eux. Des filets s'y accrochaient quelquefois, et les pêcheurs remontaient alors à la surface des fragments noirâtres en forme de pattes griffues ou de mains recroquevillées qui, comme la racine de mandragore, avaient la réputation de porter chance.

Les plantations des États d'Alderney se réduisaient désormais à quelques ormes, à des bouquets de pins émaciés par les vents, des peupliers rabougris, des poussées d'angélique et des touffes de viorne dans les ravines, et surtout à des plaques de bruyère en quantité. Tout cela était disparate, embrouillé, sans vraie grandeur. Mais cette fourrure suffisait à donner à l'île si courte (huit kilomètres de long sur trois de large) une apparence de campagne anglaise bien peignée. Les algues la cernaient de partout, et leur invasion clapotante, d'un brun humide, accentuait cette impression trompeuse de terre grasse et feuillue. En réalité, Alderney n'était qu'un buisson, et le vrai bois manquait, du moins celui qu'on sait pouvoir trouver en telle abondance qu'on ne se fait pas scrupule de le brûler.

Lors de sa première visite dans l'île, par un radieux jour d'été, la jeune reine Victoria ne s'y était pas trompée : elle avait choisi de marquer son passage par le don symbolique d'un noisetier.

La population avait suivi avec enthousiasme le transport solennel du petit arbre que des miliciens de la garnison locale, en tuniques rouges et baudriers blancs, escortèrent depuis le yacht *Victoria and Albert* jusqu'au square où ses racines avaient été aussitôt déployées et mises en terre au milieu des acclamations. Par superstition, on avait creusé le trou pour l'accueillir avec des outils neufs, certifiés n'avoir jamais entamé ni tassé la terre d'un cimetière. On avait noué à ses branches encore étriquées des oriflammes aux couleurs d'Alderney, blanches, frappées de la croix pourpre et du lion léopardé, et dansé autour de lui tandis que résonnaient au loin les salves d'honneur de la flotte d'escorte. Quand le gouverneur avait remercié la souveraine pour son cadeau *vraiment royal*, ce mot n'avait fait sourire personne.

Tous ceux qui assistaient à la cérémonie regardaient le petit noisetier, si maigre dans la lumière d'été, en pariant sur ses chances de survie. Les paysans (et parmi eux se trouvaient ce jour-là les futurs parents de Sarah McNeill) affirmaient qu'il réussirait à se maintenir et à croître grâce à l'excellence du sol, mais ceux qui vivaient de la mer et connaissaient la sauvagerie des tempêtes d'équinoxe hochaient la tête d'un air incrédule : les premières rafales d'automne régleraient son compte à l'avorton, qui se ferait proprement déraciner, et qu'on retrouverait effeuillé, massacré par la mer, coincé entre les récifs des Sister Rocks. Et si le noisetier crevait, comment ferait-on pour s'en procurer un autre, aussi ressemblant que possible à celui-là, au cas où la jeune reine relâcherait à nouveau dans les eaux d'Alderney et demanderait à voir ce qu'il était advenu de son présent ?

Plus de vingt-cinq ans avaient passé, Victoria n'était pas revenue, mais son noisetier vivait toujours, et c'était aujourd'hui un arbre des plus respectés. Tôt le matin, les hommes se réunissaient sous son ombrage pour débattre des affaires de l'île, des cours du bétail et du lait – ils ne s'asseyaient pas, d'ailleurs il n'y avait pas de banc, ils causaient en marchant autour de l'arbre, les mains nouées derrière le dos. Le soir, c'était au tour des femmes de s'y retrouver pour arranger des mariages et prédire le sexe des enfants à naître.

Sans doute ce petit arbre était-il finalement d'excellente lignée, né et élevé dans un des riches domaines forestiers de la Couronne, contrairement aux essences indigènes qu'on abattait par ici, malingres, gauchies par les rafales, gorgées d'humidité, et qu'il fallait ensuite purger et redresser de force en les exposant à la vapeur, écorcées et ligotées dans des postures de suppliciés.

Le bois de vache chauffait mal, mais il avait l'avantage d'être abondant et de ne pas coûter cher : il suffisait de posséder quelques bestiaux, ou de suivre à la trace ceux d'un voisin, de récolter leurs bouses encore fraîches et malléables (elles prenaient alors le nom de quaipeaux ou de couemes), et de les mettre à sécher en les étalant sur les murs extérieurs des maisons ; on pouvait les y étendre à l'aide d'un râteau sans dents, ou les projeter à la pelle, voire à la main comme on le fait des boules de neige, et c'était un barbouillage pour lequel on trouvait toujours des amateurs parmi les enfants, ravis de l'occasion de s'infliger, en se prenant mutuellement pour cibles, une de ces petites cruautés dont ils étaient friands.

Le vent, le soleil quand il y en avait, et même les rayons de la lune, se chargeaient ensuite de dessécher les bouses. En attendant, celles-ci fardaient la maison d'un hâle marron, visqueux et peu engageant. Deux sociétés seulement échappaient à cette espèce de grimage : celle des pêcheurs, qui, ne possédant pas de troupeaux, devaient se résigner à débusquer sur les grèves des fragments d'épaves à brûler, et celle des gens fortunés, qui préféraient acheter à prix fort du bois importé d'Angleterre ou de la France toute proche, plutôt que d'empuantir les granits et les schistes immaculés de leurs demeures de Victoria Street, la rue principale de Sainte-Anne.

Tant qu'ils étaient frais, il est vrai que les quaipeaux sentaient mauvais. Mais après quelques heures d'exposition, leur odeur commençait à s'estomper. A en croire les McNeill, dont les ancêtres écossais avaient autrefois vérifié le phénomène, c'était la même chose que pour les pendus qu'on laissait se balancer aux gibets jusqu'à complète dessiccation : ils exhalaient d'abord une écœurante puanteur, et puis le grand air finissait par les racornir, et alors ils ne dégageaient plus qu'une légère fragrance de cuir fraîchement tanné et de violette – le cuir, ça s'expliquait ; la violette, beaucoup moins.

En même temps que leurs effluves, la couleur des quaipeaux pâlissait à son tour, laissant place à une nuance plus mordorée qui faisait que la maison avait l'air d'être couverte d'écailles ensoleillées, comme un poisson ou une tortue. Des fragments de paille blonde ou des tiges de luzerne mal ruminées apparaissaient, crevant la croûte des galettes de bouse. On apprenait ainsi de quoi les Bollman, les Gohan ou les Dillington nourrissaient leur bétail, et on en tirait des conclusions ; certains mariages ne s'étaient conclus qu'après que la famille de la fiancée eut longtemps observé l'aspect des quaipeaux mis à sécher sur les murs du prétendant.

Personne dans l'île n'avait jamais éprouvé la moindre honte à maculer sa maison jusqu'aux gouttières ; au contraire, on évaluait l'aisance d'un propriétaire à la quantité de bouses dont il réussissait à brunir ses murs en une seule application : plus épais le tartinage, plus important le cheptel, et donc plus respectable la fortune.

Mais le règne des quaipeaux avait été mis à mal lorsque s'était enfin ouvert le chantier de construction d'un brise-lames, réputé le plus long du monde, s'avançant dans la mer sur près d'un kilomètre et demi. On le destinait à défendre le port de Braye contre la fureur des flots de nord-ouest, et à en faire, en cas de nouveau conflit avec la France, un havre capable d'abriter les plus puissants navires de guerre du Royaume-Uni. Une flotte de petits steamers avait alors été constituée pour établir une navette avec Guernesey, l'île sœur, afin de déverser à Alderney les tonnes de charbon nécessaires aux locomotives, aux grues, aux remorqueurs de barges, et en général à l'énorme appétit de la machinerie mise en place par les ingénieurs Thomas Jackson et Alfred Bean.

Le dimanche, les familles prirent l'habitude de descendre des hauteurs de Sainte-Anne et des collines environnantes pour suivre l'avancement des travaux. On allait au chantier comme au théâtre, en gardant les gants de dentelle et le chapeau à voilette qu'on avait mis le matin pour se rendre au temple, on apportait de quoi se restaurer sur place, on s'asseyait sur son bout de rocher, toujours le même, comme un abonné dans sa loge. On regrettait seulement le repos dominical qui empêchait d'admirer le spectacle des deux mille ouvriers au travail, des trains de wagonnets déversant les blocs de pierre destinés à l'enrochement de la digue, et surtout des deux scaphandriers qui, disait-on, étaient tellement amusants à observer lorsqu'ils se dandinaient sur le pont de la chaloupe de servitude, patauds et gluants, une frange d'algues retombant sur les hublots de leur casque. A travers la buée, on ne voyait d'eux que leurs yeux un peu exorbités, leurs narines écrasées contre le verre, ce qui leur donnait une allure de grands poissons dans un aquarium. Sur l'esplanade, malgré le vent, stagnait en permanence une odeur de moteurs froids, de vase, de brandy et de poudre de riz.

Les McNeill vinrent aussi, accompagnés d'Hermie, leur vacher. C'est au cours d'un de ces dimanches ensoleillés sur le wharf que Wilma McNeill eut ses premières nausées, des engourdissements et des vertiges, et comprit qu'elle était enceinte. Toby et elle décidèrent que si c'était une fille, comme ils en avaient l'intuition, elle s'appellerait Sarah, en mémoire d'une autre Sarah McNeill qui, bien des siècles auparavant sur les bords du loch Schyn, et en dépit de plusieurs fluxions de poitrine provoquées par le sommeil entre des draps humides et glacés, avait été la seule femme du clan à vivre au-delà de quatre-vingts ans révolus.

Comme tous les insulaires habitués à lutter contre les aléas du ravitaillement, ceux d'Alderney n'aimaient pas ce qui ne sert à rien. Après avoir pesté contre la suie qui noircissait leur rivage, maculait leurs voiles, et donnait à leur bière un goût de puits de mine, ils se mirent à glaner les éclats de houille qui parsemaient le chantier du brise-lames. Ils eurent tôt fait d'en apprécier les qualités calorifiques et, dès lors, les steamers de la noria débarquèrent des sacs de charbon domestique et des poêles pour le brûler. Ainsi, au fur et à mesure que le commerce du coke prenait son essor, le bois de vache, jusque-là sans concurrence, tomba-t-il en désuétude.

En 1880, Toby et Wilma McNeill, qui exploitaient une ferme au lieu-dit Les Hauts-de-Clonque, près des falaises de l'ouest, restèrent pratiquement les seuls à faire encore du bois de vache.

Ce n'était pas par souci d'économie : avec l'aide d'Hermie et de leur fille Sarah (car ce fut bien une fille que Wilma mit au monde), les McNeill élevaient assez de vaches et de moutons, produisaient assez de choux-fleurs et de pommes de terre, pour s'offrir un poêle à charbon comme tout le monde dans l'île, et de quoi le faire rougir et ronfler tout l'hiver.

Mais Toby McNeill était grand amateur de journaux. Lire et annoter des revues, découper et accumuler des informations disparates dont il n'avait aucune utilité, était devenu chez lui une véritable marotte. Il lui avait sacrifié toutes ses autres passions d'homme : le tabac et l'alcool, bien sûr, mais aussi les paris sur les courses de chevaux qui se disputaient une fois l'an sur les landes ravagées de Longis Common. De cette façon, sans écorner le budget familial, Toby McNeill économisait-il de quoi s'abonner à une dizaine de publications anglaises – et françaises aussi, car, comme la plupart des habitants des Anglo-Normandes, il pratiquait les deux langues, même si son français, un peu rauque et barbare, tenait plutôt d'une sorte de patois issu du normand.

Or il avait relevé dans le *Lancet* un article dont le rédacteur, médecin dans Baker Street, affirmait que le chauffage au charbon s'était trouvé tout récemment à l'origine d'une série d'intoxications, parfois fatales, dues à l'inhalation d'oxyde de carbone.

A la connaissance de Toby, le bois de vache, lui, n'avait jamais tué personne. Tout au plus avait-il fait couiner de dégoût quelques petites filles (dont la sienne) qui en avaient reçu sur le visage et dans les cheveux. Mais ces idiotes auraient bien dû savoir ce qui les attendait si elles venaient rôder en pouffant autour des garçons occupés à manier les quaipeaux.

Il avait donc décidé de résister au prétendu progrès du poêle à charbon, qui n'était d'après lui qu'un meurtrier sournois, et continuait, avec l'assistance d'Hermie, à étaler des bouses sur les murs de sa ferme. Wilma avait bien essayé de l'en dissuader parce que les bouses, en été surtout, attiraient quantité de mouches qui se faufilaient par grappes entières à l'intérieur de la maison, où elles restaient à bourdonner et à pondre leurs larves jusqu'aux premiers brouillards d'octobre. Quant à Hermie, il haïssait les bovins, et le relent des quaipeaux lui soulevait le cœur, mais Toby avait simplement dit : « On fera comme on a toujours fait ici », et les choses, une fois de plus, étaient allées comme il le voulait.

– 2 –

On avait beau être au mois d'août, il fit presque froid le jour où Sarah McNeill célébra l'anniversaire de ses dix-neuf ans. Mais cette incongruité météorologique était trop dans la tradition familiale pour que quiconque songe à s'en plaindre. On y vit au contraire une sorte de continuité heureuse entre la jeune fille et sa longue lignée de frileux. Wilma rappela qu'il avait d'ailleurs toujours fait un temps affreux pour l'anniversaire de Sarah, y compris la nuit de sa naissance, où la tempête avait failli empêcher le médecin d'arriver à temps pour la délivrance. Wilma ne manquait jamais une occasion d'évoquer cet accouchement, qui n'avait pourtant été ni meilleur ni pire que ceux des autres femmes de l'île ; pas un instant elle ne s'était trouvée en danger, non plus que son bébé, mais le vent rendait tout le monde plus nerveux que d'habitude. Bien que d'une nature peu passéiste, Wilma cultivait le souvenir de tous les visages anxieux penchés sur elle, des haleines fortes qui l'avaient réchauffée, des mains rêches faufilées entre ses cuisses, de l'agitation dans la maison, des ombres qui dansaient sur les murs, du fracas des bassines et de l'odeur fade des linges imbibés d'eau bouillante et de sang. Le vent pouvait bien se déchaîner au-dehors, et la mer menacer d'ouvrir des brèches dans le brise-lames en construction (ce qu'elle n'avait pas manqué de faire), Wilma avait eu l'impression d'être plus importante que tout.

Ce samedi des dix-neuf ans de Sarah McNeill, qui se trouvait être aussi celui du bal des Brandons, la ferme des Hauts-de-Clonque venait une fois de plus d'être engluée de bouse fraîche. Elle répandait dans toute l'échancrure du vallon une puanteur qui n'était pas près de se dissiper, car la pluie torrentielle tombant depuis l'aube allait retarder d'autant la dessiccation.

Toby McNeill, le visage dégoulinant, ses mèches de cheveux roux plaquées sur ses joues comme des nageoires, les pieds nus campés dans un marécage de purin, de foin détrempé et de duvet de volaille, offrait au déluge ses mains souillées par les quaipeaux. Il disait que, au lieu de récriminer contre la pluie, il fallait au contraire s'en réjouir : en détrempant la lande, le déluge réduirait les risques d'incendie que faisait courir à l'île la procession aux flambeaux qui, traditionnellement, clôturait le bal des Brandons et en justifiait le nom.

Une loi interdisant la procession avait été votée voici plus d'un siècle, mais aucun magistrat n'avait jamais vraiment tenté de la faire respecter ; cette loi prévoyait bien de mettre en prison ceux qui jouaient avec le feu, mais ils étaient plusieurs centaines de garçons et de filles à dévaler la lande avec des torches allumées, et l'île ne disposait que de deux cellules. Aussi, quand approchait l'époque du bal, les magistrats se contentaient-ils de faire placarder un peu partout des avis qui, sans rappeler les rigueurs de la vieille loi inutile, mettaient simplement la population en garde contre les périls des feux de landage.

Depuis le lever du jour, travaillant au su et au vu de tout le monde derrière leurs fenêtres fouettées par la pluie, les jeunes filles de Sainte-Anne finissaient donc de lier en faisceaux épais les brassées de paille qui seraient embrasées tout à l'heure dans la nuit, et agitées follement à bout de bras pour figurer les vagues d'une mer de lumière descendant des collines vers la mer.

Tôt ce matin-là, en s'éveillant, Sarah avait trouvé près d'elle un cadeau du vacher. C'était un jeu de dames de sa fabrication. Hermie avait gravé au couteau chauffé à blanc les cases du damier sur une planchette de bois, et confectionné les pions en sciant les cornes d'une vache morte. Ces pions n'avaient pas tous le même diamètre, ceux issus de la base des cornes étaient plus grands que ceux taillés du côté de la pointe. Pour différencier les vingt pions noirs des vingt pions blancs, Hermie avait passé au feu la moitié des rondelles, qui exhalaient encore une âcre odeur de corne grillée. Mais finalement, peut-être à cause de sa rusticité même, l'ensemble était assez réussi.

Pendant que Sarah examinait son cadeau, Hermie tisonnait le feu. Ce qui restait des galettes de bois de vache s'effondra dans un bruit de papier froissé. La cheminée émit une brève bouffée de fumée tiède qui ne réussit qu'à mettre davantage en évidence l'humidité régnant dans la pièce. Sarah était en chemise, elle frissonna, éternua. Dehors, le vent soufflait et les bêtes appelaient le vacher pour la traite du matin.

– C'est un vrai jeu, dit Hermie, on peut s'en servir pour tout de bon. Je ne connaissais pas ça, mais j'en ai trouvé la description dans un des vieux journaux de votre père. Cent cases, quarante pions, c'est le jeu qu'on appelle « à la Polonaise ». Vous, mademoiselle McNeill, vous saviez que ça existait ?

– Non, murmura Sarah, déconcertée par un cadeau si singulier. Mais je trouverai bien comment ça marche, ça ne doit pas être si difficile. Et quand j'aurai compris, je te montrerai.

C'était exactement ce qu'avait espéré Hermie en choisissant de lui fabriquer ce damier et ces pions – qu'elle lui apprenne à jouer, car l'exiguïté du champ de jeu obligerait les deux joueurs à pencher leurs visages l'un vers l'autre, à mélanger leurs souffles et à emmêler leurs doigts en faisant sautiller les pions de case en case.

Tout en se dandinant devant la jeune fille qui s'amusait, rêveuse, à empiler ses rondelles de corne pour en faire une haute colonne instable, Hermie se demanda si, après avoir enfin réussi à effleurer les mains de Sarah grâce au subterfuge du jeu de dames, il ne lui prendrait pas l'envie de toucher une autre partie de son corps. Juste à cet instant, toute la colonne que construisait Sarah s'écroula, les pions roulèrent sur le sol de terre battue, et Hermie se jeta à quatre pattes pour les ramasser.

Sous la table, il remarqua que Sarah avait ôté ses socques et frottait machinalement ses pieds l'un contre l'autre. Les os de ses chevilles saillaient à peine, la peau qui les recouvrait semblait lisse, douce, et laissait voir un fin réseau de veines bleues. Un ourlet fauve soulignait ses ongles ronds, sorte de teinture due à la macération de petits fragments d'algues – la veille, tandis que Toby tambourinait sur un tonneau pour l'encourager à garder le rythme, Sarah avait longuement piétiné du goémon pour le préparer au brûlage qui en ferait de l'engrais.

Hermie resta sous la table plus de temps qu'il n'en fallait pour ramasser les pions égarés. Parfois, en agitant machinalement ses jambes, Sarah heurtait le vacher du bout des pieds. « Je te demande pardon, Hermie », disait-elle. Il ne répondait pas, trop occupé à essayer de prévoir jusqu'où elle balancerait ses pieds la prochaine fois, et cherchant à disposer son visage, et surtout sa bouche, sur leur trajectoire.

Mais la jeune fille finit par se tenir tranquille, et elle renfila ses socques. Hermie en ressentit une légère frustration, mais après tout, s'agissant de Sarah, il était habitué à ne jamais atteindre les buts qu'il se fixait, aussi simples soient-ils. Ainsi, réussir à boire dans le bol sur le pourtour duquel elle venait de poser ses lèvres était une entreprise exigeant du vacher une vigilance de tous les instants, car il y avait toujours quelqu'un, Wilma ou Sarah elle-même, pour s'emparer aussitôt de ce bol vide et le plonger dans l'évier.

Un peu plus tard, Sarah reçut un autre cadeau, si inattendu, si magnifique, qu'elle en oublia le damier et les pions d'Hermie.

– Sarah, lui dit son père, ta mère et moi avons nous aussi quelque chose pour toi, et je crois que ça va te faire rudement plaisir : tu peux maintenant choisir une pièce de la ferme pour en faire ta chambre.

Jusqu'alors, Sarah dormait dans la salle commune, qui avait l'avantage, en plus de la proximité du fourneau, de posséder une cheminée où le bois de vache continuait à se consumer toute la nuit en concédant un semblant de chaleur. La jeune fille s'isolait au fond d'une alcôve de pierre séparée de la salle par un rideau – un isolement tout relatif, car, quand son père invitait pour la veillée les maîtres de Rose Farm, de Clonque Cottage ou d'Essex House, Sarah devait renoncer à fermer l'œil jusqu'à ce que les fermiers aient enfin fini de refaire le monde à partir du prix du lait, de celui de la laine ou des choux-fleurs. Seuls John Pentecôte et son fils Armand méritaient qu'on reste éveillé pour les écouter, car ils s'étaient mis en tête d'acquérir la vieille bâtisse vide, à l'angle de High Street et de Le Val, pour en faire un temple du patin à roulettes. C'était une idée d'autant plus extravagante que personne encore, dans les États d'Alderney, n'avait jamais vu de patins à roulettes – sauf Sarah, qui, grâce aux journaux de son père, savait à quoi ça ressemblait, et rêvait justement d'en attacher un jour une paire à ses pieds ; elle était certaine de réussir à s'en servir dès le premier essai, et elle patinerait alors comme les jeunes femmes sur les gravures, retenant son chapeau d'une main et laissant flotter derrière elle les rubans de sa robe. Au début, c'est sûr, elle tomberait quelquefois et s'écorcherait les genoux. Mais une fille qui saigne un peu et renifle pour retenir ses larmes attire davantage l'attention des hommes que si elle arborait une toilette neuve – en tout cas, ça coûte moins cher que des mètres et des mètres d'étoffe, sans compter le temps pour les coudre.

En attendant l'heure d'aller danser au bal des Brandons, Sarah se mit donc en quête d'une chambre possible, et revisita la demeure familiale comme si elle la découvrait pour la première fois.

Tassée dans le fond du vallon, la ferme avait l'air d'un éboulis de gros cailloux gris. L'habitation principale, composée à l'origine d'une bâtisse longue et basse épousant la forme du creux, avait absorbé les quelques bâtiments annexes devenus sans emploi. Après que Toby eut renoncé à la production de cidre et à l'élevage des porcs, le pressoir et la porcherie avaient été réunis au corps de la ferme par des maçonneries rudimentaires qui engendraient des angles inattendus, des différences de niveau, des circonvolutions évoquant ce qu'aurait pu être le dedans d'un coquillage agrandi à l'échelle humaine. Cette impression était renforcée par l'odeur humide et saline du salpêtre qui granulait obstinément le bas des murs.

Son père et le vacher escortèrent Sarah, traînant sa literie à travers la maison, l'orientant à sa demande dans une direction puis dans une autre.

– Mais quelle est donc la partie du corps qui doit être tournée vers le nord quand on veut bien dormir ? chuchota Sarah.

– Sûrement les pieds, mademoiselle McNeill, dit le vacher, puisque c'est à cause des aimants qui sont enfouis au nord qu'on tient tous debout sur cette terre.

– Plutôt la tête, répondit Toby, qui se souvenait vaguement d'avoir lu quelque chose là-dessus dans une des livraisons de son cher *Lancet.*

Sarah prit son parti d'emménager – la tête au nord – dans la soupente en haut du bâtiment principal. Il était temps qu'elle se décide, car son père et le vacher n'en pouvaient plus de déménager son lit – lequel, bois d'orme et draps très blancs, celui du dessus étant même bordé sur son rabat d'un chemin de dentelle, fut donc dressé contre le pignon du grenier, puis garni du matelas dont Wilma venait de renouveler la paille, et d'une couverture couleur de grive sur laquelle, en mémoire des origines de la famille, étaient brodés au fil de coton bleu trois chardons d'Écosse.

Sarah se jeta sur ce lit et, les bras repliés sous la nuque, considéra un instant son petit territoire encore souillé de débris de fourrage et de plumes d'oiseaux. Elle dit qu'elle y serait heureuse, qu'elle l'était déjà, et elle rit, de son rire étrange qui ne faisait aucun bruit, qui lui écartait seulement les lèvres et lui rétrécissait les yeux.

Tandis que son père retournait à la lecture de ses journaux et Hermie à ses bêtes, Sarah utilisa le talon de ses socques pour enfoncer des clous dans la charpente afin d'y suspendre ses bas, ses bonnets, ses châles et ses rubans ; elle planta beaucoup plus de clous qu'il n'en fallait pour accrocher ce qu'elle possédait, mais sa joie d'avoir enfin une chambre à elle fit qu'elle se croyait ce soir bien plus riche qu'elle ne l'était.

Avec quelques pans d'étoffes pour figurer des rideaux (et quelle importance s'il n'y avait pas *réellement* de fenêtre derrière ces rideaux ?), un badigeon à la chaux dont se chargerait Hermie, deux ou trois gravures découpées dans l'*Illustrated London News*, et surtout des napperons (les napperons produisaient toujours un effet ravissant, même si l'on n'avait rien à poser dessus), Sarah ferait bientôt de ce grenier quelque chose de gai et de délicat qui ressemblerait à ce qu'elle supposait être une vraie chambre de femme.

Elle disposa sa cuvette en faïence sous la lucarne par où la soupente prenait le jour. Elle lava sa figure, son cou et ses bras, en regardant au loin les vagues assaillir les trois tours blanches, St. Pierre, St. Thomas et le Donjon, qui avaient longtemps porté le triple feu du phare des Casquets (mais il n'y avait plus aujourd'hui qu'une lampe à éclats dans la tour du nord-ouest).

Elle aimait la mer, contrairement à ses parents, qui n'y voyaient qu'une mangeuse de terres : l'usure des falaises était lente, imperceptible, mais un jour viendrait en effet où les longues vagues grises s'étaleraient comme chez elles dans la cour de la ferme. Ça n'arriverait pas avant dix ou vingt mille ans, mais c'était irrémédiable, et Toby et Wilma, comme tous ceux dont les maigres avoirs reposent sur un labeur éreintant, haïssaient toute forme d'instabilité. Et puis ils se sentaient paysans, terriens obstinément. Ils sortaient tête nue sous l'averse, tirant la langue pour goûter la pluie et vérifier si elle était assez capiteuse pour enrichir leurs pâtures, mais pour rien au monde ils n'auraient absorbé une goutte d'eau de mer, persuadés que cette eau-là, pleine de bestioles invisibles et hostiles, faisait gonfler le cœur et provoquait des saignements du ventre – les vaches ne crevaient-elles pas à force de diarrhées lorsqu'elles avaient l'imprudence de s'abreuver dans les flaques saumâtres imbibant les prairies les plus proches de la mer ?

Le soir allait tomber. Il ne pleuvait presque plus. Une lumière humide, incertaine, flottait au-dessus du vallon, traversée de rais de soleil rouge. La fumée des bûchers de fête commençait à s'élever dans les lointains, faisant aboyer les chiens. On entendait le bruit des haches fracassant les bûches, et les garçons qui riaient. Portée par le vent, l'odeur du feu de bois se mêla alors à celle du varech découvert par la marée. Après la pluie qui les avait recroquevillées, les plantes se décrispaient lentement, comme des boules de papier froissé. Bien que gorgées d'eau, elles avaient toutes quelque chose de mat et de cartonneux. A présent, chaque averse précipitait un peu plus la fin de l'été. Une heure d'orage en août valait tout un jour en octobre, disait-on.

En se penchant, Sarah aperçut le vacher qui ramassait avec une pelle les quaipeaux arrachés aux murs par la pluie torrentielle. En prévision du bal, Hermie avait déjà coiffé son feutre noir, un couvre-chef tourné en cône à la façon des chapeaux siciliens, qui faisait ressortir son nez busqué et ne parvenait pas à dissimuler tout à fait les mèches de ses cheveux trop longs et comme cirés par la crasse.

Devinant la présence de Sarah à sa lucarne, Hermie leva les yeux vers elle et, s'appuyant sur sa pelle pour se donner un air avantageux, il lui sourit – il se demandait si, maintenant qu'elle était bien installée chez elle, elle avait commencé à s'entraîner à jouer avec les pions et le damier qu'il lui avait offerts.

Sarah, qui s'apprêtait à jeter dans la cour le contenu de la cuvette où elle venait de se laver, fit signe au vacher de s'écarter. Mais Hermie ne comprit pas le sens de son geste (un instant, il crut même qu'elle l'invitait à la rejoindre là-haut pour entamer avec lui une première partie de dames), et il reçut des éclaboussures. Il pensa qu'au lieu de gesticuler dans l'ombre Sarah aurait mieux fait de lui crier de se garer. Mais il se rappela qu'elle ne pouvait pas élever la voix. Alors il se contenta de soulever légèrement le bord de son chapeau de bandit et se remit à pelleter les quaipeaux.

– 3 –

C'était arrivé un soir de novembre. Sarah n'avait pas cinq ans. Elle avait trébuché sur le sol de terre battue, elle était tombée en s'enfonçant dans la bouche le couteau qu'elle tenait à la main.

En pénétrant, la lame avait d'abord entaillé ses lèvres, y ouvrant une courte encoche verticale qui séparait désormais chacune d'elles en deux petits coussinets – ce qui, loin de la déparer, donnait à sa bouche une forme bombée, un dessin ourlé, qui faisaient songer à la moue d'un enfant. Mais dans les profondeurs de sa gorge, le couteau avait commis des ravages. Sur l'instant, à cause du sang que vomissait Sarah, personne ne s'en était vraiment rendu compte.

Tandis que Toby et le vacher se hâtaient de sortir le cheval et de l'atteler à la charrette, Wilma enveloppait Sarah dans une grande nappe à carreaux bleus. Cette nappe était la première chose qui s'était trouvée à portée de sa main, et plus tard Wilma devait avouer que, toute la nuit, elle avait été obsédée à l'idée que cette nappe vulgaire allait devenir le linceul de sa fille. Alors que la charrette disparaissait dans le brouillard qui montait de la mer, Wilma s'était rappelé que la nappe était tachée, et elle croyait encore discerner l'emplacement des taches aussi sûrement que si cette nappe avait toujours été là sous ses yeux, étalée sur la table ; elle était même capable de dire ce qui avait provoqué telle ou telle tache : « Ici, ce qui fait noir, c'est du thé qui a giclé, je l'avais laissé infuser trop longtemps, et là, c'est le foie d'un poisson. »

Par le raccourci longeant le val de la Bonne-Terre et la fosse aux Chevaliers, manquant cent fois de renverser l'attelage dans le fossé, Hermie, debout sur les brancards, avait mené la charrette à toute allure. Il poussait des hurlements effrayants, autant pour conjurer sa peur d'arriver trop tard que pour exciter le cheval – c'était un cheval de labour, paisible et lent, que l'on obligeait à courir pour la première fois cette nuit-là, et son galop improvisé avait quelque chose de brouillon qui se communiquait à la charrette et donnait l'impression qu'elle allait se disloquer.

En entrant dans Sainte-Anne, le brouillard parut soudain plus dense à cause de l'étroitesse des venelles où il s'enfermait. On ne distinguait plus la grisaille des murs de celle de l'ouate. A chaque tour de roue, on croyait se précipiter sur un obstacle – du moins Hermie le croyait-il, car Toby McNeill, occupé à empêcher sa fille de s'étouffer avec son sang, ne regardait pas, se contentant de répéter : « Plus vite, Hermie, plus vite, au nom de Dieu ! »

Le vacher n'avait pas pris le temps d'accrocher une lanterne aux ridelles mais, de toute façon, sa lumière aurait été impuissante à creuser ces nuées plates, immobiles et poisseuses. Mieux valait s'en remettre au cheval, qui semblait maintenant savoir où (et surtout pourquoi) il courait ; ses naseaux largement dilatés aspiraient la brume et la rejetaient sur le côté comme un sillage, avec un bruit de soufflet déchirant.

En passant devant le cimetière et la nouvelle église, la charrette heurta quelque chose, peut-être un pavé disjoint, en tout cas elle fit un bond terrible avant de se déporter sur le côté, et une de ses roues racla, dans une gerbe d'étincelles, la chaîne tendue entre les deux bornes fermant l'entrée du cimetière. Sous le choc, des rayons se brisèrent. Hermie ne ralentit pas pour autant, il glapit seulement que, si Dieu ne voulait pas les aider à atteindre à temps le cabinet du docteur Wikes, alors il n'hésiterait pas à invoquer le diable. Et c'est exactement ce qu'il avait fini par faire – invoquer le diable.

Laissant Toby McNeill bercer sa fillette évanouie dont la bouche continuait de saigner, Hermie sauta de la charrette et se rua contre la porte du médecin comme s'il voulait la défoncer. Et peut-être était-ce en effet son intention, mais cette porte défendait la demeure d'un notable, elle était massive et résista à ses coups d'épaule. Alors Hermie tâtonna dans le brouillard à la recherche d'une pierre ou de n'importe quoi qu'il pourrait lancer à travers la fenêtre du premier étage.

Il allait le faire (il venait enfin de mettre la main sur quelque chose, c'était une petite chouette morte, et il commençait à lui donner de l'élan en la balançant par le bout d'une aile), lorsque Wikes se décida à ouvrir sa porte.

Tandis que Toby s'engouffrait à l'intérieur avec sa fille, Hermie revint près du cheval pour l'apaiser. Il essuya l'écume qui moussait à sa bouche. L'homme et la bête tremblaient autant l'un que l'autre.

C'est alors que la roue accidentée finit par céder et que la charrette versa sur le côté, entraînant le cheval dans sa chute. Le fracas fut tel que des fenêtres s'ouvrirent, des lumignons se mirent à palpiter dans le brouillard, et des voix demandèrent ce qui arrivait.

Le révérend Ruskin sortit de son presbytère, accompagné

de Ruth, sa servante, qui apportait une pinte de bière qu'elle prétendit faire boire au vacher pour le réconforter.

– C'est-à-dire, refusa Hermie en écartant les mains dans un geste humble et poli, que M. McNeill est catholique, et que j'ai fini par le devenir moi aussi. Du coup, je ne sais pas si je peux boire de la bière méthodiste.

En réalité, le vacher ne croyait en Dieu d'aucune façon, ni catholique ni méthodiste, mais après avoir appelé le diable à son aide (avait-il reçu cette aide ? il lui semblait bien que oui), il craignait d'envenimer sa situation en acceptant maintenant une bière offerte par un homme d'Église.

– Pas tant d'histoires, mon garçon, dit en riant le révérend Ruskin, avale donc ça si tu as soif.

Hermie n'était pas sot, et il trouva un bon moyen de ne pas vexer le pasteur tout en ménageant la susceptibilité du diable : il prit la bière des mains de Ruth, mais au lieu de la porter à ses lèvres, il la fit couler dans la bouche frémissante du cheval.

– Il en a besoin bien plus que moi, dit-il.

On l'approuva. Dans l'île, les chevaux étaient aussi rares que le bois.

Nul ne saura jamais si la faute en incombait à la seule action du couteau de cuisine ou à l'intervention désespérée que tenta le docteur Ebenezer Wikes après avoir désinfecté son scalpel et allongé la petite fille inconsciente sur la table de sa cuisine (« Et vous, ordonna-t-il à Toby, tenez-moi donc cette lampe plus haut que ça, prenez garde à ce qu'elle ne s'éteigne pas en cours de route, et essayez surtout de ne pas flancher quoi qu'il vous arrive de voir »), mais toujours est-il que Sarah, si elle survécut à son hémorragie, perdit presque totalement l'usage de ses cordes vocales.

La blessure de sa gorge fut si longue à cicatriser que l'enfant resta plusieurs semaines sans desserrer les dents, comme s'il lui était intolérable d'avaler ne serait-ce qu'un peu d'air. On dut la ficeler sur son lit deux fois par jour (à onze heures le matin, à dix-sept heures trente le soir) pour la nourrir de force, grâce à un mince tuyau qu'on faufilait entre ses lèvres. Et comme elle se cabrait sans pour autant émettre le moindre gémissement, on crut qu'elle était devenue tout à fait muette.

Elle finit pourtant par recouvrer l'usage de la parole. Du moins si l'on peut appeler ainsi cette façon qu'elle eut dès lors de chuchoter à la limite du souffle, comme quelqu'un qui s'exprime tout bas de peur de réveiller ceux qui dorment.

Chez les McNeill, par une sorte de mimétisme, on prit l'habitude de ne pas élever la voix plus haut qu'elle, à l'exception d'Hermie, qui, au-dehors sur la lande, était bien obligé de continuer à s'égosiller pour commander aux troupeaux et aux chiens.

En grandissant, à l'âge où les autres enfants sont attirés par les tambours, les crécelles, les pétards, et en général par tout ce qui peut faire du tapage, Sarah se mit à rechercher le silence.

Le docteur Wikes craignit d'abord qu'elle ne s'y enfonce d'une manière morbide. A l'en croire, ce goût du silence engendrerait bientôt celui d'une solitude excessive, et la petite fille, cessant peu à peu de communiquer, finirait par se perdre dans un monde secret auquel plus personne n'aurait accès. Or l'étroitesse d'Alderney et la sauvagerie de ses landes ne se prêtant déjà que trop aux tentations de l'isolement, Wikes insista auprès de Wilma McNeill pour qu'elle envoie Sarah en Angleterre, dans une institution où on ne lui laisserait pas un instant de répit :

– Sarah est si mignonne que ses camarades n'auront de cesse de s'en faire une amie, et par conséquent de l'arracher à son mutisme.

– Ah oui, ricana Wilma, et comment s'y prendront-elles, les camarades ? Il paraît que, là-bas, on n'a pas le droit de parler pendant les cours, ni au réfectoire, ni au dortoir.

Wikes en convint, mais, dit-il, il y avait toutes les autres activités pendant lesquelles les fillettes étaient encouragées à donner de la voix : les offices religieux avec le chant des psaumes, les activités sportives, et même les séances de châtiments corporels, qui se tenaient dans la salle de gymnastique – à cause du cheval d'arçon sur le dos duquel pouvaient aisément se courber les punies, qui étaient autorisées à crier.

– Mais je ne veux pas que l'on donne le fouet à ma fille ! s'écria Wilma, indignée.

– Eh bien, dit Wikes, n'exagérons rien, ce fouet n'est jamais qu'un martinet. Si j'étais sûr que ça puisse concourir à la faire sortir de sa coquille, je le lui appliquerais volontiers moi-même. Oh ! certainement oui, ajouta-t-il après être resté pensif un instant et avoir fait craquer les jointures de ses petits doigts boudinés.

Le soir même, lorsque Wilma lui rapporta cette conversation, Toby McNeill entra dans une colère d'autant plus impressionnante que, par respect pour les silences de Sarah, il se retint de crier. Dans un murmure finalement plus effrayant que n'importe quel hurlement, il ordonna à Hermie d'aller à l'écurie lui chercher le fouet de charretier ; son idée, expliqua-t-il, était de galoper jusqu'à Sainte-Anne pour faire claquer la lanière de ce fouet, longue de six pieds deux pouces, sur les omoplates d'Ebenezer Wikes. Heureusement pour ce dernier, il pleuvait à verse depuis huit jours, les chemins étaient ravinés, et Hermie (qui s'était levé comme s'il allait vraiment chercher le fouet, mais qui, en réalité, restait à se dandiner d'un pied sur l'autre) dit qu'à son avis M. McNeill risquait surtout de briser les jambes du cheval, lequel n'était plus si sûr de lui depuis qu'il était tombé avec la charrette.

– Très bien, rugit McNeill à voix basse, je ne sortirai pas. Mais je ne veux plus jamais entendre prononcer le nom de ce Wikes, sauf pour m'annoncer sa mort. Une fois pour toutes, qu'il soit entendu dans cette maison que cet homme est un maudit, et même pire – est-ce que chacun de vous m'a bien compris ?

Là-dessus, il quitta la table. Écartant le rideau qui fermait l'alcôve où dormait Sarah, il embrassa sa fille à plusieurs reprises, sur les cils et sur la commissure des lèvres, en se penchant si bas que Wilma et Hermie crurent un instant qu'il allait s'agenouiller devant elle. Il fallait que Toby soit véritablement hors de lui pour s'oublier ainsi, pensa Wilma, car il n'était pas dans les habitudes des hommes d'Alderney (et à plus forte raison quand ces hommes descendaient des McNeill du loch Schyn) de mignoter ainsi leurs enfants.

– 4 –

Alderney possédait une école qui, pour la somme de six pence par semaine (sept si l'on désirait suivre aussi les cours de musique), dispensait une éducation tout à fait appropriée au devenir des jeunes filles de l'île. Établie sur les hauteurs de Sainte-Anne, dans une maison noble ayant appartenu aux anciens gouverneurs, elle avait de longs rideaux de toile écrue, des parquets de chêne qu'on faisait raboter une fois l'an, des suspensions en opaline verte, et un chien de garde dans une niche, juste sous la petite cloche en bronze sur laquelle étaient gravés les noms des bienfaiteurs de l'établissement. C'était digne sans ostentation, propre sans maniaquerie, et au moins l'on n'y pratiquait pas les châtiments corporels, même pas les coups de règle sur le bout des doigts. Les seules pénitences infligées aux élèves consistaient à leur faire recopier des poèmes de Keats *(Isabelle ou le Pot de basilic),* de Wordsworth *(Description du paysage des lacs),* ou de Shelley *(Ode au vent d'ouest),* autant d'œuvres et d'auteurs que la postérité n'avait pas encore eu le temps de juger sereinement, et dont les désespoirs romantiques alimentaient la critique acerbe de certaines universités célèbres des bords de la Tamise. Mais l'humble école, si effacée qu'elle disparaissait quelquefois, au sens propre du mot, sous les brouillards et les pluies, se fichait pas mal des querelles littéraires qui agitaient Cambridge ou Oxford. D'ailleurs, il en allait des poèmes comme des arbres et des chevaux : on n'en avait pas assez dans l'île pour s'offrir le luxe de mettre à l'index ceux qu'on avait réussi à se procurer. Aussi, décadents ou pas, les vers de Keats, de Wordsworth et de Shelley étaient-ils calligraphiés par les demoiselles punies sur du papier translucide imitant les anciens parchemins, puis roulés, liés avec goût par des rubans de velours rouge, cachetés à la cire, et proposés en loterie lors des tirages au sort de la kermesse d'été.

Un après-midi d'octobre 1867, Sarah ayant atteint l'âge où les petites filles commencent à s'instruire, Toby et Wilma visitèrent l'école. Kathie Brennan, une Irlandaise aux grosses lèvres mouillées, en était alors la directrice. Elle introduisit les McNeill dans l'unique salle de classe, où ils reniflèrent une odeur aigrelette de cheveux humides, de bas malpropres, et de tout le reste qu'on imagine. Mme Brennan ne manqua pas de leur faire remarquer l'efficacité du poêle à charbon – « Cette saloperie, chuchota Toby à l'oreille de Wilma, tu sais ce que j'en pense. » Il soufflait ce jour-là une tempête d'ouest particulièrement rageuse, mais les fenêtres étaient si bien calfeutrées par des bourres de feutre qu'on n'entendait pas le moindre chuintement de vent et qu'aucun filet d'air ne faisait osciller la lueur des lampes vertes. On se serait cru dans une serre.

Les craies distribuées aux élèves semblaient d'excellente qualité, elles couraient sur les ardoises sans grincer. Peut-être les cartes de géographie accrochées au mur dataient-elles un peu – elles représentaient encore une Europe politique issue des guerres napoléoniennes –, mais ça n'avait pas d'importance puisque l'on n'étudiait pas ici d'autre géographie que celle du Royaume-Uni, dont les frontières étaient demeurées inchangées.

Mme Brennan conduisit ensuite les McNeill au pavillon

de musique. Ce n'était en aucune façon un pavillon, juste une pièce plus vaste que les autres, plus haute de plafond, avec des moulures dorées, qui avait été autrefois la salle à manger des gouverneurs (leurs portraits étaient d'ailleurs toujours là, accrochés aux murs) ; mais, s'agissant du lieu où se donnaient les leçons de musique ouvrant droit au fameux supplément d'un penny, Mme Brennan estimait que le mot pavillon était mieux approprié.

Sur les pupitres se trouvaient des psaumes imprimés. Toby se pencha, et il lut :

Elles ont une bouche et ne parlent pas.

– De qui s'agit-il ? demanda-t-il.

– Des idoles, monsieur McNeill. C'est le psaume 115, « Grandeur et bonté de Yahvé ». Voyez plus loin, monsieur : *les idoles ont des pieds et ne marchent pas, et de leur gosier ne sort aucun murmure.*

– De toute façon, dit Toby, notre fille ne chante pas.

– Cher monsieur McNeill, n'allez surtout pas croire que nous ambitionnons de former des cantatrices. Oh ! mon Dieu, non ! Tout ce que nous attendons de nos jeunes filles, c'est qu'elles tiennent convenablement leur place à l'église – quelle que soit cette église, ajouta Mme Brennan, qui venait de se rappeler que les McNeill étaient catholiques. A défaut de chanter les psaumes, votre petite Sarah aimerait peut-être apprendre le violon ?

– Le violon ? fit Wilma, tentée. C'est sûr que le violon, ça fait de la belle musique.

– Et il y a la gestuelle, insista Mme Brennan, l'attitude, la pose, cette façon si féminine en somme de coucher le visage sur l'instrument. Les violonistes sont appréciées dans tous les cercles de la société – et trouvent toujours à se caser, si vous voyez ce que je veux dire. Je ne serais pas aussi affirmative à propos des violoncellistes, naturellement.

– Naturellement, répéta Wilma avec chaleur.

Elle n'avait pas la moindre idée de ce que Mme Brennan avait bien pu vouloir insinuer à propos des violoncellistes, mais elle tenait à passer aux yeux de la directrice de l'école des filles pour une de ces femmes rompues aux allusions les plus fines, capables de tout comprendre à demi-mot.

– Eh bien... reprit-elle après un instant d'hésitation (elle avait tout de suite imaginé Sarah capable enfin d'émettre, grâce au violon, des sons autres que ses murmures si exaspérants à déchiffrer ; il fallait vraiment tendre l'oreille pour comprendre ce qu'elle chuchotait, et le simple bruit d'une carotte qu'on grattait ou d'un seau qu'on vidait dans l'évier suffisait à couvrir sa voix éteinte)... eh bien, si c'est l'école qui fournit le violon, peut-être qu'on pourrait en effet... voyons, Toby, qu'est-ce que tu en dis ?

Toby ne dit ni oui ni non : il allait y penser.

– Et en ce qui concerne l'école elle-même ? s'enquit Mme Brennan.

Toby répéta que, pour ça aussi, il allait y penser.

– Une réponse rapide m'obligerait, dit Mme Brennan, dont la voix se fit plus véhémente.

Elle aimait recevoir l'inscription des filles de fermiers ; il lui était si agréable, les matins d'hiver, de les voir arriver en serrant contre elles des torchons pleins de légumes ou d'œufs encore tièdes qu'elles déposaient sur son pupitre en esquissant quelque chose qui voulait être une révérence.

Les McNeill repartirent dans la tourmente. Le vent ayant faibli, il s'était mis à pleuvoir – on n'y échappait pas, en cette saison c'était alternativement le vent ou la pluie. Un triple torrent d'eau boueuse convergeait maintenant vers Connaught Square en dévalant les venelles de St. Martin's, du Huret et de Carrière-Viront. L'eau cascadait sur le pavement avec une telle violence que Toby dut retenir sa femme par le bras pour l'empêcher de glisser.

Wilma était contrariée par les silences de Toby à propos de l'école de Mme Brennan, et surtout de sa proposition si intéressante de donner des leçons de violon à Sarah, mais elle n'en dit rien : son mari s'expliquerait quand il jugerait le moment opportun ; et, à son air agité, elle devinait que ça n'allait pas tarder.

Plus loin, en sortant de la ville, ils croisèrent des ouvriers qui regagnaient leurs baraquements ; la construction du brise-lames était achevée depuis longtemps, mais il fallait sans cesse rappeler des hommes pour combler les brèches énormes que la mer y ouvrait à chaque équinoxe. Le matin même, le vapeur le *Courier*, qui faisait la navette avec Guernesey, avait déchargé dans l'île tout un lot de pipes en terre. Elles étaient bon marché, et les ouvriers étaient nombreux à avoir acheté ces pipes – par lots de deux ou trois à la fois, parce que les hommes du *Courier* avaient honnêtement prévenu qu'elles se brisaient facilement. Les ouvriers les étrennaient sous la pluie, et, à cause du petit crépitement que provoquait celle-ci en s'écrasant sur le tabac incandescent, on se serait cru en été dans une rue pleine de grillons.

– Wilma, dit enfin Toby, est-ce que tu as bien regardé ces filles de l'école ?

– Oui, neuf brunettes, deux blondes, quatre rouquines.

Même que c'est à ces rougettes que la robe grise et le tablier noir vont le mieux, je trouve – pas toi ?

– Moi, dit Toby, je n'aime pas la façon dont elles nous ont fixés tout le temps qu'on y était. Elles savent qui nous sommes (Bien sûr qu'elles le savent, songea rapidement Wilma, qui peut prétendre à l'incognito dans une île si petite ?), et elles savent aussi que quelque chose ne va pas à propos de Sarah. Si on la met avec elles, elles lui feront du mal.

– Quel mal ?

– Elles pourraient lui serrer le cou et lui pincer le nez pour l'obliger à ouvrir la bouche, regarder ce qu'il y a de cassé à l'intérieur – et cracher au fond, pourquoi pas ?

C'était une façon absurde et désespérée de voir les choses, mais Wilma sentit que Toby s'y tiendrait. Dans la vie de tous les jours, Toby était un homme serein, assez bien disposé pour le bonheur. Mais, sitôt qu'un sujet devenait un peu sérieux (la peste porcine et le péril de l'oxyde de carbone avaient été des sujets sérieux et, à présent, l'inscription de Sarah à l'école des filles semblait devoir en être un lui aussi), il avait tendance à se rembrunir et à envisager le pire. Elle n'insista donc pas, gardant tout de même l'espoir de trouver avec Mme Brennan un arrangement qui permette à Sarah d'avoir ses leçons de musique sans être obligée de s'exposer à la cruauté des autres élèves ; peut-être, en lui concédant encore un penny et en s'engageant à la faire chercher et ramener en charrette par Hermie, Mme Brennan accepterait-elle de monter une fois la semaine, avec son violon, jusqu'à la ferme des Hauts-de-Clonque.

L'école officielle fut donc récusée et Toby tint lui-même auprès de Sarah le rôle de précepteur. Il lui apprit à lire, à écrire et, grâce à sa collection de journaux dont il se servit pour remplacer les manuels scolaires, il lui enseigna une multitude de choses dont elle n'aurait jamais soupçonné l'existence à l'école de Mme Brennan – comme la façon de dresser les chevaux à la traction des wagonnets au fond des mines de charbon, la légende des saints irlandais devenus fous pour l'amour de Dieu (Sarah était révulsée par l'histoire de saint Moling, qui léchait le nez des lépreux pour le leur essuyer, mais elle se faisait répéter inlassablement celle de Suibne, le roi du lac Neagh, qui avait renoncé au trône pour devenir ermite, et dont les membres s'étaient alors couverts de plumes : il s'en servait pour planer tel un oiseau au-dessus des eaux noires du Neagh), ou encore la découverte du Français Bottineau qui avait mis au point la nauscopie, une science permettant de détecter l'approche d'un navire bien longtemps avant que ses voiles n'apparaissent à l'horizon. Cette nauscopie, assurait Toby, pouvait présenter un grand intérêt quand on vivait dans une île ; lui-même avait essayé de la pratiquer sans succès, mais Sarah, appliquée et obstinée comme elle l'était, finirait par en maîtriser la technique aussi bien que ce Français qui l'avait imaginée.

Cet enseignement, obéissant à la seule logique du sommaire des revues auxquelles le fermier était abonné, fit que Sarah conserva dans certains domaines des lacunes immenses, notamment en arithmétique ; elle ne sut jamais vraiment compter, du moins sans devoir s'y reprendre à deux ou trois fois, et encore n'était-elle pas sûre du moment où son opération tombait juste. Mais Toby ne la faisait pas travailler pour la rendre savante, ni la préparer à quelque avenir que ce soit : il cherchait seulement à exercer la mémoire de sa fille, à aiguiser sa curiosité et sa vigilance, par peur de la voir se recroqueviller dans un silence irrémédiable.

Ces leçons particulières se donnaient au petit matin, avant le départ de Toby pour les champs. Le jour n'était pas encore levé quand Sarah et lui s'installaient devant la table de la salle, où les précieux journaux pouvaient être largement étalés sans risque d'être froissés ni déchirés. Obligés de se pencher pour déchiffrer les petits caractères des colonnes imprimées, le père et sa fille se tenaient presque front contre front. En ces instants où le souffle de Sarah se mêlait à la vapeur fusant du bec de la théière, à la moiteur des chiens encore endormis sous la table et à la buée qui opacifiait les vitres, Toby se rappelait une phrase de John Keats qu'il avait relevée sur le cahier de punitions d'une des élèves, le jour de sa visite à l'école des filles d'Alderney – cette phrase disait qu'*une chose de beauté est une joie pour toujours*, et Toby savourait dans sa tête la *chose de beauté* qu'était sa fille assise tout contre lui, une beauté de cinq heures et demie du matin, au visage encore fripé par le sommeil, aux cheveux si embrouillés qu'ils semblaient un peu moins blonds que d'habitude.

Wilma servait le thé, sauf à Hermie, qui lui préférait une sorte d'élixir qu'il se concoctait lui-même à partir de feuilles et de racines, et qui avait un goût de cerises amères. La recette de ce breuvage datait du temps – à peine quelques décennies plus tôt – où la plupart des hommes d'Alderney vivaient de la contrebande. Bien que trop jeune pour avoir été lui-même contrebandier, le vacher buvait sa mixture comme on accomplit un rituel, en hommage à cette époque aventureuse que tout le monde dans l'île disait avoir été la plus magnifique de toutes – la preuve en était que la répression de la contrebande avait aussitôt entraîné une misère telle que les habitants avaient dû reconsidérer le partage des terres afin que chacun ait au moins de quoi faire pousser assez de légumes pour ne pas mourir de faim.

Les yeux par-dessus son bol, Hermie fixait Sarah. Chaque matin, il s'offrait le plaisir secret de détailler, jusqu'à ce qu'elle soit gravée en lui, telle ou telle partie du visage ou du corps de la fille des McNeill. Il emportait sur les landes le souvenir d'un lobe d'oreille, de deux cils, d'une bouche humide ou de l'arrondi d'un coude. Malgré les efforts d'Hermie pour la conserver nette et vivante, cette image s'effaçait peu à peu, comme celle d'un rêve.

« Au travail, Hermie », commandait Toby. Wilma et Sarah s'approchaient de la fenêtre, chacune se choisissait un carreau dont elle essuyait la buée d'un revers du bras pour accompagner du regard les deux hommes qui s'enfonçaient dans la bruine. Ils se séparaient au milieu de la cour – Hermie obliquait vers l'étable, tandis que Toby, hérissé de mannes d'osier et d'instruments aratoires aux fers brillants qui, dans la grisaille du jour naissant, lui donnaient une allure de guerrier barbare, continuait tout droit, poussait la barrière et disparaissait derrière le replat.

Un peu plus tard, quand Hermie avait fini la traite, Sarah sortait à son tour pour aller vendre du lait aux ouvriers qui renforçaient la maçonnerie de la digue. Déjà installé avec ses bêtes sur le plateau de la Grande-Blaye, Hermie l'apercevait parfois en contrebas, sur l'épi du brise-lames où les ouvriers lui offraient du thé dans leurs gamelles bosselées. D'aussi loin, Sarah n'était qu'une tache bleue sans visage – mais cette tache ne pouvait être qu'elle car, en mémoire de la fameuse nappe de la nuit du couteau, Wilma exigeait que Sarah s'habille exclusivement de bleu ; elle avait un certain mérite à cela, car, à l'époque, toutes les petites filles allaient en noir comme les femmes, les étoffes bleues n'étaient pas faciles à trouver, et elles étaient surtout beaucoup plus chères que les noires.

Après avoir partagé le thé des ouvriers et empoché l'argent du lait, Sarah se faufilait dans une des nombreuses fortifications désaffectées qui saillaient sur le pourtour de l'île. Les goélands nichant dans les éboulis poussaient leurs cris stridents en la voyant arriver, certains mâles s'envolaient pour tenter sur elle quelques piqués d'intimidation, mais ils avaient vite fait de s'apaiser en constatant combien Sarah se tenait sage et tranquille ; autour de la citerne autrefois destinée à recueillir l'eau de pluie pour refroidir les canons, Sarah s'asseyait en laissant pendre ses jambes à l'intérieur du trou frais et noir d'où montait une odeur de rivière – du moins Sarah le supposait-elle, car l'île ne possédait rien qui ressemble à une rivière.

Protégée du vent par les hautes murailles, elle ouvrait les journaux qu'elle avait étudiés le matin même avec son père. Aurait-elle suivi une filière d'éducation traditionnelle, on aurait pu penser qu'elle venait là réviser ses leçons ; en fait, elle nourrissait son imaginaire, compensant l'absence de camarades de jeu par la relecture de faits divers qu'elle apprenait par cœur, et puis qu'elle se rejouait toute seule, utilisant les ruines du fort comme un théâtre. Avec une prédilection pour les affaires judiciaires, elle se distribuait tous les rôles à la fois : le juge obtus, l'avocat d'abord somnolent mais qui s'éveillait et devenait prodigieux au fur et à mesure du procès, le prévenu accablé, et même le bourreau quand le jury unanime rendait un verdict de mort. Dans ces cas-là, elle poussait le mimodrame jusqu'à cracher dans ses mains, empoignait un morceau de bois figurant une pelle et faisait semblant d'ouvrir une tombe pour y enterrer le corps du condamné ; son carré des suppliciés n'était autre que les vestiges du potager de l'ancienne garnison où s'obstinaient à pousser quelques plantes dégénérées dont les hautes tiges, de loin, pouvaient évoquer des croix délabrées.

Au cours d'une matinée dans une de ces redoutes à demi écroulées, Sarah découvrit, dans un numéro du *Blackwood's Edinburgh Magazine* de novembre 1855, l'histoire de lady Jane, la seconde femme du capitaine John Franklin. Ce dernier, ancien gouverneur de Tasmanie, avait commandé l'expédition arctique envoyée au pôle par l'Amirauté à la recherche du passage du Nord-Ouest, au cours de laquelle les vaisseaux HMS *Erebus* et HMS *Terror*, et avec eux cent vingt-neuf officiers et marins, avaient disparu dans les mers boréales. Le journal rendait hommage à la longue patience de lady Jane, qui, après avoir vainement attendu le retour de son mari, avait consacré dix ans de sa vie à susciter, organiser, et parfois à financer elle-même, quelque cinquante-deux expéditions dans l'espoir de secourir et de ramener Franklin et ses hommes. Puis, quand cet espoir était devenu par trop déraisonnable, elle s'était obstinée dans l'espoir de connaître au moins les circonstances de la mort de son mari et, si cela se pouvait, de rapatrier quelques reliques en Angleterre. En plus de l'armement des vaisseaux dans lequel elle prenait souvent sa part, lady Jane avait successivement offert des primes de mille, de vingt mille, puis de soixante-quinze mille livres sterling. Et lorsqu'elle s'était trouvée à court d'argent, elle n'avait pas hésité à puiser dans l'héritage potentiel d'Eleanor Gell, la fille que Franklin avait eue d'un premier lit.

Sous l'impulsion de cette femme passionnée de romans – alors que son mari n'éprouvait que mépris pour ce genre de littérature –, des systèmes particulièrement ingénieux avaient été employés dans le but d'aider John Franklin à se diriger vers les secours envoyés à sa recherche : on avait lâché sur la glace des renards sauvages au cou desquels étaient attachés des colliers en cuivre indiquant aux survivants éventuels où trouver des dépôts de vivres, on avait largué une multitude de petits aérostats auxquels étaient suspendus, par des mèches incandescentes, des milliers de messages imprimés sur soie ou sur papier, qui devaient se détacher les uns après les autres au rythme de la combustion des mèches. Mais des marins capturèrent les renards et les tuèrent pour s'approprier et revendre leur fourrure, tandis que les messages aériens se perdaient dans les immensités glacées.

Au terme de près de quatre mille jours d'opiniâtreté, lady Jane n'avait finalement reçu, des mains d'un capitaine consterné, sur un quai venté de Portsmouth, qu'une boîte en fer-blanc retrouvée dans un cairn sur la côte nord-ouest de l'île du Roi-Guillaume. Cette boîte contenait une lettre griffonnée par un de ses compagnons de détresse, qui faisait part au monde de la mort du capitaine Franklin, survenue le 11 juin 1847, ainsi que de celle de vingt-trois de ses hommes – mais elle ne disait pas si, d'une manière ou d'une autre, sir John avait eu, à l'approche de sa mort, une pensée pour sa femme. Plus tard et plus loin, cette fois sur la côte sud de l'île, furent également trouvés d'autres objets ayant appartenu à des marins de l'*Erebus* et du *Terror* – un gant en peau de chevreau, un exemplaire du *Vicaire de Wakefield*, des tasses à thé en porcelaine de Hollande, une pièce de six pence, et diverses autres petites choses quotidiennes –, mais toujours rien qui puisse permettre à lady Jane de savoir si son mari avait eu, en mourant, un ultime élan vers elle. Et cela, songea Sarah en repliant soigneusement le *Blackwood's Edinburgh,* était le plus navrant de tout.

La jeune fille avait quatorze ans, et c'était la première fois qu'elle lisait dans un des journaux de son père un récit aussi complet, présentant une histoire dotée d'un commencement et d'un dénouement, et qui conduisait surtout chacun des personnages jusqu'au bout de son destin. D'habitude, on devait se contenter de relations fragmentaires des événements, sans pouvoir se faire une idée de la façon dont les choses avaient commencé, ni de celle dont elles avaient tourné par la suite.

« Les journaux sont faits comme ça, avait expliqué Toby. Pour connaître les détails et tout le reste, il faudrait lire les livres qu'on a bien dû écrire aussi sur ces affaires-là. Mais les livres, c'est plus compliqué que les journaux à faire venir jusqu'ici dans l'île, et ils sont surtout beaucoup trop chers pour nous. Et puis, moi, les livres, je n'arrive pas à croire qu'ils soient intéressants de la première à la dernière page. »

De lady Jane, le journal d'Édimbourg proposait un portrait heureux, exécuté à l'encre de Chine d'après une photographie prise quelque temps avant son mariage avec le capitaine Franklin : lady Jane était alors une femme jeune, au visage rond et rieur éclairé par de grands yeux brillants, avec des cheveux courts et bouclés comme ceux d'une poupée. Sarah se demanda ce qu'il était advenu de ce visage, si ses rondeurs s'étaient creusées à force d'anxiété et de chagrins, et si s'étaient flétries les jolies anglaises qui l'encadraient.

Elle qui n'avait pas versé une larme la nuit où Ebenezer Wikes avait recousu sa chair à vif eut alors envie de pleurer sur lady Jane. Elle était seule dans la cour du fort et ses larmes, si elle les laissait couler, pouvaient tomber au fond de la citerne vide, silencieusement et à l'insu de tous.

Mais elle se retint, parce qu'elle pleurait mal : à cause de sa gorge abîmée, elle ne réussissait qu'à émettre un grelot de couinements assez ridicules, qui prêtaient à rire tant ils avaient peu à voir avec les sanglots poignants d'une fille dotée d'une vraie voix. A défaut de pleurer, elle resta perplexe toute la journée et, pour la première fois de sa courte vie, porta sur l'existence un regard différent. Dans ce regard passait quelque chose d'infiniment triste.

Elle emprunta sans permission, et sans selle, l'un des chevaux de John et Armand Pentecôte – après tout, les fermiers d'Essex House n'avaient qu'à fermer la barrière de leur pré –, et galopa furieusement à travers la lande, pour s'étourdir, jusqu'à entendre midi sonner au clocher de l'église. Alors elle ramassa au bord de la mer des coquillages qu'elle dévora crus malgré l'interdiction de ses parents. Mais en dépit de ses efforts, elle ne parvint pas à se débarrasser de sa tristesse. Elle qui redoutait tellement le froid comprenait la détresse de lady Franklin à l'idée que le corps de son mari reste à jamais prisonnier de la banquise – peut-être les yeux du capitaine étaient-ils encore ouverts sous une pellicule de glace, mais l'Amirauté avait officiellement confirmé qu'aucun équipage ne prendrait plus la mer pour aller les lui fermer.

Plus tard, Sarah revint au brise-lames où, se tenant à distance et crispant ses doigts dans les plis de sa robe bleue pour l'empêcher de se soulever et de découvrir ses jambes, elle observa les hommes à l'ouvrage. Ce jour-là, ils étaient une cinquantaine à s'efforcer de colmater les failles que les coups de boutoir de la mer, une fois de plus, avaient ouvertes dans la digue. Ces hommes venaient d'Irlande, de Pologne, de Poméranie et de Turquie. Sarah se demanda combien avaient laissé derrière eux une femme comme lady Jane, pour qui leur absence était insupportable, et qui comptait les jours. Mais même en s'approchant, elle n'aurait pas pu voir s'ils avaient des alliances, tellement leurs doigts étaient englués de vase, de ciment, de charbon mouillé ou du cambouis des machines.

On disait que, pour avoir accepté ce travail de forçats, les ouvriers de la digue étaient des hommes sans attaches, sans amour, des espèces de rôdeurs qu'on recrutait la nuit sur les quais des ports les plus mal famés ; on les logeait à l'écart de la population d'Alderney, dans un camp de baraques alignées sur la lande comme les quartiers d'un pénitencier. Mais la jeune fille devinait qu'ils valaient mieux que leur réputation. Avec eux, parce qu'ils ne parlaient pas sa langue et que, de toute façon, le vent emportait sa voix morte, elle communiquait par gestes – elle se servait de ses doigts, chaque phalange symbolisant le tiers d'un penny, pour leur indiquer le prix du lait. Ils lui répondaient par des grognements – deux grognements signifiaient « Verse-moi davantage de lait, petite fille, surtout s'il est encore tiède, car j'ai joué aux cartes une partie de la nuit et j'ai gagné de quoi bien te payer » ; trois grognements, les yeux qui se plissaient et quelques claquements de langue comme on fait pour exciter un cheval, cela voulait dire que l'homme, en plus du lait, voulait acheter de l'alcool – Sarah ne manquait jamais d'apporter secrètement un ou deux bouteillons de l'eau-de-vie que distillait son père, noyés au fond des bidons de lait pour tromper la surveillance des contremaîtres.

De retour à la ferme, Sarah demanda à sa mère si elle avait jamais entendu parler de lady Jane. Wilma lui répondit qu'elle ferait aussi bien de ranimer le feu de quaipeaux et de l'aider à préparer le souper, plutôt que de se préoccuper d'une lady qui devait ignorer jusqu'à l'existence des États d'Alderney.

– … et toutes ces fichues grandes dames de Londres en sont là, sermonna Wilma d'un ton désenchanté, même la reine qui ne s'est pas inquiétée une seule fois de ce qu'était devenu son petit arbre. Alors, toi, qu'as-tu à faire de cette Jane Franklin ? Est-ce que, par hasard, elle serait arrivée dans l'île ?

Et bien que Sarah n'ait rien prétendu de pareil, elle ajouta avec véhémence :

– Non, je n'en crois pas un mot. A ce qu'on m'a dit, le *Courier* n'a débarqué ce matin que du cordage de chanvre, des épinards et des planches – ah ! oui, et un nouveau vicaire, un jeune homme maigre qui répond, paraît-il, au nom de Bancroft et qui, par parenthèse, a été malade comme personne en passant les courants du Swinge, mais ce n'est pas un signe de faiblesse de la part de ce pauvre garçon, je ne vois pas qui pourrait apprécier de se retrouver dans la situation d'un lardon sautillant dans une poêle à frire.

Le soir tombait sur les Hauts-de-Clonque, le jour de lady Jane s'achevait – c'est ainsi que Sarah appela cette journée, de même que ses parents disaient la nuit du couteau pour évoquer le soir où elle s'était blessée car, dans l'île, c'était l'usage de baptiser du nom de l'événement qui les avait marquées les journées qui échappaient à la monotonie quotidienne. Le ciel ressemblait maintenant à une chaussée empierrée de monstrueux pavés mauves, mal équarris. Des goélands planaient de plus en plus bas, de plus en plus lentement au-dessus des toits de la ferme, et cette soudaine apathie des oiseaux, leur propension à chercher la terre et la présence des hommes étaient le signe qu'on allait avoir une tempête. Dans la cour, Toby McNeill empilait des galets sur un tas de goémon pour l'empêcher de s'envoler.

Assis à la table, triant pour la soupe ces haricots secs à énormes grains blancs qu'on appelle orteils-de-prêcheurs, Hermie regardait Sarah penchée, occupée à tisonner les quaipeaux. En homme habitué à interpréter les moindres signaux de la nature, il devinait, sous la robe bleue qui semblait chaque jour un peu plus étriquée, l'allongement des jambes et la rondeur nouvelle de la croupe. Il se demandait si quelqu'un manifesterait un jour le désir d'épouser cette fille. Quand il l'entendait pousser douloureusement ce qui lui restait de voix, il pensait que non. Car il y avait quelque chose d'affolé dans les efforts que faisait Sarah pour parler, quelque chose d'aussi exaspérant que la palpitation des papillons de nuit, l'été, contre le verre des lampes – c'était d'ailleurs la même espèce de son feutré, sourd et heurté. Mais quand il apercevait la jeune fille courant sur la lande, tantôt blonde et tantôt rousse selon la façon dont ses cheveux prenaient le vent et la lumière, Hermie n'était plus sûr de rien. Il la laissait filer sans oser l'appeler et il sentait sa gorge se serrer, pas seulement parce qu'elle était la fille de ses maîtres et qu'il lui devait un certain respect, mais parce qu'il n'avait pas oublié la nuit du couteau, où, dressé sur les brancards de la charrette emballée, il avait, pour elle, invoqué le démon. Le désir trouble qu'il ressentait en la voyant courir, retenant d'une main le bas de sa robe pour ne pas la déchirer aux épines des ajoncs, n'était-il pas une terrible politesse que lui rendait le diable ?

Si personne ne se présentait pour épouser Sarah McNeill, alors Hermie tenterait sa chance. Mais ce serait après bien des années, le temps pour Toby et Wilma d'épuiser toutes les autres possibilités de la marier ; et d'ailleurs, peut-être préféreraient-ils qu'elle reste vieille fille.

En attendant, même s'il haïssait son ouvrage (il n'avait décidément pas l'impression d'être venu au monde pour trier des haricots, ni pour sortir, rentrer, traire et sortir à nouveau des vaches, récolter leurs bouses à même leurs culs ou quasiment, au fur et à mesure que les bêtes grimpaient la pente du vallon en laissant derrière elles un épais sillage de mouches répugnantes et stupides qui venaient crépiter contre son visage), Hermie prenait sur lui-même pour surmonter ses lassitudes et ses dégoûts. Car si les McNeill se fatiguaient de lui et de son peu d'enthousiasme à devenir un paysan accompli, au point de le renvoyer comme Toby l'en avait déjà menacé maintes et maintes fois, alors il ne verrait plus Sarah que le matin, à l'heure où, trébuchant dans l'obscurité, elle descendait vendre son lait sur la digue. Tandis que là, tout de suite, elle s'affairait à moins d'un mètre de lui, si proche qu'il aurait pu lui toucher les reins juste en allongeant la main. Et elle allait se relever, essuyer d'un revers du bras son visage où le réveil du feu avait mis des gouttes de sueur. Qui sait si quelques particules de la sueur de Sarah n'allaient pas s'envoler et venir miraculeusement se poser sur sa peau à lui ? Puis ce serait l'heure du souper, Sarah et lui seraient assis côte à côte et, quand elle soufflerait sur sa cuillerée de potage pour la refroidir, il n'aurait qu'à se pencher sous prétexte d'attraper un morceau de pain ou n'importe quoi traînant sur la table, et il sentirait son haleine effleurer son visage. Pour la plupart des gens, le souffle d'une femme n'était probablement rien du tout. Mais lui, il n'y avait pas grand-chose d'autre qu'il puisse espérer recevoir de Sarah. Alors, songeant au moment délicieux où il surprendrait la jeune fille jouant distraitement avec sa cuillerée de potage, il s'absorba dans le tri monotone des orteils-de-prêcheurs avec l'air d'y trouver un réel plaisir, et il dit à Wilma, d'un ton enjoué :

– Encore une belle journée qui s'en va son train, pas vrai, madame McNeill ?

Après avoir ranimé les quaipeaux, Sarah avait calé dans la cheminée, à même les braises, la bassine oblongue qui faisait office de tub, et s'était assise à côté en attendant que l'eau soit chaude. Elle était la seule des McNeill à prendre des bains. Lorsque l'eau commença à fumer, Sarah se déshabilla, protégeant sa nudité derrière un linge. Les chiens vinrent flairer ses pieds et elle rit.

– Hermie, murmura-t-elle en se glissant dans le tub, retourne-toi et occupe-toi de tes haricots.

Le vacher obéit. Il se souvint brusquement de ce vicaire dont avait parlé Wilma. Son arrivée dans les États d'Alderney était préoccupante : un ecclésiastique, surtout s'il était jeune et maigre (signe d'ascétisme que cette maigreur, et donc d'exaltation), était exactement le genre d'homme chimérique capable de sacrifier sa vie à une quasi-infirme comme Sarah. Hermie se promit d'être vigilant. Il n'avait plus, d'après son estimation, que deux ou trois cents orteils-de-prêcheurs à trier. Dans l'eau du faux tub, toute grise des cendres dont on se servait pour les lessives et dont, faute de savon, elle frottait sa peau, Sarah chuchota :

– Pauvre dame ! John est quelque part enfoui là-bas, et Jane fait des cauchemars, pauvre Jane !

Il était difficile de dire si les gouttes qui roulaient sur ses joues étaient enfin les larmes qu'elle couvait depuis le matin, ou les effets de la vapeur montant de la bassine.

– Oublie cette dame et dépêche-toi donc de sortir de ton court-bouillon, fit Wilma avec agacement, ton père va rentrer et il aura faim.

Elle croyait que Sarah prenait des bains uniquement pour se réchauffer – la propreté n'avait jamais été une préoccupation majeure chez les McNeill. Dehors, la tempête s'était déchaînée et le vent refoulait la fumée dans la cheminée. A moitié asphyxiée, Sarah se mit à tousser. Avant que Wilma ne se décide à fermer les volets, on vit Toby passer devant les fenêtres, armé d'une fourche en bois, courant après son goémon que les rafales emportaient malgré les galets qu'il avait mis dessus.

– 5 –

Contrairement à la plupart des bals de village, qui ne commencent qu'à la nuit bien avancée, le bal des Brandons s'ouvrait dès le déclin de la lumière et s'achevait à l'heure où l'on pouvait discerner les premières étoiles dans un ciel encore laiteux – on enflammait alors les torches de paille tressée et l'on s'élançait à travers la lande, pour déboucher dans les rues de la ville en chantant à tue-tête, et dévaler ensuite la route de Braye jusqu'au rivage où, la mer mettant un terme à la course folle, on jetait à l'eau, en riant, les torches presque entièrement consumées et qui brûlaient les doigts.

Le bal proprement dit ne durait donc que le temps d'un crépuscule d'août, et ceux qui voulaient danser devaient se hâter d'en profiter. De toute façon, sur l'extrême pointe de Clonque où se tenait la réunion, l'herbe détrempée par les embruns avait vite fait, à force d'être piétinée, de devenir trop glissante pour la danse. Aussi, pour ne rien perdre de celle-ci, les amateurs se rassemblaient-ils longtemps avant que ne retentissent les premières notes de la musique jouée par un violoniste et un cornemuseux, tous deux juchés sur une caisse en bois qu'ils martelaient du talon pour marquer la cadence.

Le soir des dix-neuf ans de Sarah McNeill, on débuta par le *God save the Queen*, que les hommes écoutèrent chapeau bas, puis on enchaîna sur un hymne religieux dont les femmes reprirent en chœur chaque verset.

Pendant ce chant qui était volontairement lent et ennuyeux comme pour retenir encore un peu le plaisir profane qui allait déferler, quelques moqueries fusèrent à propos de Bancroft, le nouveau vicaire, qui était si maigre et qui portait un habit de clergyman beaucoup trop grand pour lui. Mais le révérend Ruskin, passant parmi la foule, reprit les rieurs, qui étaient surtout des rieuses : ce costume lui appartenait en propre et, s'il s'était senti obligé de le prêter à son vicaire, c'est que celui-ci, après cinq années de ministère dans l'île, n'avait toujours rien de convenable à se mettre, ce qui n'était pas à l'honneur des dames présentes.

En contrebas de la prairie, on apercevait les rues de Sainte-Anne déjà illuminées d'une multitude de lampions. Leurs petites flammes, palpitant derrière les fenêtres, posaient de courts reflets dorés sur le granit des pavés et des murs encore luisants des restes de l'orage qui s'éloignait vers les côtes de France en tonnant sur la mer. Quant aux feux de joie auxquels on allait bientôt allumer les torches, ils flambaient haut et clair sur la lande, entretenus par des enfants qui y jetaient des brassées d'ajoncs secs.

Quand le psaume s'acheva enfin, il y eut un moment de flottement et les regards se tournèrent avec impatience vers la ville : le bal ne pourrait commencer que lorsque toutes les femmes seraient sur la lande, or beaucoup s'attardaient pour fermer les maisons et vérifier que leurs illuminations ne risquaient pas de provoquer un début d'incendie.

En attendant le signal de la danse, les gens s'assirent où ils pouvaient – certains, qui n'avaient pas le vertige, sur le bord même de la falaise, balançant leurs jambes au-dessus de l'abîme où planaient des oiseaux.

Au moment où Sarah quittait la ferme, une soudaine rafale de vent plaqua sa robe bleue contre les quaipeaux encore mous qui maculaient le bas du mur.

Le dos de la robe fut largement souillé, depuis l'ourlet jusqu'aux cuisses. Mais Sarah ne s'en aperçut pas : elle imputa à la seule force du vent le fait que sa robe soit restée un instant comme littéralement collée contre le mur.

Hermie, qui marchait devant elle pour lui ouvrir le chemin, ne remarqua rien non plus. Et leurs narines y étant habituées depuis toujours, ni lui ni elle ne décelèrent l'odeur à la fois aigre et fade de la bouse étalée sur l'étoffe.

Écrasant les touffes d'angélique, ils traversèrent la lande en direction de la pointe de Clonque, guidés par les lueurs des bûchers. En entendant les premières bouffées de musique, Hermie se mit à gambader sur l'herbe rase, son chapeau de brigand oscillant d'un bord à l'autre de sa tête ronde.

– Eh ! mademoiselle McNeill, demanda-t-il sans se retourner, est-ce que vous voudrez bien danser avec moi ?

– Oui. Mais d'abord, je danserai avec les scaphandriers.

– C'est sûr, dit Hermie, vous commencez toujours par eux.

Joseph Zemetchino, originaire de Svetlogorsk en Lituanie, et Thomas Walcott, qui venait de Plymouth, passaient pour être les meilleurs danseurs du bal des Brandons. Ils devaient cette flatteuse réputation à la façon dont ils évoluaient sous la mer, forcés de lever haut la jambe pour arracher leurs pieds lourdement plombés à la gangue de vase qui les aspirait, et contraints en même temps de se contorsionner souplement pour offrir le moins de prise possible aux redoutables courants sous-marins. A quoi s'ajoutait le prestige d'avoir voyagé dans des pays lointains, et plongé dans des eaux dont le nom même avait quelque chose d'envoûtant : qui pouvait rivaliser avec Jo Zemetchino quand il racontait s'être paisiblement promené au fond du lit du fleuve Amour ?

Quand les scaphandriers s'immergeaient dans le port de Braye, pourtant peu glorieux avec leur truelle de maçon et leur seau rempli de ciment hydrofuge, il y avait toujours des filles perchées sur l'épi du brise-lames pour tenter de les apercevoir au fond. A la vérité, ébranlées par la vibration des machines et le passage des petites locomotives de servitude, les eaux étaient trop troublées pour qu'on puisse espérer entrevoir autre chose que deux formes rebondies qui oscillaient comme des ludions. Toujours est-il que, depuis maintenant soixante-douze mois qu'ils travaillaient sur le chantier, Zemetchino et Walcott touchaient une fois par an sur la pointe de Clonque les dividendes de leur dur métier.

Zemetchino était justement en train de danser avec Becky Lower (et il se faisait la réflexion qu'elle s'en tirait beaucoup mieux cette année, elle suivait la cadence rapide donnée par la cornemuse au lieu de se laisser ramollir par la mélodie du violoniste), lorsqu'il aperçut, par-dessus l'épaule de sa cavalière, Sarah qui arrivait en compagnie d'Hermie.

Tandis que le vacher saluait l'assemblée en faisant de grands moulinets comiques avec son chapeau noir, Sarah s'approcha d'un des feux de joie et, comme une petite fille qui a froid, tendit ses mains vers les flammes. C'était un geste sans importance, en tout cas sans intention d'émouvoir qui que ce soit, mais il toucha le scaphandrier.

– Faut pas m'en vouloir, dit alors Zemetchino en desserrant l'étreinte de Becky Lower, mais il va falloir maintenant que je m'occupe d'une autre petite personne. Je dois essayer de faire un peu plaisir à tout le monde, je pense que vous le comprenez ?

– Oh ! certainement, répondit Becky Lower, bien qu'il soit évident qu'elle ne partageait pas du tout ce point de vue.

Zemetchino fendit la foule des danseurs et se dirigea vers le bûcher. Il était un peu déçu que Sarah porte encore cette sempiternelle robe bleue qu'elle mettait tous les matins pour descendre au brise-lames. Les autres femmes, et notamment cette Becky Lower qu'il venait d'abandonner, exhibaient ce soir leurs plus belles toilettes – qu'elles soient *réellement* belles n'était pas la question, elles étaient ce qui se faisait de mieux par ici. Mais Sarah était probablement trop jeune encore pour posséder une vraie garde-robe. Associée au geste qu'elle avait eu tout à l'heure pour réchauffer ses doigts alors qu'on était dans la plénitude de l'été, cette forme de dénuement juvénile plut au scaphandrier.

Les flammes éclairaient le visage de Sarah. C'était la première fois que Zemetchino pouvait la détailler en pleine lumière ; il n'était pas de ceux qui lui achetaient du lait le matin, et encore moins de l'alcool car Walcott et lui ne buvaient jamais avant leurs plongées. Elle était sans doute un peu moins jolie qu'il ne l'avait pensé. Amusé par cette petite déception (n'était-ce pas sa juste punition pour avoir si brusquement repoussé Becky Lower ?), Zemetchino nota qu'elle avait le bout du nez trop relevé, les pommettes un peu hautes et fortement marquées, une ombre de duvet clair sur l'ourlet de la lèvre supérieure (oh ! c'était imperceptible, il fallait, pour le voir, que le feu l'éclaire de profil), et les yeux écartés comme pour embrasser un champ de vision plus large que les autres. Cet écartement des yeux ne lui donnait-il pas un air de chat naïf ? se demanda Zemetchino, qui se souvenait d'avoir possédé à Svetlogorsk un chat en terre cuite, fabriqué quelque part dans le Caucase, et qui avait un peu cette allure-là. Le scaphandrier avait été consterné le jour où il l'avait cassé ; il avait bien essayé d'en recoller les morceaux mais il n'y était pas parvenu. Faisons attention à ne pas casser cette fille-chat, pensa-t-il.

Sarah lui adressa quelque chose qui pouvait passer pour un sourire.

– Bonsoir, lui dit Zemetchino. Alors, comme ça, vous voilà prête à vous payer du bon temps ?

De son esquisse de sourire, Sarah fit une de ces moues qui convenaient si bien à sa bouche gonflée :

– Je ne sais pas encore. Comment est la musique, cette année ?

– Bah, pour ce que nous sommes supposés en faire...

Il se dandinait d'une jambe sur l'autre, comme pressé de se mettre à danser avec elle. En fait, c'était dans les bras qu'il éprouvait des impatiences, tant il avait envie de serrer Sarah contre lui, d'en éprouver la fraîcheur contre sa poitrine à moitié découverte par la chemise blanche qu'il portait débraillée, à peine enfouie dans son pantalon pour se donner des airs d'aventurier.

Il n'eut pas besoin de le lui demander : elle vint se blottir contre lui, aussi naturellement qu'une feuille choit auprès de l'arbre qui l'a portée. Il lui trouva un corps plus ferme, plus épanoui que les années précédentes, et il sentit avec plaisir la pression de ses petits seins. Joyeux, il l'entraîna alors vers le centre de la prairie, la faisant évoluer adroitement parmi les couples qui se prenaient la main pour commencer la farandole.

– Pardon, dit-il aux danseurs, je suis navré, veuillez m'excuser…

En réalité, il ne bousculait ni ne dérangeait personne, et il n'avait aucun motif de s'excuser. Mais il éprouvait une vive satisfaction à interpeller les gens, à faire se retourner les têtes sur cette jolie fille languide entre ses bras. Ils passèrent près de Thomas Walcott, qui s'était dévoué pour récupérer Becky Lower et qui lui disait à l'oreille des choses qui la faisaient pouffer.

– Vous auriez peut-être préféré danser avec mon ami Tom, dit Zemetchino en feignant l'humilité. Ce n'est pas que Tom soit tellement meilleur danseur que moi, mais il connaît des histoires époustouflantes. Il s'est vraiment battu contre des poulpes géants, lui, le croiriez-vous en le voyant ?

Sarah jeta sur Tom un regard distrait, refit sa moue, et Zemetchino lui fut reconnaissant de cette manière silencieuse de lui marquer sa préférence.

– Moi, reprit-il, je n'aime pas trop parler quand je danse. Et même, je ferme les yeux. J'y vois mieux avec les mains.

Il venait précisément de nouer celles-ci sur la taille de Sarah. Ses doigts jouaient avec la ceinture de la robe bleue, dont le nœud faisait comme une grosse boucle dans le dos. Malgré les apparences, c'était un nœud très simple, et il suffisait probablement de tirer sur un des pans de la ceinture pour que la robe s'ouvre et tombe en glissant le long du corps. Zemetchino sourit en songeant à quel point les jeunes filles se croyaient cuirassées derrière leurs chiffons, alors qu'il s'en fallait d'un instant pour qu'elles soient à peu près nues.

– Je n'aime pas parler non plus, chuchota Sarah. J'ai toujours mon problème pour parler, on espérait que ça s'arrangerait un peu, mais non.

Après son attitude frileuse près du feu de joie et la fragilité du nœud fermant sa robe bleue, la voix à peine audible de Sarah était la troisième des choses qui la rendaient si vulnérable. Zemetchino se demanda si elle cachait encore d'autres faiblesses.

– Voyons, dit-il, comment envisagez-vous cette danse ? Voulez-vous qu'on se secoue gentiment sur place ou bien préférez-vous que je vous entraîne à toute allure d'un bout à l'autre de la lande ?

Elle rit sans bruit :

– Essayons la première solution. Je m'essouffle assez vite.

– Et puis, il sera temps de courir tout à l'heure, avec les flambeaux. Je parie que votre torche sera la plus réussie : dans une ferme, ce n'est pas la paille qui manque !

– J'ai été trop occupée pour m'en fabriquer une. J'ai dix-neuf ans aujourd'hui.

En la prenant dans ses bras, il avait d'abord cru qu'elle en avait à peine seize. Maintenant, il pouvait espérer qu'elle ne se montrerait pas trop farouche. Quand la procession se disperserait sur le port, Sarah accepterait peut-être de le suivre dans la cabane où Walcott et lui entreposaient leur matériel de plongée. Il lui ferait essayer son casque en cuivre et, comme toutes les femmes auxquelles il avait déjà fait ce coup-là, la petite dirait : « Mais comment peut-on respirer là-dessous ? Enlevez-moi vite cette horrible chose ! » Il la délivrerait du casque, et en profiterait pour l'embrasser – ce qui était une autre façon de l'empêcher de respirer, mais tellement plus agréable.

– Félicitations et joyeux anniversaire, dit-il. On vous a couverte de cadeaux, j'imagine.

– J'ai eu une chambre pour moi toute seule, répondit-elle avec fierté. Et aussi un jeu de dames, mais je ne sais pas encore comment on y joue.

– Je connais des tas de jeux, dit Zemetchino en pensant à la cabane et au casque.

Ils commençaient à osciller doucement, serrés l'un contre l'autre, sans se préoccuper du rythme de la musique. Pesant contre la longue robe bleue, un des genoux du scaphandrier chercha à se glisser entre les jambes de la jeune fille.

La farandole s'était enfin formée et serpentait autour d'eux, soulevant un courant d'air qui trahit soudain la puanteur de la bouse souillant la robe de Sarah. Zemetchino fronça les narines :

– Est-ce que vous ne sentez pas cette drôle d'odeur ?

– Quelle drôle d'odeur ?

– D'étable. Ou pire.

Pris d'un doute, il la fit pivoter sur elle-même. Il vit alors la tache brune qui s'étalait sur le bas de la robe.

– Mais c'est vous ! s'exclama-t-il. On dirait bien que c'est vous qui sentez comme ça...

C'était la quatrième faiblesse de Sarah, mais celle-ci, Zemetchino la trouva répugnante. Il s'écarta :

– Je crois que vous feriez mieux d'aller vous changer, mademoiselle McNeill.

Sarah s'était cambrée en arrière, tout en saisissant l'ourlet de sa robe et en le remontant un peu pour voir ce qu'il y avait. Elle devint pâle, et balbutia quelques mots plus étouffés que d'habitude.

Plusieurs danseurs avaient quitté la farandole. Immobiles, ils regardaient la jeune fille et son cavalier, curieux de savoir pourquoi ils s'étaient séparés si brusquement. Quand Sarah avait laissé aller sa tête contre Zemetchino, on les avait enviés et Wilma, arrivée juste à ce moment-là en compagnie de Toby, avait tiré son mari par la manche pour lui montrer la façon dont leur fille et le scaphandrier dansaient ensemble : « Sainte Mère de Dieu ! s'était-elle écriée, est-ce que ça n'est pas aussi un peu comme ça que nous avons commencé notre affaire, toi et moi ? » Et Tom Walcott avait susurré à l'oreille de Becky Lower qu'à son avis ce voyou de Zemetchino n'allait plus être disponible pour personne d'autre jusqu'à la fin du bal.

Et maintenant, Zemetchino riait sans pouvoir s'arrêter, un doigt tendu vers Sarah qui, elle, se sauvait en courant.

– Est-ce que ce type a fait à Sarah une réflexion inconvenante ? demanda Toby à Becky Lower.

Celle-ci se trouvait justement tout près de Zemetchino quand celui-ci avait fait tourner Sarah sur elle-même, et s'était tout de suite écarté d'elle.

– Rien entendu de semblable, répondit Becky Lower. Mais évidemment, ajouta-t-elle avec une pointe de fiel, si c'est ta fille qui a dit quelque chose de maladroit, c'est normal que ça m'ait échappé.

Becky Lower avait conscience de se montrer passablement cruelle à l'égard du fermier. Mais elle n'en éprouva aucun remords. Comme la plupart des femmes de l'île, elle estimait que, au lieu de couver Sarah et de la tenir à l'écart pour soi-disant la protéger, les McNeill auraient mieux fait de l'envoyer à l'école des filles où elle se serait un peu endurcie contre les moqueries que son infirmité n'allait pas manquer de lui valoir, surtout à présent qu'elle prétendait se mêler à la société des hommes.

Hermie était resté à l'écart de la farandole, attendant tranquillement que Sarah en ait fini avec son scaphandrier et vienne vers lui comme promis. Il s'affairait près des feux de joie, aidant les enfants à gaver les foyers.

A travers le rideau de flammes, il vit soudain Sarah courir en trébuchant et disparaître au bout de la prairie. Il crut qu'elle allait s'accroupir derrière une butée de terre pour satisfaire un besoin et décida de surveiller son retour – la lumière déclinait et certains ouvriers du brise-lames avaient quitté l'enceinte du bal pour aller rôder précisément autour de cette fameuse butée de terre derrière laquelle les femmes avaient coutume de s'isoler.

Mais Sarah ne revenait pas. Hermie récupéra son chapeau qu'il avait prêté à un gamin, se l'enfonça sur la tête, prit un brandon enflammé et dit aux enfants :

– Je vais à la chasse au loup.

Il espérait vaguement trouver un ouvrier en train d'importuner Sarah. Alors il ferait pour elle quelque chose dont elle lui serait reconnaissante à jamais, quelque chose d'encore mieux que la nuit du couteau, où, malgré le brouillard et la vitesse avec laquelle elle se vidait de son sang, il l'avait déposée à temps chez le docteur Wikes. Il se faufila derrière les bûchers, contourna la foule des danseurs et s'approcha de la butée de terre. Tout en marchant, il soufflait sur son brandon pour en ranimer les braises. Il ne savait pas encore s'il le planterait entre les cuisses ou s'il en balayerait le visage de l'homme qu'il allait trouver en train de cramponner Sarah.

Mais celle-ci n'était pas derrière le remblai. Il n'y avait là que quelques ouvriers paisiblement occupés à fumer et à boire.

– Si c'est la fille McNeill que tu cherches, lui dit l'un d'eux en pointant le tuyau de sa pipe vers l'ombre du vallon, elle est partie par là-bas.

– Je ne cherche personne en particulier, maugréa Hermie en jetant son brandon.

Il n'eut aucun mal à suivre la piste de Sarah. Manifestement, la jeune fille avait pris le chemin conduisant à la ferme. Mais quand le vacher atteignit à son tour les Hauts-de-Clonque, les bâtiments étaient déserts et silencieux. La cour, où se croisaient une multitude d'empreintes de bêtes et de gens, présentait un sol indéchiffrable.

Après un instant de perplexité, Hermie prit son couteau, trancha l'extrême pointe de son chapeau, et, se servant de celui-ci comme d'un porte-voix, il se tourna successivement dans la direction des quatre vents, et il cria :

– Mademoiselle McNeill, ne vous sauvez pas ! Revenez, je vous en prie ! S'il vous arrive quelque chose dans le noir, vous ne pourrez même pas appeler au secours…

Était-ce le moment pour Hermie d'ajouter : « … et puis, il y a aussi que je n'ai pas eu ma danse avec vous » ?

Il entra dans l'étable, décrocha une lanterne qu'il alluma. A présent, la nuit allait tomber d'autant plus vite qu'une nouvelle barre d'épais nuages noirs montait à l'horizon. Il suspendit sa lanterne au bout d'une perche – en feuilletant l'un des journaux de Toby, il avait été frappé par la beauté d'une illustration montrant un Japonais utilisant cette façon d'éclairer sa route, et il pensa que Sarah serait émerveillée, elle aussi, en le voyant surgir ainsi appareillé ; puis il marcha vers les nuages noirs.

Sarah était juste passée par la ferme pour maudire les quaipeaux qui venaient de lui valoir la plus grande humiliation de sa vie. Elle avait regardé avec un haut-le-cœur leurs écailles molles et luisantes couvrant la façade jusqu'à mi-hauteur et, mettant les poings sur les hanches et se penchant en avant, elle avait craché dessus jusqu'à ce que sa bouche soit sèche, tout en chuchotant des anathèmes qui associaient son père et Zemetchino à sa haine des quaipeaux.

Puis elle s'était engagée dans l'étroit sentier qui, à flanc de falaise, descendait vers Hannaine Bay. Pour laver sa robe sans devoir en frotter l'étoffe puante avec ses mains nues, il lui suffirait de s'avancer dans l'eau et de laisser agir le formidable bouillonnement de la mer.

Le bruit du ressac effaçait enfin la musique du bal, traversée parfois de bouffées de rires qui, portées par le vent, n'avaient cessé de poursuivre Sarah tout au long de sa fuite. Les reflets des feux de joie palpitaient sous les nuages qui s'avançaient de plus en plus vite.

Sur sa droite, Sarah reconnut le chemin rocheux, submergé à marée haute, qui reliait le rivage au récif distant d'environ deux cents mètres sur lequel se dressait le fort de Clonque Rock. Ce fort constituait la défense la plus avancée à l'ouest des États d'Alderney, c'était un des derniers ouvrages militaires abritant encore des batteries d'artillerie en état de tirer et quelques dizaines d'hommes pour les servir. Malgré le drapeau qui flottait à son sommet, ce soir il était désert : les officiers avaient autorisé les canonniers à rejoindre la farandole et à se mêler aux porteurs de flambeaux. Dès que le chemin qui menait au récif effleurerait la surface des flots, Sarah entrerait dans la mer.

En attendant, elle s'adossa à la roche. Depuis la fin de l'époque glorieuse de la contrebande où, chaque nuit, des chaloupes enfonçant jusqu'à la lisse sous le poids des marchandises se laissaient porter à la côte par le flux, personne ne se hasardait sur ce rivage désolé ; sauf quelques crabes verts, des œufs de cormoran et des carcasses décomposées de moutons tombés du haut de la falaise, il n'y avait là plus rien de bon à glaner.

Le phare des Casquets s'alluma. Sous l'effet du courant du Swinge, des spirales d'eau s'enchaînaient les unes aux autres, comme les rouages d'un engrenage sans fin. On croyait entendre le râle froissé et soyeux d'une rivière, mais un bateau pris là-dedans n'avait aucune chance de pouvoir maintenir un cap. Il montrait tantôt sa poupe et tantôt sa proue, ses voiles passaient violemment d'un bord sur l'autre, faseyant ou se gonflant à l'excès, et finissant par se déchirer. Par forts coefficients de marée, même les navires à vapeur préféraient attendre au large l'heure de la renverse et l'apaisement du Swinge.

Les aspérités de la roche contre laquelle elle s'appuyait commençaient à meurtrir les épaules et le dos de Sarah. Mais il ne lui déplaisait pas d'avoir mal et, en somme, de se punir d'être allée au bal fagotée dans une robe sale. N'aurait-elle pas dû vérifier que sa tenue était impeccable ? Les autres femmes s'étaient sans doute examinées longuement devant un miroir, elles avaient demandé à leur entourage : « Suis-je assez convenable pour cette grande occasion ? Est-ce que tout, sur moi, est à présent bien correct ? », tandis que Sarah s'était élancée vers les feux de joie comme une petite folle.

Avoir dix-neuf ans vous assure peut-être un teint frais, mais pas une toilette irréprochable. Sa seule excuse était la compagnie d'Hermie, et que cet imbécile n'avait rien vu, rien flairé. Il n'empêche que c'était probablement la première fois dans l'histoire du bal des Brandons qu'un danseur repoussait une fille parce qu'elle dégageait une odeur écœurante.

Sarah se demanda comment tournaient les choses, là-haut sur la lande. Plus la nuit gagnait, plus Toby et Wilma devaient être inquiets. Sans doute Toby avait-il déjà réquisitionné des porteurs de torches pour l'aider à retrouver sa fille. A cause de sa disparition, la procession de cette nuit ne serait pas aussi légère ni enjouée que les autres années. En dévalant vers la ville, même ceux qui ne participaient pas vraiment aux recherches ne pourraient s'empêcher de ralentir pour scruter les buissons, regarder derrière chaque muret en appelant : « Sarah ! Sarah McNeill, êtes-vous là ? »

L'an prochain, l'aventure serait oubliée. On en rirait. « Nous aura-t-elle fait tourner les sangs, cette petite peste ! » dirait-on. Mais pour Sarah, ses dix-neuf ans resteraient à jamais souillés et empuantis.

En soulevant du sable de la pointe de son soulier et en l'envoyant voler comme fait une bête qui rue, elle souhaita que son père, chaque fois qu'il lui reviendrait la tentation d'étaler ses quaipeaux sur les murs, se rappelle que c'était à cause d'eux qu'il avait pu croire, toute une longue nuit d'été, avoir perdu sa fille.

Fermant les yeux, Sarah essaya d'imaginer ce qui serait arrivé si Zemetchino n'avait pas eu soudain cet air dégoûté – oh ! bien sûr, après quoi il avait ri, mais son rire était peut-être encore plus humiliant que tout. Profitant du moment de désordre où tout le monde se précipitait vers les brasiers pour enflammer ses torches, il l'aurait emprisonnée entre ses bras : « Puisque vous n'avez pas de flambeau, et d'ailleurs moi non plus, laissons donc ces gens s'épuiser à courir. Et nous, mademoiselle McNeill, dansons encore... » C'était devenu un des rituels obligés de la fête des Brandons : Zemetchino et Walcott s'éclipsaient toujours, et toujours accompagnés, juste avant le départ de la cavalcade finale. Les filles racontaient ensuite comment les choses s'étaient passées. Ces filles variaient d'une année sur l'autre, mais leur histoire ne changeait jamais : certaines d'entre elles se mettaient à crier, et les scaphandriers les laissaient s'échapper si elles semblaient réellement effrayées, mais avec les autres, ils jouaient. Ils évitaient d'aller trop loin, ils se contentaient de les embrasser, de leur caresser les seins. Si quelque chose de plus sérieux arrivait, c'est parce que la fille l'avait bien voulu. Je n'aurais pas pu faire partie de celles qui crient, pensa Sarah, troublée.

Quand elle rouvrit les yeux, un homme venait vers elle. S'avançant sur le chemin rocheux qui reliait Hannaine Bay à Clonque Rock, il avait l'air de sortir de la mer. Celle-ci était encore assez haute pour que l'homme ait de l'eau jusqu'au-dessus des chevilles. Il devait lever les genoux pour ne pas inonder l'intérieur de ses bottes.

Sarah crut d'abord que c'était un soldat du fort que ses camarades avaient oublié. Une espèce de manteau flottant sur ses épaules lui fit même penser un instant qu'il s'agissait d'un officier. Mais les manteaux des officiers étaient ornés de parements d'or ou d'argent, tandis que les luisances de ce manteau-ci lui venaient seulement de l'eau qui l'avait éclaboussé. Et puis l'homme n'avait pas cette démarche toujours un peu raide et mécanique des officiers anglais, il courbait le dos et ses longs bras se balançaient souplement de part et d'autre de son corps.

Derrière lui, la silhouette d'un petit navire se détachait contre le ciel. A l'aplomb des murailles du fort, il était incliné sur le flanc comme un bateau échoué. A l'exception d'un falot accroché à un hauban et qui dispensait un halo de lumière pâle, il ne montrait aucun feu, ce qui expliquait que Sarah ne l'ait pas vu s'approcher. Il portait un clinfoc et sa voile de misaine. Sa grand-voile semblait avoir été amenée précipitamment, et gisait en vrac sur le pont.

Il a dû talonner, pensa Sarah, étonnée de n'avoir rien entendu. Comme la plupart des habitants de l'île, elle avait déjà assisté à des échouages. Ce qui l'avait le plus frappée, c'était chaque fois le bruit du bois qui éclatait, une sorte de long roulement de tonnerre qui ne venait pas seulement des membrures blessées mais parcourait comme une onde de souffrance le navire tout entier, le faisant résonner de façon si intolérable qu'on avait envie de crier, comme au chevet de quelqu'un qui souffre : « Oh, mais arrêtez ça, qu'il se taise enfin ! »

Mais ce voilier ne s'était peut-être pas déchiré contre le récif : il n'arborait aucun signal de détresse et l'homme qui marchait sur le chemin à moitié englouti, et qui avait manifestement débarqué du bateau, ne semblait pas inquiet ; lorsqu'il atteignit le rivage, il s'arrêta même pour allumer une pipe dont il tira deux ou trois bouffées paisibles avant de se diriger vers Sarah.

C'est le brasillement de cette pipe, renforcé par le vent, qui permit à la jeune fille de distinguer le vêtement et les traits de l'homme, alors qu'elle-même restait dans l'ombre.

Il était accoutré d'une manière étrange pour quelqu'un naviguant sur une mer si dure : si son costume était bien à peu près celui d'un marin depuis les pieds jusqu'à la ceinture, le haut de son corps était pris dans un gilet gris aux reflets moirés sur lequel il avait passé une veste de drap sombre dont un seul bouton tenait fermé – celui du col, ce qui faisait que les pans de la veste bâillaient, prenaient le vent et donnaient ainsi l'illusion d'un manteau qui flotte. Contrairement à l'habitude des gens de mer, l'homme était tête nue. Il avait les cheveux embrouillés, comme taillés à la serpe de façon anarchique – presque rien sur le front, sauf une sorte de virgule qui faisait songer à la queue d'un rat, tandis que de longues mèches raides de sel battaient ses épaules. Son nez était busqué, sa bouche épaisse et large. Le plus étonnant était la texture de sa peau, qui, comme certains cuirs, avait du grain et présentait une multitude de fines striures. Le visage de cet homme évoquait un paysage haché par la pluie, un paysage de mamelons et de creux. Sarah imagina des moutons en file indienne escaladant l'interminable arête de son nez pour aller brouter la broussaille des sourcils, et cette idée la fit rire.

– Pourquoi ? demanda l'homme, qui était maintenant tout près d'elle.

– Pourquoi... quoi ? chuchota-t-elle.

– Vous avez ri. Je vous demande pourquoi, c'est tout.

– Je ne sais pas.

– Qu'est-ce que vous dites ? Je n'entends rien de ce que vous dites.

– Je n'ai pas de voix. Enfin, pas plus que ça.

Il parut surpris. Il pencha la tête sur le côté, orienta son oreille droite vers la bouche de Sarah pour mieux l'entendre.

– Bon, dit-il, on fera avec. L'important, c'est que vous parliez français.

– Tout le monde le parle, ici.

L'homme rit à son tour. A l'inverse de celui de Sarah, son rire était majestueux, rauque et déferlant.

– La question est précisément : ici, c'est où ?

– Alderney.

– Et Alderney, c'est l'Angleterre ?

– Un peu, pas tout à fait.

– Je m'en doutais, dit-il. La côte anglaise, la vraie, doit être rutilante de lumières. Chez vous, on n'y voit goutte.

Là, pensa Sarah, il se trompe. On n'entendait plus du tout la musique, signe que le bal était terminé et que la course aux flambeaux avait commencé. L'île devait être illuminée, un miel de feu suave et doré coulant sur elle. Mais les falaises de Hannaine Bay faisaient écran, trop à l'aplomb du rivage pour que l'homme puisse voir les porteurs de torches sur la lande.

– De toute façon, dit-il, on va devoir attendre la marée pour remettre à la voile. Elle est quand, la marée ?

Elle s'étonna qu'un marin pose une question dont la réponse était aussi évidente. Mais il avait sincèrement l'air d'ignorer quand la mer allait se décider à remonter. Elle sourit :

– Eh bien, pour l'instant ça continue à descendre.

– Et ça remontera quand ?

– Dans six heures, comme toutes les marées.

– Alors tant mieux, il fera jour. (Il désigna le navire dont la gîte s'accentuait avec le jusant.) C'est les oignons, vous savez. Le problème, avec les oignons, c'est que c'est rond et que ça roule partout. Et on en a là-dedans quelques tonnes.

Mais si mes compagnons ont toute la nuit pour les arranger comme il faut, ça ira. Quand on a quitté Roscoff, ils étaient bien empilés dans la cale, les uns sur les autres. Vous auriez vu ça, mademoiselle ! un tas impressionnant, formidable et solide comme une pyramide. Qu'est-ce qui a fait que tout le chargement s'est écroulé ? Chapotin et Gwenaël, qui sont les seuls à avoir déjà mis les pieds sur un bateau, disent que c'est à cause d'une vague. Moi, je parierais plutôt sur une bête – ce bateau en était plein. Au lieu de grimper ronger les oignons du haut, ces saloperies de bêtes s'en prennent à ceux du bas, et tout le système se flanque par terre, le bateau se couche, plus rien à faire pour le diriger, et la quille touche.

Il s'assit sur un rocher après avoir méthodiquement arraché les algues qui le recouvraient, et Sarah se dit que cet homme-là n'aimait pas la mer.

– Je m'appelle Gaudion, annonça-t-il après avoir terminé son épluchage. Chez moi, là où j'habite, le recteur prétend qu'on entend *gaudia* dans Gaudion, et que *gaudia* veut dire joie.

Il tendit à Sarah une main si large, si puissante, que la jeune fille se demanda si elle ne comportait pas plus de doigts qu'une main normale, et elle hésita un instant avant d'y glisser la sienne. Quand elle y consentit enfin, elle constata que cette main était surtout très chaude. Malgré leur énormité, ses phalanges n'écrasaient pas les siennes, elles formaient juste comme les barreaux d'une cage entre lesquels les doigts de Sarah pouvaient continuer à se mouvoir librement. Elle se dépêcha toutefois de les retirer, parce que le geste l'obligeait à se rapprocher de l'homme, et elle craignait qu'il ne sente l'odeur des quaipeaux – jusqu'à présent, elle s'était obstinément tenue le dos contre la falaise pour dissimuler la souillure de sa robe.

Elle se présenta à son tour, en esquissant une révérence comme elle avait vu les femmes en faire sur les illustrations des journaux. Compte tenu du lieu où ils se trouvaient tous les deux, elle n'était pas sûre qu'une révérence soit indispensable mais, considérant la moitié supérieure de Gaudion, celle qui était vêtue « en monsieur », elle pensa que c'était tout de même plus convenable.

– Je suis Sarah McNeill, j'habite la ferme des Hauts-de-Clonque. C'est là-haut, précisa-t-elle en levant les yeux sur la falaise.

– Tiens, dit Gaudion en rallumant sa pipe, j'ai une ferme, moi aussi.

Il fouilla dans une des poches de sa veste, en sortit un oignon qu'il fit sauter dans le creux de sa grande main avant de le tendre à Sarah :

– Vous voulez goûter ? Ça me ferait plaisir, il vient de chez moi, et tout le monde à Roscoff vous confirmera que les miens sont les plus sucrés.

Sarah prit l'oignon. Elle l'examina avec perplexité.

– Qu'est-ce qu'il y a ? s'inquiéta Gaudion. Vous n'en voulez pas ? Allez, ne faites pas votre mijaurée, c'est bon pour la gorge, avec ça vous allez retrouver votre voix.

Elle murmura que, d'habitude, sa mère pelait les oignons et les hachait menu avant de les jeter dans une poêle avec du lard. Dans l'île, les oignons crus étaient considérés comme un remède, au même titre que les infusions de fleurs de coquelicot ou la vulnéraire rustique. En manger sous cette forme, dit-elle, lui ferait trop sentir qu'elle était malade.

– Malade ? gronda Gaudion. En quoi êtes-vous malade ?

Ah, oui, votre voix ! Parce que vous croyez que la vie serait tellement plus belle si vous pouviez hurler ? Tenez, je peux hurler, moi...

Il poussa un long et terrible ululement. Sarah n'avait jamais entendu quelqu'un crier de la sorte. Un coq chanta au loin, bien qu'on n'en soit encore qu'au commencement de la nuit et, dans le fort cerné par la mer, un chien aboya. Gaudion rit :

– ... et qu'est-ce que ça me rapporte ? Ça réveille les coqs, et les chiens m'aboient au cul.

Il récupéra l'oignon. D'un coup d'ongle, il fit sauter les écailles blondes des peaux superposées, révélant une chair nacrée, humide, où gisaient en profondeur des reflets violets. Il rendit l'oignon à Sarah :

– Maintenant, croquez là-dedans comme si c'était une pomme.

Elle y mordit. Gaudion regarda sa bouche s'arrondir autour de l'oignon où perlait comme une sueur légère. Il remarqua le dessin de la lèvre supérieure, le trouva étrange et émouvant.

– 6 –

Plus tard, elle le guida sur le chemin abrupt qui longeait la falaise de Hannaine Bay. Contrairement à Hermie qui gambadait toujours devant elle en faisant ses pitreries, Gaudion marchait derrière Sarah, avec une sorte de solennité due à la démesure de son corps. La lune projetait son ombre loin devant la jeune fille, qui se plaisait à y rester, à s'envelopper en elle. Elle avait l'impression d'en être réchauffée, comme par une ample couverture. Malgré l'été, une buée froide descendait sur l'île, et Sarah avait froid.

Elle ne ressentait pas le froid comme la plupart des gens. Il n'éprouvait pas telle ou telle partie de son petit être en particulier (par exemple, elle n'avait pas plus froid au bout du nez qu'à l'extrémité des doigts, ni davantage aux pieds qu'aux épaules), mais il l'affligeait tout entière avec une égale cruauté, pénétrant les territoires de son corps naturellement protégés, comme l'intérieur de sa bouche ou le fond de son ventre, qui auraient dû demeurer tièdes quoi qu'il arrive – et qui le restaient, bien sûr, mais Sarah avait l'impression du contraire, ce qui faisait dire à Wilma, non sans perspicacité d'ailleurs, que c'était d'abord dans sa tête que la petite avait froid, beaucoup plus froid qu'aucun des McNeill avant elle. Wilma datait la grande frilosité de sa fille de la nuit où elle s'était blessé la bouche et la gorge : l'enfant n'avait ni crié ni sangloté mais, durant plusieurs jours, elle n'avait pas cessé de frissonner.

En ramenant contre elle les pans de sa robe, Sarah perçut la raideur de l'étoffe à l'endroit de la souillure, preuve que celle-ci avait fini par sécher. Elle n'avait plus à craindre que Gaudion sente l'odeur des quaipeaux. Au pire, s'il remarquait la tache brune, il la prendrait pour une trace de varech.

Les porteurs de torches devaient être arrivés depuis longtemps au bout de la route de Braye, car on ne distinguait plus aucune lumière sur la lande, on n'entendait plus aucun cri, aucun rire. Il ne restait de la fête qu'une vague odeur de fumée flottant dans l'air.

– Je vais essayer de trouver un endroit pour dormir un

peu, avait dit Gaudion. Si je reste à bord, je vais gêner les compagnons qui s'occupent de remettre en place cette foutue cargaison d'oignons. Est-ce qu'il y a une auberge quelque part ?

Il y avait eu de l'ironie dans sa voix, comme s'il était persuadé par avance qu'une aussi petite île ne pouvait en aucun cas posséder une auberge.

– Il est tard, tout est fermé.

– Oh, si ça n'est qu'une question de portes fermées, je peux cogner dessus, et même les défoncer !

Il avait serré les poings, et frappé contre une porte invisible. Sarah s'était bouché les oreilles, comme si elle s'attendait à l'entendre voler en éclats.

– J'ai une chambre dont je ne me suis encore jamais servie, avait-elle alors proposé. Elle donne sur la mer. Du fond du lit, peut-être même que vous pourriez continuer à surveiller votre bateau, vous seriez plus tranquille.

Gaudion avait tout de suite accepté, sans même demander à Sarah où elle comptait se réfugier s'il occupait sa chambre :

– Le bateau, je m'en fiche pas mal, mes gars s'en occupent. Mais dormir dans une ferme, ça me va. Je me retrouverai comme chez moi. Est-ce que vous avez aussi une étable avec des bêtes ? C'est que j'aime entendre remuer les bêtes, la nuit. Vous savez pourquoi elles remuent ? Elles rêvent. Je me demande à quoi peut ressembler le rêve d'une vache, mais si c'est aussi idiot que nos rêves à nous, ça nous rapproche.

Sarah ne voyait pas en quoi il pouvait plaire à Gaudion de se sentir plus proche des vaches. La jeune fille les tolérait parce qu'elles donnaient du lait, mais elle ne les aimait pas à cause des quaipeaux. Si elle ne leur souhaitait aucun mal, elle n'éprouvait pas plus d'émotion que devant un coquillage vide quand l'un des bestiaux crevait, basculé sur le flanc, les pattes raides et le ventre gonflé de sanies. Le trépas des vaches, apathique et sans grâce, lui faisait regarder la mort comme une chose sans doute un peu dégoûtante, mais finalement pas si effrayante – une chose rigide et lourde, c'était surtout ça. Il y avait même des moments presque comiques, quand la charogne se vidait soudain, avec un ronflement de trompette enrouée, des gaz accumulés dans ses boyaux. L'indifférence de Sarah à la mort des vaches était connue dans l'île et, souvent, quand Hermie était trop occupé, c'est à elle qu'on faisait appel pour scier les cornes et les sabots qui serviraient ensuite à confectionner des peignes ou des manches de couteaux.

Elle était sur le point de questionner Gaudion sur le rêve des vaches, mais il avait déjà changé de sujet. Il lui parlait maintenant des oignons, auxquels il consacrait tout son temps, tous ses soins, toute l'étendue de ses champs – pour eux, il avait renoncé aux cultures plus lucratives des artichauts, des choux-fleurs et des pommes de terre. Faire pousser des oignons, disait-il, n'était pas un travail mais un plaisir. Il suffisait d'un sol fertile qu'on avait fumé l'année précédente, et de se garder surtout d'enterrer trop profond les graines, qui étaient assez fines ; lorsque les jeunes plants atteignaient la grosseur d'une plume, on les arrachait pour écourter les racines et les feuilles ; deux ou trois binages s'avéraient suffisants, il n'était même pas besoin d'arroser, sauf en cas de sécheresse exceptionnelle.

Mais après les avoir si aisément cultivés et récoltés, la grande question restait de vendre les oignons au meilleur prix. Or, ce meilleur prix étant actuellement anglais, Gaudion s'était décidé, pour la première fois cette année, à suivre l'exemple des autres maraîchers de Roscoff et des environs, et à devenir un *Johnny* – c'est ainsi qu'on surnommait les marchands d'oignons qui passaient la Manche, à huit ou dix par bateau, pour aller négocier leur production en Angleterre.

– C'est la mode là-bas, ils en raffolent. Notez bien qu'ils en font pousser chez eux, comme tout le monde, mais ils préfèrent les nôtres. Personne n'a été fichu de me dire pourquoi – vous le savez, vous qui êtes presque anglaise ? Toujours est-il que je connais quelqu'un de Plouescat qui, à lui seul, en a vendu près de trois cents kilos aux habitants de Dartmouth et de la région de Start Point. Il n'a même pas eu besoin d'aller à quai. A peine ont-ils aperçu ses voiles et flairé ses oignons que tous ces gens ont mis leurs chaloupes à l'eau, ils ont littéralement jailli de l'embouchure de la Dart. Ils tiraient sur leurs avirons comme des diables, et ils ont rejoint ce gars de Plouescat en pleine mer, en criant : *« Onions, onions ! »*

Pour Gaudion et ceux qu'il avait convaincus de partir avec lui pour cet Eldorado, le plus difficile avait été de trouver un petit navire capable de les porter jusqu'en Angleterre, eux et leurs oignons. Ils n'avaient aucune expérience de la mer, aussi rechignait-on à leur louer un bateau sans équipage confirmé. « Rassemblez-vous plutôt sous l'autorité d'un *master* qui a déjà fait le passage », leur conseillait-on. Or, pour que l'affaire soit vraiment rentable, il fallait justement éviter d'avoir à rétrocéder une part des bénéfices à un patron et à ses matelots.

Gaudion était sur le point de renoncer lorsque, un soir de la fin juin, une goélette de cinquante tonneaux, la *Dame-de-Penhir*, rallia Roscoff, pavillon en berne à la suite du décès en mer de son capitaine et armateur. Malgré les premières bouffées de chaleur estivale, le corps du malheureux avait pu être conservé grâce au sel destiné au poisson.

Gaudion emprunta un costume noir de bonne coupe et se fit rougir les yeux en reniflant longuement l'huile âcre et volatile d'un de ses plus gros oignons. Puis, sans y avoir été invité, il se mêla aux hommes de mer qui suivaient le convoi funèbre de François-Rémy Kerbonnec.

Le cercueil, au moment d'être descendu dans la fosse, échappa aux croque-morts et chuta sur la tranche. A cause des pluies des jours précédents, les parois et le fond de la tombe étaient glissants, et personne ne semblait pressé d'y descendre pour redresser la bière, car la manœuvre exigeait qu'on se glisse sous elle avec le risque de se faire écraser. Les gens contemplaient d'un air gêné le cercueil posé de guingois, attendant probablement qu'un miracle le remette droit. Gaudion décida qu'il incarnerait ce miracle, et il se laissa choir au fond du trou. En se contorsionnant et en se servant de ses larges épaules comme d'un vérin, il réussit à soulever la bière et à la retourner de façon qu'elle repose dignement dans la fosse, le crucifix d'argent sur le dessus, scintillant au soleil. Devant la foule admirative massée au bord de la tombe, Gaudion alla jusqu'à ôter sa chemise blanche afin d'en essuyer le cercueil maculé d'argile. Après quoi il regagna la terre des vivants, difficilement d'ailleurs car, par respect pour le capitaine mort, il voulait éviter de poser le pied sur la longue boîte vernie.

Malgré son accoutrement bizarre (à cause de l'usage charitable qu'il venait de faire de sa chemise, il se retrouvait à présent torse nu sous son veston noir), la veuve Kerbonnec le serra contre elle avec effusion. Elle paraissait d'autant plus émue que Gaudion, écarquillant les yeux, lui faisait voir combien ceux-ci étaient irrités et rougis par le chagrin que lui causait la disparition de François-Rémy. Elle l'étreignit davantage, et il en profita pour lui glisser à l'oreille que, si elle voulait sauver une campagne de pêche si tragiquement interrompue, elle ferait aussi bien de lui confier en location le petit bâtiment qui venait de perdre son maître. Elle hésita un peu, pour le principe, puis, au moment de monter dans le corbillard à plumets qui devait la ramener chez elle, elle invita Gaudion à s'asseoir à ses côtés, sous le dais noir qui sentait la sueur de cheval et les fleurs lourdes :

– Nous en parlerons en route.

C'est ainsi que, mettant tous les jours à la voile, Gaudion et les journaliers qu'il avait recrutés pour le voyage en Angleterre s'entraînèrent à manœuvrer la *Dame-de-Penhir*. La voilure propre aux goélettes, si gracieuse mais surtout si maniable, leur pardonnait bien des erreurs de débutants. Louvoyant entre le château du Taureau et les Roches Jaunes, ils ne s'enhardissaient pratiquement jamais hors de la baie de Morlaix. Une seule fois, par grand beau bien établi, ils osèrent s'aventurer jusqu'à l'île de Batz. Un pêcheur les aborda pour leur proposer des langoustes qu'ils achetèrent et firent cuire à l'eau de mer sur un brasero de fortune. Ils trouvèrent cette existence décidément plus douce que celle qu'ils passaient dans les champs : de toute la journée, ils n'eurent rien d'autre à faire que manger, boire et somnoler au soleil, tandis qu'une petite brise régulière se chargeait de ramener la *Dame-de-Penhir* vers Roscoff.

Le soir, à la ferme, Gaudion étudiait les cartes marines. Il le faisait surtout pour rassurer ses hommes sur ses capacités à conduire la goélette à bon port car, pour ce qui le concernait, rien ne lui paraissait plus facile, surtout après la virée à Batz, que de franchir en droite ligne cet espace de mer nue qui s'étendait entre Roscoff et la côte anglaise. Il se doutait bien un peu que les vents étaient capricieux, il avait entendu parler de la dérive des courants, mais il se souciait peu d'apprendre par quels calculs de route on pouvait compenser leur influence – d'autant que les autres *Johnnies* lui répétaient que, depuis plus d'un demi-siècle que se pratiquait ce commerce, pas un seul *master* ne s'était trouvé en réel danger sur la mer. C'était à croire que les centaines de milliers d'oignons empilés dans les cales des bateaux roscovites dégageaient, en plus de leur parfum piquant, des vertus particulières qui, montant jusqu'aux cieux, protégeaient ces terriens mal amarinés. Les vraies difficultés commençaient à terre, quand il s'agissait de traiter avec les ménagères anglaises qui, malgré leur inexplicable fringale d'oignons bretons, se conduisaient en affaires pire que les commises des conserveries de Concarneau quand celles-ci marchandaient la sardine.

Au jour et à l'heure prévus pour l'appareillage de la *Dame-de-Penhir*, le vent tourna brusquement au suroît, rameutant des nuées océanes gorgées d'humidité tiède et molle. Il se mit aussitôt à tomber une pluie diluvienne. Les cloches de Notre-Dame de Kroaz-Batz sonnèrent toutes seules sous le fouet de l'averse, le granit des maisons de la rue des Perles devint luisant comme une pierre tombale taillée de frais ; les compagnons de Gaudion y virent un mauvais présage, d'autant plus qu'ils montaient le bateau d'un mort. Ils supplièrent leur apprenti *master* de remettre le voyage. Mais la flotte des autres *Johnnies* ayant pris la mer dès le lendemain du pardon de Sainte-Barbe, c'est-à-dire plus d'un mois auparavant, Gaudion refusa de retarder davantage le départ : il craignait de trouver, de l'autre côté de l'eau, des Anglais déjà trop rassasiés d'oignons bretons pour s'intéresser aux siens.

Malgré les appréhensions de l'équipage et en dépit du vent qui avait maintenant fraîchi au-delà des limites que Gaudion s'était fixées, ce dernier commanda de larguer les amarres. Le peu d'empressement des hommes à obéir et leur inexpérience aboutirent à une manœuvre si brouillonne que, dix minutes après l'ordre d'appareiller, la *Dame-de-Penhir* était toujours serrée le long du quai. C'est alors qu'apparut la veuve Kerbonnec. Gaudion fit étouffer le foc qui prenait enfin le vent. La veuve descendit de sa carriole dans un grand flottement d'étoffes noires qu'elle assagit de son mieux pour franchir la planche faisant office de passerelle. Sur le pont de la goélette, elle remit à Gaudion le compas, enveloppé dans du papier suiffé, dont se servait son mari. Gaudion la remercia, tournant et retournant entre ses grandes mains ce cadeau dont, à dire vrai, il ne savait trop que faire. La veuve insista pour poser elle-même l'instrument dans son habitacle. Alors tous deux, penchés joue contre joue, regardèrent avec un émerveillement d'enfant la rose des vents qui s'affolait, puis se stabilisait enfin.

– C'est un compas de précision, dit la veuve. D'après mon mari, le plus délicat était de bien corriger sa déviation. Vous saurez faire cela ?

– Naturellement, mentit Gaudion en tapotant d'un air entendu la vitre de l'appareil.

La femme respirait comme quelqu'un d'oppressé, et Gaudion se fit la réflexion que son haleine avait la même odeur de métal mouillé que le cuivre du compas. Un mouvement de la mer fit alors remuer le bateau, et la bouche de la veuve effleura celle de Gaudion. Ils s'excusèrent ensemble, un peu embarrassés. Puis ils rirent.

– Vous n'êtes plus à une heure près, dit-elle. Au large, la mer sera mauvaise. Laissez-la s'apaiser.

– C'est ça, dit Gaudion, qu'elle s'apaise.

Ils descendirent dans le carré que les journaliers avaient bourré d'oignons, comme d'ailleurs les moindres recoins du bateau. Gaudion plongea ses longs bras dans la masse roulante des oignons, brassa ceux-ci à la façon d'une farine pour libérer la couchette. La veuve s'y allongea.

Gaudion revoyait toutes ces choses en suivant Sarah sur le sentier de la falaise, mais il cessa soudain de les raconter à haute voix.

– Et alors ? murmura Sarah en se retournant vers lui. Et après ?

– Rien, dit-il.

Ce qui s'était passé ensuite entre la veuve et lui ne regardait personne, et surtout pas cette fille à bout de souffle – n'allait-elle pas s'imaginer qu'il attendait d'elle la même sorte d'offrande ? Malgré ses joues pleines et rougies par le vent, elle ne l'attirait pas : son absence de voix cachait peut-être une maladie redoutable, et puis elle était beaucoup trop jeune, et le bas de sa robe était raide de bouse séchée – oh ! elle ne s'en doutait même pas, elle n'était qu'une souillon comme devaient l'être aussi les autres femmes de cette petite île inattendue. La veuve, elle, s'était briquée à s'en arracher la peau, et avait écrasé derrière ses oreilles deux ou trois gouttes d'essence de jasmin, dont l'odeur s'était délicatement épanouie par-dessus celle des oignons au fur et à mesure que la chaleur montait dans le carré dont Gaudion avait eu la présence d'esprit de pousser le loquet.

– De toute façon, chuchota Sarah, on arrive.

Le chemin s'achevait au bord d'une pente. Dans le creux, parmi les viornes, rampaient et s'enchevêtraient les bâtiments de ce que cette fille appelait « notre ferme, monsieur, peut-être bien la plus riche de l'île après celle des Pentecôte ». Gaudion s'arrêta un instant pour observer la propriété. Sous le faîtage qui mêlait ardoises, lames de pierre et touffes de chaume, les murs gondolés par le temps, barbouillés d'un suc gras de bouses et d'averses, semblaient prêts à s'affaisser sur eux-mêmes. Les fenêtres étaient rares, étroites. Des trois cheminées chevauchant les toitures, une seule fumait, les autres portaient de gros nids qui les étouffaient. La maison paraissait avoir surtout pour fonction de protéger des tempêtes les McNeill et leurs bêtes – le reste, feu et lumière, était accessoire. Cette ferme, songea Gaudion, ne ressemblait en rien à celle que son grand-père, son père et lui-même avaient bâtie, solidement campée sur sa butte, si haute et si blanche que l'administration maritime l'avait inscrite, au même titre que la chapelle Sainte-Barbe, au registre des amers remarquables.

Avant d'accéder à la cour des Hauts-de-Clonque, il fallait longer – ou simplement enjamber, quand on avait les longues jambes de Gaudion – un réseau de petits murs bas.

C'est alors qu'un homme maigre surgit de derrière un de ces murets, agitant frénétiquement sous le nez de Sarah une lanterne dont la mèche filait et empestait le pétrole. Il balançait cette lumière au bout d'un long bâton.

– Mademoiselle McNeill, oh ! mademoiselle McNeill, Dieu m'est témoin que je vous ai cherchée partout ! Mais qui est cet homme avec vous ? interrogea-t-il en dirigeant son lumignon sur Gaudion.

– Un Français, dit Sarah. Son bateau s'est échoué. Et maintenant, Hermie, écarte-toi et laisse-nous passer. Je rentre à la maison, tu vois bien.

Le marchand d'oignons remarqua que, malgré son manque de voix, cette fille parlait à l'homme maigre (le Grêle, c'était le sobriquet dont Gaudion l'avait tout de suite affublé) sur le ton autoritaire qu'on prend pour dominer les chiens qui aboient.

Pourtant, Hermie ne s'écartait pas. Au contraire, il se posta au milieu du chemin, barrant celui-ci de toute la longueur de sa perche au bout de laquelle dansait la lanterne. Il enfonça sur son front son chapeau hideux, se composa un visage buté, et Gaudion sentit qu'il s'en faudrait de peu que ce Grêle ne passe de l'entêtement à la haine, et de la haine à la violence.

– Pour ça, mademoiselle McNeill, c'est sûr que vous pouvez rentrer à la maison. C'est même ce que vous avez de mieux à faire après la peur que vous nous avez donnée. Mais lui, ajouta Hermie le Grêle en désignant Gaudion, il n'a rien à faire chez nous.

Eh bien, pensa Gaudion, voilà la haine, comme prévu ; et il s'avança, les mains tendues, les doigts crochetés pour se saisir du Grêle et l'ôter du chemin comme s'il s'agissait d'une simple ronce.

Hermie fit pivoter sa perche, amenant le verre de la lanterne contre le visage de Gaudion :

– Toi, tu retournes d'où tu viens.

A travers le vitrage, Gaudion sentit la chaleur de la flamme lui lécher la joue. Il commença par reculer, les poils hérissés. Le feu était la seule chose qu'il craignait. Un sourire de triomphe étira la bouche d'Hermie. Mais, dominant sa répulsion, Gaudion se détendit brusquement, empoigna l'extrémité de la perche, la vrilla et la tira à lui. Surpris, le Grêle perdit l'équilibre et culbuta sur le dos. La lanterne se décrocha. Elle tomba, se brisa. Son pétrole courut aussitôt sur le sol en dessinant une forme d'éclair trapu et bleuâtre. Des déchets de paille s'enflammèrent mais, trop imbibés de déjections animales pour brûler longtemps, ils s'éteignirent en laissant filer de brèves torsades de fumée blanche.

Hermie, toujours vautré dans la boue, regardait s'évaser le ruisseau de feu. Il espérait que celui-ci atteindrait les bottes de Gaudion et lui chaufferait les orteils. Mais Gaudion s'était mis à piétiner les flammes. Il marchait sur le feu comme, tout à l'heure, il avait donné l'illusion de marcher sur la mer. Cet homme est partout chez lui, se dit Sarah, et elle se demanda à quoi ressemblerait son air de propriétaire quand il entrerait dans la chambre qu'elle lui destinait, de quelle façon conquérante il allongerait et croiserait ses jambes interminables sur son court lit de jeune fille. Enverrait-il auparavant promener ses bottes à travers la pièce, ou bien les garderait-il aux pieds, crottant sans vergogne la couverture aux trois chardons bleus ? Elle s'entendit lui dire : « Vos bottes, s'il vous plaît ! », et s'imagina agenouillée devant lui pour les lui ôter. Cette pensée la troubla.

Les flammes continuant de courir malgré ses piétinements, Gaudion se pencha sur Hermie pour lui arracher son chapeau. Hermie tenta de l'en empêcher, mais il ne pouvait à la fois défendre son chapeau et gigoter pour se redresser.

Gaudion se servit du chapeau comme d'un éteignoir, il en coiffa et étouffa les dernières reptations du feu.

Sarah tendit la main au vacher pour le relever :

– Debout, Hermie. Assez de simagrées. Ouvre-nous la maison, c'est toi qui as les clés.

Le Grêle accepta la main de Sarah. Après tout, c'était une main qu'il n'avait pas si souvent l'occasion de pétrir dans la sienne. Il prolongea la pression. Enfin debout :

– Votre père a donné l'alerte, mademoiselle McNeill. Les soldats vous cherchent. S'ils vous trouvent en compagnie de ce Français, je ne donne pas cher de lui. Pour moi, ajouta-t-il en plissant les yeux, je sais bien ce que je leur dirai, aux soldats.

– Fais plutôt attention à toi, le Grêle, gronda seulement Gaudion.

– Oh ! on verra ce qu'il y aura à voir, répondit Hermie.

D'une main qui tremblait, il introduisit la clé dans la serrure.

Sarah et Gaudion entrèrent dans la ferme, tandis qu'Hermie s'asseyait sur la pierre marquant le seuil, croisant les bras comme pour étoffer son maigre poitrail.

– Avez-vous aimé mon oignon ? demanda Gaudion. Je vous en donnerai un plein boisseau pour compenser la lanterne cassée.

La lueur de cette lanterne lui avait révélé le visage de Sarah, qu'il n'avait jusqu'à présent qu'entrevu. En dépit des gesticulations du Grêle, qui faisaient que la lumière ne se posait jamais bien longtemps sur la jeune fille, Gaudion venait de contempler ses traits beaucoup mieux qu'il n'avait pu le faire sur la grève de Hannaine Bay. Et même si cette vision avait été trop fugitive et heurtée pour qu'il soit certain de la beauté de Sarah – restait sa bouche, dont le dessin l'intriguait –, il avait éprouvé en découvrant son visage une impression de plaisir inattendu. Il en oublia la maladie qu'elle avait peut-être, et sa robe salie.

Alors, à l'aide d'un tison pris dans la cheminée, il entreprit d'allumer dans la salle tout ce qui possédait une mèche.

– Après la lanterne, protesta joyeusement Sarah, voilà que vous voulez nous ruiner en chandelle !

Elle soufflait les bougies au fur et à mesure qu'il les allumait. Et comme il les rallumait aussitôt, ils finirent par rire de leurs efforts inutiles, l'un pour faire de la lumière et l'autre pour l'éteindre.

– Est-ce que vous n'aviez pas sommeil ? demanda Sarah. Gardons une bougie éclairée, prenez-la et venez. Je vais vous montrer la chambre où vous dormirez.

Elle le précéda dans l'escalier. Elle était si fière de posséder cette chambre, de pouvoir y convier qui elle voulait, qu'elle n'éprouvait aucun sentiment d'imprudence. De toute façon, elle ne ferait que pousser la porte. Sitôt que l'homme en aurait franchi le seuil, elle se retirerait en lui souhaitant une bonne nuit. Il n'aurait même pas le temps de se retourner, de lui poser ses grandes mains sur les épaules pour la remercier.

Lui, qui gravissait les marches derrière elle, pensait que si le palier ressemblait à l'escalier, il serait trop étroit pour eux deux. Sarah ne pourrait faire autrement que se glisser la première dans la chambre et de s'y avancer pour laisser Gaudion y pénétrer à son tour. Il aurait alors la maîtrise de la porte. Il pourrait la refermer et s'y adosser, interdisant toute fuite à la jeune fille. Mais il ne savait pas encore s'il agirait ainsi

– ni d'ailleurs ce qui arriverait s'il choisissait finalement de s'enfermer avec Sarah dans la chambre. Sa seule certitude était qu'elle serait incapable de crier, quoi qu'il tente.

Il ne lui ferait pas de mal. Malgré sa force, ou peut-être à cause d'elle, il était en amour plutôt humble, et peu exigeant. Simplement, il ne pouvait pas aimer une femme sans d'abord jouer un peu avec sa bouche. Il en caressait les lèvres, les entrouvrait, faufilant ses doigts pour flatter la langue et l'attirer au-dehors. Il y mouillait son visage. Il avait besoin de respirer sur sa peau l'odeur subtile d'une salive de femme en train de s'évaporer doucement. C'était une odeur d'orge et de lait tiède qui lui rappelait son enfance. Mais quel moment, quel événement précis de son enfance, il l'ignorait. Il n'avait jamais pu remonter au-delà de son septième anniversaire. Ce qui s'était passé avant n'existait pas pour lui – ce n'était même pas brumeux, vague ou saccadé, c'était une part de lui-même qui n'était que néant. Il savait seulement que la source de son amour des bouches et des langues gisait quelque part dans ce néant. Il n'avait que trente-sept ans, il cherchait inlassablement, il finirait par trouver. Sarah McNeill avait en tout cas les lèvres les plus déconcertantes qu'il ait jamais vues.

Comme il l'avait prévu, elle entra la première dans la chambre. Elle lui demanda la bougie. Il la lui tendit, elle l'éleva à bout de bras et, pivotant sur elle-même, fit courir la faible lueur à travers la pièce. Le lit aux chardons, la cuvette sous la lucarne, les rubans et les bonnets pendus aux clous de la charpente, le bouquet d'agapanthes mis à sécher sur de vieux journaux de Londres, les cerceaux d'acier d'une ancienne crinoline posés sur le sol comme une grande cage inutile, le jeu de dames et ses pions en corne de vache, toutes ces choses insignifiantes sortirent de l'obscurité l'une après l'autre.

Sarah observait Gaudion, attendant qu'il porte une appréciation sur la chambre qu'elle lui offrait. Mais il gardait le silence.

– Est-ce que ça vous conviendra, monsieur ? lui demanda Sarah avec un peu d'appréhension. C'est simple, mais bien propre : j'ai balayé juste avant d'aller au bal.

Il fut sur le point de répliquer qu'on pouvait douter de la façon dont une fille à la robe encrassée de bouse concevait la propreté. Sarah y pensa au même instant que lui et, retrouvant sa honte de tout à l'heure, elle s'appuya contre le mur pour dissimuler la tache. Mais il était évidemment trop tard.

– Les draps ne sont pas sales, crut-elle utile de préciser, on vient de les changer. Mais si vous préférez dormir tout habillé, vous pouvez à condition d'ôter vos bottes.

Oubliant ce qu'il avait décidé à propos de la porte, il s'en écarta et s'approcha de la lucarne. Au-dehors, à la lueur intermittente du phare, il vit une rangée d'hommes en uniformes rouges et baudriers blancs qui avançaient de front sur la lande. Avec la crosse de leurs fusils (les officiers, eux, se servaient de leur épée), ils fustigeaient les ajoncs comme pour en faire sortir une bête craintive. Le vent contraire empêchait d'entendre leurs appels, mais ils devaient crier : « Sarah, ohé ! Sarah McNeill ! »

Elle vint vers lui. Elle lui en voulait de n'avoir toujours rien dit concernant la chambre, son agencement, les objets qu'elle contenait. Cette indifférence l'humiliait. C'était là tout son univers et, puisque Gaudion était le premier homme à le découvrir (Hermie ne comptait pas), elle souhaitait qu'il l'admire, qu'il le trouve à son goût et le lui dise. Si tout n'était pas encore arrangé comme elle le rêvait, on pouvait tout de même se faire une idée de ce que donnerait la chambre une fois terminée. Mais peut-être Gaudion était-il dérouté de se retrouver dans la chambre d'une jeune fille. Comme il ne portait pas d'alliance, elle en déduisit qu'il devait fréquenter des prostituées ; quand venait la nuit, les ruelles de Roscoff ressemblaient probablement à celles des grands ports anglais qu'évoquaient à mots couverts les journaux de Toby, et Sarah imaginait Gaudion essuyant du revers de sa manche la buée d'une vitre de taverne, cherchant à voir s'il n'y aurait pas là-dedans l'une ou l'autre de ces femmes avec des robes à volants rouges, des corsages ouverts, des yeux peints ; les chambres de ces femmes ne devaient pas ressembler à la sienne.

En tout cas, si c'étaient là les plaisirs de Gaudion, Sarah ne risquait pas grand-chose avec lui : sans doute ne l'avait-il même pas regardée, ou alors comme une petite hôtesse fade et sans attraits, tout juste bonne à le divertir avec ses grimaces en croquant des oignons crus. Elle sourit, trouvant plutôt amusant que le premier homme admis dans sa chambre soit un habitué de ces établissements enfumés où les filles se perchaient sur de hauts tabourets pour montrer leurs mollets. Et à propos d'atmosphère enfumée, Sarah se demanda si, avant de s'endormir, Gaudion allait rallumer sa pipe, et combien de temps l'odeur du tabac resterait à stagner dans la pièce, imprégnant son lit et ses rubans. Elle passait ainsi d'une idée à l'autre, sans être capable de s'arrêter sur aucune. Son matelas étant bourré de paille bien sèche, elle s'apprêta à recommander à Gaudion d'être prudent quand il battrait son briquet, mais alors il s'ébroua, il grogna enfin que tout ça n'était pas mal, pas mal du tout, que ça n'était pas pire que sur le bateau. Il quitta l'appui de la lucarne et rejoignit Sarah au milieu de la chambre.

A présent, Gaudion savait ce qu'il allait faire : essayer la bouche de Sarah, rien qu'un instant sa bouche enflée, après quoi il lui dirait de s'en aller, il dormirait jusqu'à l'aube, puis il rejoindrait la goélette, ses compagnons, les oignons. A travers la lucarne, il avait vu les nuages s'effilocher et des étoiles apparaître dans le ciel. Demain la mer serait belle, et l'Angleterre plus très loin. En montrant un peu d'audace, il serait facile d'y faire fortune. Gaudion éprouva une bouffée d'exaltation, et il regretta qu'il n'y ait dans cette chambre qu'un pichet d'eau ; il aurait volontiers bu un peu d'alcool, au lieu de quoi il lui faudrait se contenter de la salive de Sarah, dont le pouvoir d'ivresse devait être aussi limité que celui de l'eau dans le pichet.

– Demain, dit-elle soudain, c'est pour Londres que vous partirez ?

Comme il s'en voulait déjà du baiser qu'il allait lui voler, il choisit, en attendant, d'être un peu honnête :

– Pour l'Angleterre, ça c'est sûr, elle est assez grande pour qu'on ne puisse pas la rater. Mais où, en Angleterre ? Ça peut être Londres ou n'importe quel autre port. La vérité, c'est que je ne sais pas me diriger sur la mer. Les vents tournent et vous déportent, et les courants se jouent de vous comme d'un bouchon. Dites, vous ne croyez tout de même pas que je me suis cogné exprès contre votre petite île ? Mais l'essentiel est d'arriver quelque part où les Anglais aient encore faim d'oignons français, pas vrai ?

– Si c'est Londres, insista-t-elle, il y a là-bas quelqu'un

que vous devez voir. Elle s'appelle lady Franklin, son petit nom est Jane.

– C'est entendu, je me présenterai à elle de votre part. Cette dame aime les oignons, vous croyez ?

– Elle aime John Franklin, répondit Sarah, elle n'a jamais cessé d'aimer John et elle continuera de l'aimer malgré tout.

Gaudion lui demanda ce qu'elle entendait par « malgré tout » ; ça ne l'intéressait pas plus que ça, mais tous les moyens lui étaient bons pour apprivoiser Sarah, il la sentait tendue, encore trop sur la défensive pour oser l'enlacer.

– C'est la glace, chuchota-t-elle, c'est la mort, c'est l'*Erebus* et le *Terror*, enfin tout ça – mais vous avez entendu parler de cette histoire, forcément.

Il n'en savait pas le premier mot. Il mentit :

– Comme tout le monde à Roscoff. Terrible histoire, en vérité.

Elle lui sourit, rassurée. Elle pouvait se fier à un homme qui connaissait la fidélité de Jane Franklin.

– Oh ! n'est-ce pas ? dit-elle avec élan. Moi, j'y pense sans arrêt. Je voudrais que vous donniez à lady Franklin quelque chose que j'ai fait pour elle. Ce n'est qu'une lettre, ça ne vous encombrera pas.

Elle prit, au fond d'un de ses bonnets pendus aux poutres, une enveloppe qu'elle y avait enfouie et qui ne portait pas de timbre. Elle préférait ne pas la poster, expliqua-t-elle, car le courrier des îles transitait par Southampton avant d'être expédié par chemin de fer jusqu'à Londres, et il se perdait quelquefois. Bien sûr, elle pouvait aussi confier sa lettre aux steamers privés qui relâchaient à Alderney, mais c'était au-dessus de ses moyens.

– Je n'ai pas l'adresse exacte, mais tout le monde à Londres doit pouvoir vous dire où trouver lady Franklin. A mon avis, elle habite près du port, là où reviennent s'amarrer les bateaux. Vous ne perdrez pas votre temps, elle vous achètera sûrement des oignons, peut-être bien toute votre cargaison, c'est une femme si charitable.

– On ne pleure pas la charité, dit Gaudion avec fierté. Ce qu'on vend vaut le prix qu'on en demande.

Il glissa la lettre dans son gilet gris. Il avait l'intention de l'y oublier, sauf s'il décidait plutôt de s'en servir pour allumer le fourneau du bord. Il s'y entendait trop mal en navigation pour dénicher et remonter la Tamise. Sans compter qu'il n'avait aucune raison de faire un détour pour vendre ses oignons sur les marchés de Londres, alors que la côte anglaise la plus proche était celle de la Cornouailles – et la ligne droite était déjà bien assez difficile à tenir comme ça. D'ailleurs, cette lettre ne justifiait pas qu'on se donne du mal pour elle : ce qu'une petite pouilleuse d'Alderney avait à dire à une lady de Londres ne devait être qu'un charabia d'enfant. A supposer qu'il remette la lettre à sa destinataire, celle-ci ne prendrait certainement pas la peine d'y répondre. Et comme les chances qu'avait Gaudion de revoir Sarah McNeill étaient encore plus aléatoires que celles de trouver l'embouchure de la Tamise, il n'aurait jamais à se justifier d'avoir détruit la lettre.

– Eh bien, promit-il en faisant crisser l'enveloppe dans la poche de son gilet, vous pouvez compter sur moi. Et maintenant, si nous causions un peu de la récompense à laquelle ont droit les facteurs ?

– C'est la personne qui reçoit le courrier qui donne la récompense, dit Sarah en reculant prudemment.

Mais Gaudion lança en avant une de ses grandes mains,

la referma sur une poignée de cheveux, il tira un peu, et Sarah, bien obligée, vint tout contre lui en protestant qu'il lui faisait mal.

Il s'y attendait : elle était beaucoup trop jeune pour savoir embrasser. Aussi ne fut-il pas trop déçu par sa bouche qui ne répondait pas, qui se contentait, sous la pression de la sienne, d'ouvrir un trou moite. Il poursuivit néanmoins son baiser, ou ce qui pouvait passer pour tel, comme on continue de manger quelque chose de fade mais qui vous rassasie. Après tout, même si Sarah n'avait aucune idée (aucun instinct, c'était bien pire ! pensa Gaudion) de ce qu'elle devait faire quand on l'embrassait, c'était une charmante petite aventure imprévisible, comparable au festin de langoustes le jour de la promenade à Batz. La glissade de la cargaison d'oignons avait fait craindre à Gaudion de devoir passer une nuit harassante dans la cale mouvante de la goélette, au lieu de quoi il se retrouvait sur un plancher bien stable avec une fille souple entre ses bras. Et il y avait un bon lit où, même si ses pieds dépassaient, il allait pouvoir allonger ses jambes, ce qui le changerait agréablement de la position recroquevillée qu'il était obligé de prendre sur la couchette de la *Dame-de-Penhir*.

Sarah n'apprécia pas plus que lui le baiser qu'ils échangèrent. Elle n'aima pas son goût rude, et elle souffrit d'un début de crampe aux mâchoires car, de peur de mordre la langue de Gaudion, elle s'obligeait à garder la bouche aussi démesurément ouverte que si elle bâillait. Mais elle trouva rassurant que quelqu'un ait eu envie de ses lèvres. Depuis son accident, elle croyait que cette partie de son visage était décidément trop singulière pour attirer les hommes. Au temple, quand elle chantait, elle élevait le livre de cantiques devant sa bouche pour que personne ne remarque la petite fente de sa lèvre supérieure, ni le sillon qui partageait sa langue.

A un moment, chacun eut la curiosité de voir la tête que faisait l'autre. Alors, ensemble, ils ouvrirent les yeux. Ils eurent l'impression de se trouver nez à nez avec un poisson au regard écarquillé par un début d'asphyxie. Cela les fit rire, et ils se séparèrent. Sarah, qui estimait avoir davantage donné que reçu, passa ses doigts sur sa bouche un peu meurtrie. Elle s'attendait à ce que Gaudion ait un mot gentil pour la remercier, mais ce fut comme pour la chambre, il ne dit rien. Il s'était détourné et scrutait à nouveau la nuit à travers la lucarne :

– Vous m'avez raconté des blagues. Est-ce que vous ne disiez pas que, d'ici, j'allais pouvoir surveiller mon bateau ?

– Oh ! ne vous croyez pas obligé de dormir dans ma chambre si elle ne vous plaît pas.

Il ne répondit pas, il la reprit contre lui en se demandant si ce qui restait de nuit suffirait pour lui apprendre à embrasser. Il en doutait en voyant la façon excessive dont elle ouvrait à nouveau sa bouche, comme une enfant devant le médecin qui lui demande de montrer sa gorge.

De la cour de la ferme montaient à présent des éclats de voix, des bruits de bottes et d'armes entrechoquées. On entendit Hermie qui piaillait :

– Elle est retrouvée, monsieur McNeill ! Nous avons cassé une lanterne, monsieur, mais votre fille est de retour !

– Amen et amen, répondit Toby, je me fous pas mal de la lanterne !

Il invita les soldats et leurs officiers à entrer dans sa maison, où, dit-il, Wilma leur verserait à boire quelque chose de fort et de bon.

– Je n'aurai jamais assez de verres pour tous ces braves messieurs, se lamenta Wilma.

On devinait son énervement à la manière bruyante dont elle ouvrait les tiroirs et fourrageait dans son buffet.

– Surtout qu'il faut compter un verre pour moi aussi, réclama Hermie. Je mérite bien de boire un coup pour avoir été le premier à retrouver mademoiselle McNeill. Et il était plus que temps, j'en ai peur : il suffit de voir comment cet homme qui l'accompagnait a été brutal avec moi.

Gaudion repoussa Sarah. Il ouvrit brusquement la lucarne.

– Je ferais aussi bien de filer, dit-il en se préparant à enjamber l'appui.

Il n'allait pas se faire tuer pour un baiser raté et un lit qu'il n'avait même pas encore essayé. Certes, bien calé dans l'encadrement de la porte et en jouant des pieds et des poings, il se sentait capable de soutenir un long siège et d'envoyer rouler dans l'escalier tous les soldats qui se présenteraient. Sauf si ceux-ci, après avoir bu, décidaient de faire usage de leurs armes.

– Ils vous laisseront tranquille, murmura Sarah en le tirant en arrière, je dirai que vous dormez, et personne ne viendra vous ennuyer. C'est mon anniversaire, je peux faire ce que je veux. Ne partez pas, quel mal croyez-vous donc avoir fait ?

Elle sortit, ferma la porte derrière elle, s'y adossa un instant. Elle dut se mordre les lèvres pour les empêcher de trembler. Est-ce cela qu'on appelle avoir un amant ? se demanda-t-elle, persuadée qu'il s'en était fallu de peu que Gaudion ne la renverse sur le lit et ne lui fasse l'amour. Et ça pouvait encore arriver, pour peu que les hommes restés à bord de la goélette perdent leur bataille contre les oignons – un bateau couché sur le flanc résistait rarement plus d'une marée ou deux aux coups de boutoir de la mer.

Sarah dévala l'escalier. Elle se sentait légère. Maintenant que la saveur déconcertante du baiser commençait à s'estomper et malgré ses mâchoires encore crispées, elle devinait qu'elle serait heureuse chaque fois qu'elle revivrait la façon brutale dont Gaudion l'avait attirée à lui et embrassée, et que le plaisir des femmes était d'être ainsi troublées, peut-être pas tout de suite mais après, en se remémorant les événements, par ce que les hommes avaient en eux d'un peu barbare encore. En revanche, puisque tout chez eux était à l'inverse, les hommes devaient apprécier la douceur et les saveurs exquises, et elle craignait de s'être montrée plus maladroite que douce, et d'avoir eu une bouche au goût douteux.

En arrivant dans la salle où se pressaient les soldats, son cœur cognait dans sa poitrine, elle respirait trop vite, et ses jambes étaient si molles qu'elle dut, des deux mains, se raccrocher à la table pour ne pas tomber.

– C'est elle, s'écria Hermie en pointant sur Sarah un doigt accusateur, c'est mademoiselle McNeill qui a laissé ce type monter là-haut, le fou qui s'est jeté sur moi et qui a cassé la lanterne. En s'y mettant tous ensemble, on peut l'attraper. Je vais aller nous chercher des cordes, on va bien le ligoter.

Sarah eut comme un éblouissement. Un caporal s'élança pour la soutenir, elle l'écarta.

– Pourquoi arrêter cet homme ? dit-elle. Est-ce qu'un naufragé n'est pas pour vous quelqu'un de sacré ? Il en a toujours été ainsi dans cette île, il me semble.

– Oh, mais il n'est pas du tout un naufragé ! rectifia Hermie. Échouage n'est pas naufrage. Nous tous ici, nous savons aussi bien que vous ce que les mots veulent dire, mademoiselle McNeill.

– Laissez-le en paix, il s'en ira quand il fera jour.

Les soldats avaient fait silence pour écouter Sarah. Ils levèrent la tête vers le plafond qui résonnait sous la marche énorme de Gaudion.

– C'est un géant, dit encore Hermie.

Là-haut, Gaudion s'était mis à marcher pour lire la lettre de Sarah. La manie de ne pouvoir lire qu'en faisant les cent pas datait du temps où, pour rester plus longtemps à rêvasser dans la chaleur du lit clos, il attendait d'être sur le chemin de l'école pour apprendre ses leçons. Ses livres étaient toujours gondolés par le crachin, ses lignes d'écriture brouillées par la pluie ou la neige. Une bourrasque faisait parfois tourner deux pages à la fois, et Gaudion manquait alors une partie de la leçon. C'est la faute du vent, disait-il. On ne le croyait pas, on le punissait, mais il n'en voulait pas au maître – celui-ci ne connaissait pas son habitude d'apprendre ses leçons en marchant dans le vent, voilà tout, les gens ne pouvaient pas tout savoir de lui, d'ailleurs il n'y tenait pas, il avait le goût du secret.

Un jour, ayant été tiré au sort pour siéger aux assises du Finistère, Gaudion s'était présenté au tribunal de Brest bien avant l'heure fixée, pour informer les magistrats qu'il devait y avoir une erreur : son casier judiciaire n'en portait pas mention, mais il avait eu affaire à la justice, en tout cas à la gendarmerie, à la suite d'une rixe de village à laquelle il s'était mêlé ; conduit en salle de police, on lui avait donné des coups de ceinturon, son tabac avait été confisqué, sa pipe piétinée ; il craignait de nourrir encore trop de rancune contre les autorités pour juger sereinement : « Avec moi, pas de coupables ! » Il demanda à être récusé. Il le fut. Il proposa de rendre la petite somme qui lui avait été allouée pour ses frais de diligence et de logement, mais le président en personne insista pour qu'il la garde en récompense de sa franchise et de son honnêteté.

Puisqu'il avait fait ce voyage, il alla s'asseoir parmi le public, curieux de voir à quoi ressemblait un procès. On jugeait ce jour-là une femme accusée d'avoir tué son beau-père. Tout le monde avait l'air de penser que cette femme était un monstre mais lui, Gaudion, n'en était pas aussi sûr. Chaque fois que la femme se dressait dans son box pour tenter de s'expliquer, en frottant machinalement ses joues avec son mouchoir trempé, on lui ordonnait de se taire et de se rasseoir. Elle obéissait. Quelque chose de croûteux séchait sur son visage, là où était passé le mouchoir. Elle est enrhumée, se disait Gaudion. Son nez obstrué empêchait cette femme de trouver les mots pour expliquer son geste. Dans l'immense salle froide, pleine de la lumière blanche d'un jour d'hiver, tout le monde respirait normalement, sauf elle qui s'étouffait. Elle n'osait pas se curer les narines, et pourtant elle ne songeait probablement qu'à ça. Mais qui se souciait de son état ? Personne n'y avait seulement fait allusion, pas même son avocat : la justice n'allait pas s'arrêter, ni même ralentir un peu, à cause d'un nez bouché.

Le procureur réclama la peine de mort. Déclarée stupide par les médecins qui l'avaient examinée, la femme s'en tira avec une peine de prison à vie. Tandis qu'on enchaînait ses poignets pour l'emmener, elle éternua à plusieurs reprises. Gaudion espéra que ces éternuements l'avaient enfin soulagée. Il quitta le palais de justice avec le sentiment que la malheureuse n'avait pas eu toutes ses chances. Mais il était trop tard, la justice s'était prononcée, le parvis était vide, Gaudion ne trouva personne avec qui discuter de ces choses.

Il n'y avait pas de diligence pour Roscoff avant le lendemain, il dut passer la nuit à Brest. Il erra dans la ville, cherchant un hôtel abordable. Il rencontra, rue de Siam, une prostituée très pâle, aux yeux à fleur de tête. Comme la femme des assises, elle était très enrhumée. Elle entraîna Gaudion dans une chambre humide qui donnait sur l'arsenal. Tandis qu'elle commençait à se déshabiller, il lui dit qu'il la payerait le double si elle voulait bien se laisser embrasser.

– Mais non, dit-elle, je n'embrasse pas. Et puis, tu sais, je tiens une de ces crèves.

– C'est justement pour ça, dit-il.

Elle rit :

– La passion du rhume ? Je croyais avoir rencontré toutes les folies. Celle-là, jamais.

Quand elle vit l'argent, elle consentit tout de même à l'embrasser. Le lendemain, Gaudion était enrhumé. Quatre jours durant, son nez coula, il perdit l'odorat et le goût des aliments, il frissonna et médita sur ce que la femme des assises avait dû éprouver. C'était ainsi, et ainsi seulement, qu'on pouvait espérer comprendre les autres, approcher le monde secret, si compliqué parfois, où ils se débattaient. Mais bien peu de gens se donnaient cette peine. Ils disaient comme le maître d'école : « Quand un enfant ne sait pas sa leçon, c'est parce qu'il ne l'a pas apprise. Cette histoire de vent qui fait tourner deux pages à la fois, c'est de la foutaise. »

Il décacheta la lettre de Sarah, dont le recto était rédigé en anglais et le verso en français. L'écriture était régulière, moulée, manifestement inspirée des caractères d'imprimerie des journaux.

Madame, écrivait Sarah, *j'ai appris par les journaux que lit mon père (Toby McNeill, c'est son nom) ce que vous avez fait pour votre mari, sir John Franklin. Vous sortiez tous les jours à quatre heures et demie, en fiacre, pour vous rendre au bassin du long cours dans l'espoir de reconnaître enfin les voiles de l'*Erebus *ou du* Terror. *Ces voiles vous étaient si familières que, même enverguées, vous les auriez reconnues entre toutes. Mais c'était en vain, chaque fois. « Toujours rien, madame », disaient les dockers de Ste. Catherine en ôtant leurs bonnets. Alors, de votre main gantée, vous frappiez contre la cloison du fiacre : « A la maison, nous rentrons. » L'été, il faisait encore jour. L'hiver, c'était déjà la nuit. Dans l'île où j'habite (les États d'Alderney, ça s'appelle comme ça), nous n'avons pas de ces sortes de fiacres avec des lanternes sur les côtés. Je dois me contenter d'imaginer l'allure que vous aviez, madame, dans votre fiacre à lanternes filant dans la nuit. J'ai vu sur des illustrations que ces beaux fiacres de chez vous ont une petite lucarne qui s'ouvre à l'arrière, dans la capote. Elle est généralement de forme ovale. Je pense que vous vous retourniez sans cesse pour regarder, à travers cette lucarne, si l'*Erebus *et le* Terror *n'entraient pas malgré tout dans le bassin de Ste. Catherine. Et rien, toujours rien.*

Alors, vous avez convoqué chez vous des capitaines, de ceux qui sont réputés compter parmi les plus audacieux d'Angleterre, et vous leur avez offert votre fortune pour qu'ils aillent secourir votre mari. N'importe qui pourrait penser qu'ils profiteraient des circonstances – leur prestige, la disparition de sir John, votre solitude – pour se faire aimer de vous. Qui l'aurait su, madame ? Votre chambre n'est-elle pas toute proche du salon où vous receviez ces hommes ? Enfin, je le suppose, car je n'ai pas une idée très précise de la façon dont sont organisés vos grands appartements de Londres. Il n'y avait personne pour vous surprendre. Le cocher, dans la remise, s'occupait à dételer le fiacre, à bouchonner le cheval, la cuisinière était à ses fourneaux, la lingère dans la buanderie. Qu'est-ce qu'une buanderie, au fait ? Ce mot figure parfois dans les journaux de mon père, mais personne n'a de buanderie chez nous, ou, si nous en avons une, il faut croire que nous l'appelons autrement.

Dans les États d'Alderney, quand une femme est veuve, elle cherche à se remarier au plus vite. Sinon, de quoi vivrait-elle ? Et il est bien rare qu'elle ne trouve pas le nouveau soulier qui la chausse. Mais vous, madame, vous êtes restée fidèle à John, obstinément fidèle, bien que vous soyez encore jeune et, je crois, très jolie – oh ! cela se saurait si vous aviez laissé un des capitaines vous séduire, les journalistes ne vous auraient pas manquée : ne dit-on pas que certains gazetiers se déguisaient en livreurs de charbon pour pouvoir bavarder avec vos domestiques, leur tirer les vers du nez et vous espionner de plus près ?

Pourtant, j'ai vu les portraits des capitaines. Beaucoup d'allure, n'est-ce pas, beaucoup de prestance. Et je ne dis pas ça seulement parce qu'ils portaient, pour paraître devant vous, leurs uniformes de parade avec toutes leurs médailles sur la poitrine. Mais vous n'avez cédé à aucun d'entre eux. C'est tout juste si vous leur avez offert une tasse de thé, ou un peu de brandy, selon l'heure. Ils restaient debout devant vous, vous étiez assise derrière un bureau dont j'ai vu l'image. Dessus, il y avait deux portraits de sir John. Le portrait qui vous faisait face et que vous ne cessiez de regarder en parlant était le plus touchant des deux : sir John souriait. Je connais ces détails parce que je me sers d'une loupe pour examiner les illustrations des journaux.

Il y avait deux périodes où vous receviez les capitaines : celle où vous les désigniez pour partir en expédition, celle où ils revenaient vous faire leur rapport. Le temps du départ était plein d'espoir, le temps du retour était celui de l'amertume, de la désillusion. Pourtant vous offriez le même accueil, le même sourire, le même thé et le même brandy. La même réserve aussi.

Je ne suis pas quelqu'un d'important, pas du tout, je suis une fille de dix-neuf ans, une paysanne, nous avons une ferme, je m'occupe de vendre notre lait, tôt le matin, aux ouvriers d'un chantier qui n'en finit pas. Des petits bateaux relient notre île à une autre île plus grande (Guernesey, c'est son nom), d'où l'on peut passer en Angleterre. Je mets de côté une partie de l'argent du lait – très peu, vraiment très peu pour ne pas voler mes parents. Mais un jour, à force, j'en aurai rassemblé assez pour aller en Angleterre. Je désire profondément vous rencontrer, madame, pour que vous m'expliquiez comment on peut aimer comme ça, c'est-à-dire comme vous. C'est la manière dont je voudrais être capable d'aimer moi aussi, quand viendra mon tour. C'est sûrement pour bientôt : on se marie tôt, chez nous. Je voudrais qu'on sache alors de quel amour je suis capable. C'est ma seule chance, madame, car je ne suis pas très jolie, je me suis déchiré la gorge avec un couteau, je n'ai plus de voix, et ma lèvre est fendue en deux.

Mon père s'est chargé de mon éducation et il m'a enseigné bien des choses. Ce n'est pas avec moi qu'un homme s'ennuiera, je connais des histoires pour tous les soirs de notre vie. Mais les journaux que mon père me fait lire s'intéressent surtout aux phénomènes scientifiques, aux crimes et à la politique. Ils ne parlent pas d'amour.

Je sais, toujours par ces journaux, que vos parquets sont cirés, que vous avez de beaux tapis. Quand j'irai vous voir, pour ne rien salir, je mettrai des souliers propres. Ce n'est pas si facile quand on vit dans une ferme, dans la ferme des McNeill où les quaipeaux sont partout – si vous ne connaissez pas les quaipeaux, je vous expliquerai ce mot, et vous m'apprendrez ce qu'est une buanderie. Pour que je ne sois pas obligée de vous chercher trop longtemps dans Londres, car je n'aurai pas assez d'argent pour m'éterniser dans une grande ville si chère, pouvez-vous, par retour du courrier, me faire connaître votre adresse, ainsi que l'heure à laquelle je pourrai me présenter devant vous sans trop vous déranger ? Je parle anglais, mais, comme cette lettre le montre, je sais aussi le français. Je bois parfois du thé, jamais de brandy.

Dans cette attente, je suis, madame, votre humble servante.

Sarah McNeill

– Par retour du courrier ! s'exclama Gaudion. Elle n'a pas froid aux yeux, la petite crasseuse !

D'une ruade, il envoya promener ses bottes. Il s'allongea sur le lit, qui était moins accueillant qu'il ne l'avait cru. Des lueurs brèves – le phare des Casquets, les éclairs d'un nouvel orage sur la mer – illuminaient la chambre. Il ne réussirait pas à s'endormir s'il ne pissait pas d'abord. Mais il n'avait aucune envie de descendre, d'affronter les soldats qui célébraient d'autant plus bruyamment le retour de Sarah qu'ils avaient été rejoints par le joueur de cornemuse, le violoniste et d'autres participants du bal des Brandons. La ferme des McNeill devait être cette nuit la seule maison de l'île où l'on tenait encore table ouverte, ses lumignons attiraient les jeunes hommes excités par le bal et qui cherchaient un dernier endroit où boire et s'amuser. Probablement Sarah riait-elle avec eux, sauf qu'on ne pouvait pas l'entendre. Mais elle dansait. Gaudion était certain d'identifier la frappe de ses souliers sur la terre battue de la salle juste au-dessous de lui, une touche plus fraîche, plus rapide et nerveuse que le martèlement de bottes des militaires. Pour se changer les idées, il essaya de penser à la veuve de Roscoff. Mais ça ne marchait pas, c'était comme chez le photographe de foire qui vous fait passer la tête et les bras à travers les trous de ses silhouettes en bois peint : le visage et les bras de Sarah apparaissaient dans les échancrures de la robe de veuvage, ses jambes gigotaient sous le jupon noir, et Sarah devenait la veuve. Je n'aurais pas dû l'embrasser, se dit Gaudion, elle va m'encombrer la tête. Il urina contre le mur de la chambre. Pourquoi la mer était-elle liquide, et les êtres vivants gorgés de tous ces fluides dont ils devaient se purger ? Le désir, et donc le danger, venait du mouillé. Un monde bien fait serait un monde sec, avec juste ce qu'il fallait de pluie de temps en temps pour faire pousser les oignons.

Plus tard, ayant consulté son chronomètre, le colonel qui commandait la garnison de Clonque Rock annonça que la mer était suffisamment descendue, et le chemin du fort à nouveau praticable. Les soldats s'en allèrent. Le cornemuseux et le violoniste les précédaient, jouant une musique aux accents militaires. Les jeunes gens du bal se dispersèrent sur la lande, ils voulaient profiter de l'atmosphère orageuse pour attraper des lapins – fascinés par les éclairs, ceux-ci se figeaient sur place, il n'y avait qu'à tendre la main pour les cueillir par les oreilles.

Sarah se réfugia dans son ancienne alcôve. Comme il n'y avait plus de lit dans la niche, Hermie alla chercher de la paille pour lui confectionner une couchette.

– C'était bien la peine d'avoir dix-neuf ans aujourd'hui, dit-il. Vous n'avez profité d'aucun de vos cadeaux. Nous n'avons pas joué aux dames, vous n'avez pas étrenné votre belle chambre toute neuve.

A chacune de ses navettes entre l'alcôve et l'étable où il se chargeait de paille fraîche, Hermie revenait un peu plus trempé et dégoulinant. L'orage s'était fixé au-dessus de l'île. Le vacarme de la pluie se fit assourdissant. Sarah espérait que le temps allait devenir trop mauvais pour permettre à la goélette de reprendre la mer.

– D'où vient le vent ? demanda-t-elle au vacher.

– C'est du suroît, mademoiselle McNeill.

A cette époque de l'année, les courants perturbés d'ouest-sud-ouest engendraient de véritables familles de dépressions, de quatre à six en moyenne, et parfois davantage, qui défilaient pendant plusieurs jours, laissant entre elles des intervalles trop courts pour apaiser des vagues devenues énormes. Gaudion n'appareillerait pas avec un vent pareil, il avait peur de la mer, Sarah l'avait bien senti.

En se couchant, elle réfléchit à ce qu'elle ferait de lui s'il devait rester dans l'île une semaine ou deux à attendre l'embellie. Peut-être pourrait-elle vendre pour lui, en même temps que le lait matinal, une partie de sa cargaison d'oignons ? Elle se voyait assise sur le brise-lames, faisant rouler les oignons dans le creux de sa robe tandis que Gaudion flatterait les ouvriers en leur laissant croire que la goélette les avait apportés de France tout exprès pour eux. « Oignons de Roscoff, oignons bretons frais cueillis pour vous ! » crierait-il de sa voix puissante qui n'aurait aucun mal à dominer le bruit des machines et celui des vagues éclatant contre la digue. Sarah dénouerait son fichu, laissant les rafales déployer ses cheveux. « Mes amis, dirait alors Gaudion, vous qui admirez chaque matin la blondeur de Mlle McNeill, apprenez que mes oignons aussi sont blonds. J'ajoute que vous retrouverez, dans la transparence de leur chair, ce même bleu si émouvant qui bat ici, oui, juste là, dans cette petite veine à la tempe de Mlle McNeill. Et maintenant, Sarah, tournez-vous vers ce que le ciel veut bien nous offrir en guise de clarté, et montrez-nous votre sourire. » Elle lui obéirait sans hésiter, puisqu'en l'embrassant il l'avait réconciliée avec sa bouche. Il poursuivrait son boniment : « Ne vous arrêtez pas à la petite blessure de la lèvre, ne regardez que les dents de Mlle McNeill. Franchement, a-t-on jamais vu une nacre pareille ? Eh bien, messieurs, sans mentir, la chair de mes oignons est presque de la même eau. Et en voici la preuve : voulez-vous, Sarah, planter vos dents dans une de mes merveilles, de façon que ces braves garçons puissent se faire une opinion ? » Sarah éclata de rire.

– Quel drôle de rêve faisiez-vous donc ? demanda tout bas Gaudion.

Elle sursauta. Gaudion s'était faufilé dans l'alcôve. Accroupi sur la litière de paille, il était si grand qu'il avait l'air d'être debout.

– Vous riiez en dormant, dit-il. Ce n'est pas que votre rire fasse du boucan, évidemment non, mais ça vous étirait la bouche jusqu'aux oreilles. On peut savoir pourquoi ?

Elle se redressa en se frottant les yeux :

– On ne regarde pas comme ça les gens qui dorment. Qu'est-ce que vous me voulez ?

– Vous seriez mieux là-haut, dans votre lit.

– C'est votre lit. Jusqu'à demain matin, il est à vous.

– J'ai l'intention de vous le rendre. Ce n'est pas votre faute, mais on n'y est pas si bien que ça.

Dehors, il ne pleuvait plus. La ferme était redevenue silencieuse. Il y avait, sous la table de la salle, une sorte de paquet gris dans une flaque d'humidité. C'était Hermie qui s'était étendu là tout habillé, comme pour monter la garde devant l'alcôve. Il ronflait.

– La vérité, dit Gaudion, c'est que je pars.

Il se pencha davantage, glissant ses bras sous le corps de Sarah. Il souleva la jeune fille sans effort. Elle fit mine de se débattre :

– Posez-moi, ou j'appelle Hermie.

– Même si vous étiez capable de brailler un bon coup, dit-il en taquinant du bout du pied le paquet gris affalé sous la table, cette sale bête de Grêle a trop bu pour vous entendre.

Elle cessa de gigoter. Depuis la nuit où Toby l'avait serrée contre lui pour la porter jusqu'à la table d'opération d'Ebenezer Wikes, personne ne l'avait plus jamais prise ainsi dans ses bras. Le sentiment de dépendance et de protection était somme toute plutôt agréable – c'est-à-dire, pensa-t-elle, que ça doit dépendre de qui vous porte. Elle enfouit son visage dans le cou de Gaudion, avec la vague impression de se frotter contre un arbre tant ce cou était rêche, crissant de barbe mal taillée. Maintenant qu'elle était blottie contre lui et n'avait plus à affronter son regard, elle osa lui dire :

– Mais je ne veux pas que vous partiez. D'ailleurs, avec l'orage, c'est beaucoup trop dangereux.

Il répondit que l'orage était loin, et le ciel à nouveau plein d'étoiles – c'était apparemment un des traits de cette petite île : il n'y faisait jamais le temps qu'on aurait voulu.

Il s'engagea dans l'escalier, prenant appui sur l'arête des marches pour éviter de les faire grincer. Il passa ainsi, sans bruit, devant la pièce où dormaient Toby et Wilma : malgré les protestations d'Hermie, ils avaient accordé à Sarah, comme une sorte de touche finale à sa journée d'anniversaire, le droit d'héberger Gaudion dans sa chambre, et ils n'avaient même pas cherché à voir son visage ni à l'interroger à travers le battant. Sarah se demanda dans quelle mesure elle trahissait leur confiance en se laissant flotter dans les bras de cet homme, et surtout en s'y sentant tellement heureuse.

Arrivé devant la chambre, Gaudion repoussa du pied la porte qu'il avait seulement tirée, prévoyant qu'il aurait en remontant les bras trop occupés pour pouvoir en tourner la poignée.

– En revenant d'Angleterre, lui chuchota Sarah, vous vous arrêterez ici. Comme vous aurez gagné beaucoup d'argent avec vos oignons, rien ne vous empêchera de m'inviter à souper.

– Vous inviter à souper ? Je ne sais pas où nous pourrions nous conduire tous les deux d'une façon aussi extravagante. J'ai cru comprendre qu'il n'y avait pas d'auberge dans votre île.

Elle rit :

– Ah oui, je vous ai dit ça ?

– En tout cas, vous l'avez laissé entendre.

– Je vous ai bien eu !

Elle lui parla des deux ou trois tavernes de Braye Road, avec leurs parquets aux lames volontairement assez lâches pour laisser s'écouler dans le sous-sol la bière qu'on renversait, lui décrivit aussi la grande salle à manger austère de l'hôtel Scott's, près de l'église méthodiste. Mais on irait plutôt souper dans une des tavernes, dit-elle, car l'ambiance y était plus joyeuse qu'à l'hôtel Scott's où l'on risquait toujours de croiser le révérend Ruskin, sa servante Ruth et le vicaire Bancroft. Jo Zemetchino et Tom Walcott projetaient, lorsqu'ils auraient définitivement raccroché leur ceinture plombée, de s'établir dans l'île en achetant une de ces tavernes de Braye Road ; en signe de possession, ils avaient déjà fait sceller un de leurs casques de cuivre au fronton de l'une d'elles, et c'était dans celle-là qu'on irait.

– On s'y régale d'une fameuse soupe à la graisse, dit Sarah en se léchant les lèvres.

Et sa langue palpita un court instant contre le cou de Gaudion.

– J'aimerais autant qu'on parle d'autre chose que de manger, dit celui-ci. J'ai faim, moi. C'est sûrement pour ça que je n'arrive pas à dormir. Et cessez donc de me chatouiller avec votre petite bouche agaçante.

Elle se raidit contre lui, vexée :

– Tout à l'heure, vous aviez l'air de bien l'aimer, ma petite bouche.

– Eh bien, gronda-t-il, puisque c'est vous qui abordez le sujet, laissez-moi vous dire que j'ai eu tort de vous embrasser. Je regrette.

– Vous regrettez quoi, exactement ? Qu'est-ce qui vous a déplu ? Le goût que ça avait ? Un goût d'oignon, bien sûr !

Mais c'est vous qui m'avez forcée à manger cet oignon. Moi, je n'en voulais pas, rappelez-vous.

– Ça avait un goût normal, absolument normal, je vous assure. Et n'allez pas faire toute une histoire pour un simple baiser.

– Il y en a eu deux, rectifia-t-elle.

– En tout cas, je n'y attache pas plus d'importance que ça, non, vraiment pas.

– Moi si, c'était la première fois.

Il la serra plus fort contre lui. Il dit que c'était justement cela qu'il regrettait, d'avoir été le premier à l'embrasser, au lieu de ce scaphandrier dont il ne parvenait pas à se rappeler le nom.

– Zemetchino, dit-elle, Jo Zemetchino. On voit bien que vous n'y connaissez rien en scaphandriers. A force de descendre sous la mer, leurs oreilles sont esquintées. Il y en a qui deviennent sourds. C'est un peu pour ça, je suppose, que Zemetchino ne s'intéresse pas tellement à moi. Qu'est-ce qu'un futur sourd peut espérer d'une fille qui n'a pas de voix ?

Gaudion s'était enfin baissé pour déposer Sarah sur son lit, mais elle avait enroulé les bras autour de son cou et refusait de les dénouer.

– Je veux descendre avec vous jusqu'à Hannaine Bay. Je veux vous voir partir.

– Il vaut mieux pas, dit-il.

– Je ne pleurerai pas.

– J'en suis sûr. Pourquoi est-ce que vous devriez pleurer ?

Elle reposait maintenant sur le lit, les bras le long du corps, les jambes sagement allongées. Le seul indice montrant qu'elle était prête à aimer était sa bouche qui palpitait, grande ouverte. Gaudion regarda cette bouche. Il était sur le point d'y céder, lorsqu'il se rappela ce qu'il avait souhaité tout à l'heure – que la tentation du mouillé disparaisse, que le monde ne soit plus que sécheresse, comme du sable au soleil, et les êtres aussi, surtout les jeunes filles.

– Je reviendrai, promit-il. Et comme vous l'avez dit, je serai riche, et nous irons souper tous les deux dans une de ces tavernes.

– Je vous attendrai.

Il se mit à tourner en rond dans la chambre. Pourquoi ne se décidait-il pas à s'en aller ? Franchir la porte ne devait pourtant pas être si difficile que ça. Il trouva assez drôle de dire :

– Vous savez quoi, Sarah McNeill ? Je n'arrive pas à mettre un pied devant l'autre, j'ai ces putains de pieds qui sont devenus aussi lourds que ceux de vos amis les scaphandriers.

Mais cela ne la fit même pas sourire.

– Partez vite, murmura-t-elle.

Gaudion ne retrouva pas si facilement le chemin de Hannaine Bay. La veille au soir, il n'avait fixé que le dos de Sarah, ses talons s'échappant des socques pour soulever le bas de sa robe tachée, ses bras nus qu'elle balançait comme si elle ne savait qu'en faire, et les mèches blondes sur sa nuque. Du coup, il n'avait pris aucun point de repère, et il était bien forcé de constater que, dans la fausse lumière qui précédait l'aube, rien ne ressemblait davantage à une parcelle de lande qu'une autre parcelle de lande. Il butait contre les murets bas, s'égratignait aux ajoncs. Il essaya de repérer la mer au souffle du ressac, mais les vagues s'ourlaient et s'affaissaient sans bruit. Heureusement, des oiseaux s'étaient rassemblés pour pêcher dans les tourbillons du Swinge. Ils étaient à peine visibles, mais ils criaient. Gaudion se dirigea vers eux et rattrapa ainsi le sentier au bord de la falaise.

Juste avant l'apparition du soleil, le paysage, l'espace d'un instant, ressembla à une photo en négatif : le ciel était d'une lividité éblouissante, la mer encore noire, la danse des mouettes mouchetait de points sombres le gris presque phosphorescent des hautes falaises ; puis d'un seul coup les valeurs s'inversèrent, les oiseaux redevinrent blancs, et la mer s'éclaircit jusqu'à un bleu laiteux.

Une sentinelle arpentait les remparts du fort. Elle allait jusqu'au magasin à poudre de la batterie numéro trois, présentait les armes à l'immensité vide de la mer et du ciel, claquait des talons, faisait demi-tour, claquait à nouveau des talons, et revenait jusqu'à un brasero où chauffait une bouilloire probablement pleine de thé. La sentinelle avalait une gorgée de thé, puis, après avoir encore une fois claqué des talons, reprenait sa marche jusqu'à la tourelle abritant la salle des gardes.

Au pied du fort, la goélette s'était relevée avec la marée. Bien revenue dans ses lignes d'eau, elle tirait sur l'ancre que l'équipage avait portée à terre, saisie entre deux rochers, puis virée au guindeau pour aider la quille à s'arracher de sa souille. La brise matinale faisait claquer les drisses, le pavillon français flottait gaiement au-dessus du tableau arrière.

Gaudion se retourna une dernière fois pour regarder la ferme tapie dans son creux. Le Grêle traversait la cour en se frappant furieusement le crâne avec ses poings fermés – sans doute une méthode à lui pour dissiper les vapeurs de l'alcool qu'il avait bu durant la nuit.

Une sirène se mit à hurler. Ce devait être celle du chantier appelant les ouvriers sur la digue. Une locomotive de servitude lui répondit au loin, depuis la carrière de Mannez. Ce fut alors au tour de Sarah de quitter la ferme. Elle portait une autre robe que la veille, moins ajustée, mais bleue elle aussi. Elle entra dans l'étable, en ressortit en balançant un bidon de lait au bout de chaque bras. Comme elle s'approchait de l'endroit où se tenait Gaudion, celui-ci crut voir quelque chose de brillant sur les joues de la jeune fille. Puis Sarah s'engagea sur le chemin qui descendait vers le brise-lames et tourna le dos à Gaudion. Elle ne l'avait pas vu. Elle s'éloigna, disparut derrière les touffes de viorne. Ce que le soleil avait fait briller sur ses joues était peut-être bien des larmes, après tout, pensa le marchand d'oignons. Il alluma sa pipe, tout en se demandant ce qui pouvait faire pleurer une fille comme Sarah McNeill.

– 7 –

Sarah avait prévu que Gaudion reviendrait fin septembre, ou au plus tard dans la première quinzaine d'octobre. La vente des oignons ne l'occuperait probablement pas plus de deux ou trois semaines, mais il fallait compter avec la grande affaire de la lettre à remettre à Jane Franklin : Gaudion risquait de rencontrer des difficultés à localiser lady Jane, et celle-ci pouvait surtout tarder à remettre sa réponse au messager de Sarah : à présent qu'elle savait la mort de sir John, qu'avait-elle à attendre de quiconque, et *a fortiori* d'une jeune fille inconnue ? Peut-être avait-elle tiré ses volets, fermé ses rideaux, et se contentait-elle d'errer à travers une enfilade de vastes corridors glacés, parmi les souvenirs que lui avaient rapportés du pôle les capitaines des cinquante-deux expéditions.

Sarah décida d'attendre le retour de Gaudion en s'inspirant de la patience et de la sérénité de lady Jane. Tous les jours, vers quatre heures et demie, elle suivait les rails du chemin de fer à voie étroite pour gagner la pointe Quesnard, dans le nord-est de l'île. Et là, face au large, appliquant les principes de cette fameuse nauscopie de Bottineau que lui avait fait découvrir son père, elle étudiait les plus imperceptibles déformations de la ligne d'horizon, les plus légères altérations de la couleur des vagues et du ciel, la façon dont les oiseaux s'élevaient soudain comme s'ils venaient de discerner un mouvement dans le lointain. Elle ouvrait ses narines à la moindre senteur de bois mouillé, de goudron, de chanvre, et même de tabac, de tafia ou de jambon rissolé – bref, à tout ce qui faisait les effluves habituels d'un navire venant d'Angleterre.

Le mécanicien du train de la carrière de Mannez prit l'habitude de croiser cette jeune fille qui avait chaque fois le même geste charmant pour empêcher son chapeau de s'envoler au passage du lourd convoi chargé de granit. Lorsqu'il faisait froid ou qu'il bruinait, il l'invitait à grimper à bord de sa locomotive. Celle-ci se traînait si lentement qu'il suffisait de tendre le bras pour saisir Sarah sous les épaules et la hisser sur la plate-forme. Cette locomotive poussive était sans doute moins digne qu'un fiacre londonien avec lanternes dorées et lucarne ovale dans sa capote de cuir ciré, mais Sarah pouvait réchauffer ses mains frigorifiées aux braises de la chaudière.

Le mécanicien aurait bien aimé savoir ce qui attirait une jeune personne comme Sarah McNeill dans un endroit aussi déshérité que la pointe Quesnard. Mais sa passagère n'avait décidément pas assez de voix pour espérer se faire entendre dans le vacarme de la locomotive. De toute façon, elle ne parlait jamais du marchand d'oignons. Pas une seule fois elle ne prononça son nom, même quand Toby ou Wilma, au hasard de la conversation, se demandaient ce qu'avait bien pu devenir ce grand Français qui était parti sans même les saluer ni les remercier, après avoir pourtant volé sa chambre à leur fille juste la nuit de ses dix-neuf ans.

Sarah se comporta vraiment comme si rien ni personne d'important n'avait traversé sa vie. Elle fut gentille avec Hermie, apprit à jouer aux dames assez convenablement pour battre le vacher à chacune des parties qu'ils engageaient. Hermie avait décidé que le perdant devrait un gage à son vainqueur et, à chaque défaite, il espérait que Sarah le contraindrait à exécuter quelque chose de troublant, comme de lui laver son linge pendant huit jours ou se glisser sous la table pour lui baiser les pieds. Mais elle avait des idées de gages parfaitement idiotes et puériles, comme d'exiger d'Hermie qu'il fasse le tour de la pièce en sautillant sur une seule jambe tout en chantant une ballade écossaise. Il obéissait, et le pire était que ça n'amusait même pas Sarah.

Plus tard, le *Courier* ayant débarqué dans l'île un lot de lanternes en laiton, Sarah en acheta une avec ses économies, pour remplacer celle que Gaudion avait contribué à briser ; mais, là encore, elle évita de citer le nom de cet homme dont elle attendait pourtant si impatiemment le retour.

Les premiers jours de septembre furent radieux. Mais aux approches de l'équinoxe d'automne, le ciel se brouilla soudain, la mer devint houleuse et se mit à blanchir jusqu'aux confins de l'horizon – « elle fait de la meringue », disaient les pêcheurs, qui commencèrent alors à tirer leurs barques à terre.

Le 15 du mois d'octobre, certaine que la petite goélette française ne pouvait plus tarder à montrer sa mâture, Sarah descendit au port de Braye en vue de retenir un poste d'amarrage pour la *Dame-de-Penhir*. Elle le choisit de bonne tenue quel que soit le vent (la goélette serait lège et présenterait un fardage important), et surtout d'une prise commode car, en quelques brèves semaines, Gaudion et son équipage de paysans n'avaient pas dû avoir le temps de devenir des marins expérimentés. Sarah voulait leur éviter l'humiliation d'une manœuvre approximative, soulignée par des vociférations et des bruits sinistres de coques s'entrechoquant – et elle n'avait même pas conscience de ce qu'il y avait d'amoureux dans cette attention jalouse qu'elle portait aux moindres détails.

Elle réserva un souper pour deux personnes dans une des tavernes de Braye Road. La plus amusante était celle que lorgnaient les scaphandriers mais, connaissant le goût de Zemetchino et de Walcott pour les plaisanteries douteuses, la jeune fille choisit un établissement plus sage, que fréquentaient surtout les ingénieurs du brise-lames. Les dessous-de-plat étaient en paille tressée, il y avait des instruments aratoires accrochés aux poutres et, sur les murs, des chromos montraient des scènes de moisson. On se serait presque cru dans une auberge de campagne, loin de la mer, et Sarah pensa que cela plairait à Gaudion.

– Si ce n'est pas pour demain soir, chuchota-t-elle au

patron de la taverne, ce sera pour le soir d'après. Mais nous viendrons, c'est sûr. Alors, si vous ne nous voyez pas arriver sur le coup de sept heures, reportez simplement la réservation au jour suivant. Et maintenant, parlons du menu. Oh ! tout ce que vous ferez sera bien fait, naturellement, mais il vaudrait mieux éviter les plats avec des oignons : le pauvre Gaudion n'en pourra vraiment plus, j'en ai peur !

Ce fut l'unique occasion où ce nom lui échappa, mais l'imminence du retour de Gaudion la rendait trop fébrile pour qu'elle puisse se contrôler parfaitement.

Elle décida de chaque chose comme s'il s'agissait de son mariage, avec cette minutie appliquée des filles pauvres qui, n'ayant pas de parents pour tout régler, doivent se charger elles-mêmes de l'organisation de leurs noces et faire juste mesure entre l'économie et le plaisir. Elle souhaitait des fleurs sur la table, mais en cette saison elles étaient très chères car on les faisait venir de Guernesey ou de Jersey, aussi dut-elle se contenter d'une grande gerbe de graminées, qu'on lierait du moins avec un joli ruban. On ne boirait pas de vin à table, mais on prendrait du sherry à l'apéritif. A la fin du souper, Gaudion pourrait avoir un verre ou deux de grog flambé.

Elle revenait plusieurs fois à la taverne dans la même journée, pour modifier telle ou telle broutille. Monter et descendre ainsi sans arrêt la côte de Braye aurait dû l'épuiser, pourtant elle dormait d'un sommeil agité, persuadée d'avoir omis quelque chose d'important.

Enfin, elle affronta son père :

– Il y a quelque chose dont je dois te parler : un certain soir viendra où je te demanderai de ne pas barbouiller la maison. Pas de quaipeaux sur nos murs ce soir-là, tu veux bien ?

– Si c'est juste pour un soir, grogna Toby.

– Peut-être deux ou trois soirs, dit-elle.

– Tu as besoin de vivre dans une maison chaude, tu sais bien que tu ne dois pas prendre froid à cause de ta gorge.

Elle promit à Toby d'enrouler des châles autour de son cou les soirs où, faute de quaipeaux, l'on manquerait de feu. Elle voulait que Gaudion puisse dormir dans la chambre avec la lucarne ouverte sur la nuit pour écouter le remuement des bêtes dans l'étable, le rêve des vaches, sans être écœuré par la puanteur montant des murailles. Ces nuits-là, elle dormirait contre lui.

Octobre passa, puis novembre. Il n'y avait plus de voiles sur la mer, juste la fumée du *Courier* qui continuait bravement de maintenir la liaison avec Guernesey. En décembre, il neigea. A la taverne de Braye Road, on dépouilla la grande gerbe de graminées que s'était réservée Sarah. Chaque épi fut peint en doré et placé sur la table d'hôte en travers d'une assiette. C'était un joli décor de Noël, plus original que la sempiternelle branche de houx.

Sarah n'en sut rien. Depuis la Toussaint, depuis que les vents soufflaient en tempête, elle ne descendait plus la côte de Braye. Elle n'allait pas non plus pratiquer la nauscopie à la pointe Quesnard. Elle avait compris que Gaudion ne relâcherait pas dans l'île en rentrant d'Angleterre.

Elle ne lui en voulait pas. Sans doute avait-il quitté Londres plus tard que prévu, et il avait dû choisir de piquer droit sur le port de Roscoff, préférant fuir prudemment le péril des courants et des récifs, et s'éviter la peine de chercher la petite île dans les brumes d'arrière-saison. Il avait maintenant devant lui tout l'hiver et le printemps pour se perfectionner, et apprendre à devenir assez bon navigateur pour atteindre l'été prochain cette virgule minuscule qui, sur la carte marine, représentait les États d'Alderney. Plus hardi sur la mer, pensait Sarah, il le sera aussi en amour. D'ailleurs, j'aurai vingt ans, il n'aura plus aussi peur de me toucher. Je l'y aiderai : fini les robes de petite fille, je m'habillerai de noir, comme toutes les femmes.

A défaut de continuer à guetter le retour de Gaudion, elle attendit la réponse de lady Jane à la lettre que le marchand d'oignons avait dû lui transmettre.

Les tempêtes ayant ouvert de nouvelles brèches dans le brise-lames, les ingénieurs renforcèrent le nombre des ouvriers. Du même coup, Sarah doubla pratiquement ses ventes de lait et d'eau-de-vie, et le petit pourcentage personnel qu'elle s'accordait. Ses économies montèrent en flèche. Elle n'était plus si loin de pouvoir prendre un billet de steamer pour Londres. Mais lady Jane ne se pressait pas de répondre.

C'est cet hiver-là que mourut le jeune vicaire. On était en février. Depuis la nuit de Noël, Bancroft traînait une sorte de congestion dont chaque rémission, malgré les efforts d'Ebenezer Wikes, était suivie d'une enfoncée un peu plus profonde dans la cachexie. Le mal qui rongeait les poumons de Bancroft était monté jusqu'à ses bronches et, de là, il avait envahi son larynx. Le docteur Wikes pratiqua sur lui la même intervention que sur Sarah, avec un résultat tout aussi lamentable : Bancroft ne parlait plus que d'une voix si éraillée que le révérend Ruskin dut le décharger du ministère de la parole et l'affecter au seul entretien de l'église. Après une bouffée de révolte, le vicaire trouva une sorte d'apaisement à recoudre en silence les reliures des psautiers, à encaustiquer les stalles, à lubrifier l'harmonium et à changer l'eau des vases.

Un dimanche après le culte, il eut la surprise de voir Sarah entrer dans l'église, des branches de feuillages secs plein les bras. « Pour l'autel », murmura-t-elle. Mais ce n'était évidemment qu'un prétexte : la jeune fille venait confronter son mutisme à celui du jeune vicaire.

Celui-ci sortait d'une terrible quinte de toux qui l'avait laissé épuisé. Il tenait encore, appuyé sur sa bouche, un linge sanglant qui tranchait avec l'austérité de son habit. Malgré la solennité du lieu, Sarah et lui s'amusèrent comme des enfants à comparer leurs voix brisées. Bancroft se mit à l'harmonium, et ils essayèrent de voir, en additionnant leurs babils, s'ils étaient capables de chanter un psaume. Ce fut si pitoyable que le vicaire s'en étrangla de rire, et cracha à nouveau un peu de sang. Puis il interrogea Sarah sur les avantages qu'il y avait à devoir se taire. Elle lui dit que cela aiguisait son écoute :

– J'entends des choses que les autres ne soupçonnent même pas.

– Quelles choses, mademoiselle McNeill ?

– Eh bien, il me semble parfois... en ce moment précis, par exemple, je crois entendre que vous allez mal... (elle s'écarta de lui, soudainement inquiète)... si mal, monsieur Bancroft, que je ferais aussi bien de me dépêcher d'aller chercher de l'aide, et... oh ! mon Dieu, où puis-je trouver le révérend Ruskin à cette heure ?

C'est alors qu'il était tombé. Il avait d'abord rampé entre

les bancs, en poussant des grognements affreux. Puis il s'était recroquevillé et n'avait plus bougé du tout. Réfléchissant à un moyen quelconque de donner l'alerte, Sarah ne trouva rien de mieux que de se suspendre à la corde actionnant la cloche. Sans en avoir conscience, ce qu'elle sonna alors n'était ni plus ni moins qu'un long glas.

A l'occasion des funérailles du vicaire, Sarah put enfin, au prétexte du deuil, quitter sa robe bleue et s'habiller de noir comme elle se l'était promis. Elle constata tout de suite que cela la posait ; au lieu de simplement lui sourire en lui disant « Bonjour, petite », les hommes la saluaient en ôtant leur chapeau.

Toute la population de l'île s'était rassemblée dans la cour du presbytère, devant les tréteaux supportant le cercueil de Bancroft. Si la dernière vision que Sarah avait eue du vicaire n'avait pas été celle d'un homme ramassé sur lui-même, jamais elle n'aurait cru qu'on puisse faire tenir quelqu'un dans un coffre aussi court.

Durant le discours du révérend Ruskin, Zemetchino se débrouilla pour se rapprocher de Sarah. Il lui présenta ses excuses pour la façon dont il s'était conduit envers elle le soir du bal des Brandons. Elle lui répondit en souriant que c'était une vieille histoire, qu'elle n'y pensait déjà plus. Rassuré, il la complimenta sur sa robe, une vraie robe de femme qui mettait en valeur la blondeur de ses cheveux serrés sous une dentelle légère, noire elle aussi. Il espérait que Sarah porterait le même genre de toilette pour le prochain bal des Brandons. Elle lui dit que ce n'était ni l'heure ni le lieu de songer à des réjouissances. Il en convint, mais resta près d'elle. Il profitait des mouvements de la foule pour la serrer de plus près. Lorsque le cortège s'ébranla pour se rendre au cimetière, Zemetchino voulut prendre le bras de Sarah. Mais elle le repoussa.

– Vous m'en voulez donc encore ?

– Oh ! ce n'est pas ça, non, monsieur.

– Eh bien quoi, alors ? Nous pourrions être amis.

Sarah hésita. De se sentir considérée comme une femme par tous ces gens qui l'entouraient lui donnait envie de se livrer, d'avouer qu'elle était encore beaucoup plus femme qu'on ne l'imaginait : elle avait une histoire d'amour à raconter.

Jo Zemetchino avait été le premier homme auquel elle s'était intéressée, alors elle se dit que, si elle devait la vérité à quelqu'un, c'était d'abord à lui. Si elle ne se confiait pas au scaphandrier, elle finirait un jour ou l'autre par tout raconter à Hermie ; or Gaudion méritait mieux que les oreilles du vacher.

Le chemin jusqu'au cimetière était d'autant plus long qu'une foule immense piétinait derrière le cercueil. Aussi Sarah prit-elle tout son temps pour chuchoter à Zemetchino ce qui s'était passé entre elle et le marchand d'oignons. Pour lui faire comprendre et admettre la fidélité envers Gaudion à laquelle elle s'était engagée, elle mêla sa propre histoire à celle de lady Jane. D'ailleurs, dans sa tête, ces deux histoires ne faisaient qu'une.

Sur les trottoirs de Sainte-Anne, des boutiquiers donnaient à boire, à la mémoire du pauvre Bancroft, des verres de lait chaud avec du brandy. Grâce à sa robe noire qui la distinguait des autres jeunes filles, Sarah s'en vit offrir à plusieurs reprises. Elle n'était pas habituée à l'alcool, qui la rendit pour le moins imaginative. Quand Zemetchino, éberlué par le récit qu'elle lui faisait de sa nuit avec Gaudion, lui demanda : « Mais enfin quoi, il a fait l'amour avec vous ? », elle répondit simplement oui.

Un instant, ils continuèrent à marcher en silence. Sarah songeait aux baisers de Gaudion, et plus encore à ce moment où il l'avait emportée dans ses bras pour monter la coucher dans son lit. Zemetchino, de son côté, se rappelait la nuit des Brandons et se disait qu'il avait été vraiment le dernier des imbéciles d'avoir laissé passer, à cause d'une odeur de bouse qui aurait de toute façon disparu quand Sarah se serait dévêtue, une aussi belle occasion de posséder cette fille. Mais il y aurait cet été un nouveau bal sur la lande, et il pensa qu'il n'était jamais trop tôt pour avancer ses pions :

– Et si votre ami était toujours là-bas, en Angleterre ? Ce doit être à des ménagères ou à des petites bonnes que les *Johnnies* essayent de fourguer leurs oignons. Des femmes qui ont plus d'un tour dans leur sac. Moi, je dis que ça se pourrait bien qu'il ait décidé de passer l'hiver là-bas, dans un nid douillet… l'hiver et pourquoi pas un bout de sa vie ? Ce n'est pas pour vous chagriner, mademoiselle McNeill, mais les hommes libres, ça leur chante souvent de changer de port d'attache. Peut-être qu'il ne reviendra pas avant longtemps. Ou même jamais.

Elle eut un mouvement de la tête pour renvoyer en arrière un pan de dentelle noire que le vent plaquait sur ses lèvres. Elle n'en voulait pas à Zemetchino de la peine qu'il lui faisait. Il ne comprenait pas, voilà tout.

– Je le retrouverai, lady Jane a bien fini par retrouver sir John.

– Une boîte, dit-il en riant, elle a juste eu droit à une boîte en fer-blanc. Vous allez lancer des expéditions, vous aussi, sur les traces de votre Gaudion ? Payez-moi, et je lâche tout pour prendre le commandement de la première de vos escadres. Tommy Walcott sera mon second. A propos, ajouta-t-il tout bas, la finance que nous préférons, Tom et moi, ce sont certaines caresses. Mais à vous entendre, vous savez battre cette monnaie-là.

Elle n'eut pas à répondre : comme on entrait dans le cimetière, les hommes et les femmes durent se séparer.

Le soir même dans Braye Road, à la taverne au casque de cuivre, Zemetchino raconta ce qu'il appelait la folie de Sarah McNeill. Il croyait se tailler un succès, et qu'on en rirait beaucoup. Mais ses auditeurs se contentèrent de hocher la tête. Jan Pavlovski, le chef d'équipe des Polonais, dit que, même s'il n'était pas d'ici et n'avait donc pas à juger ces choses-là, il estimait qu'on ne devait pas se moquer d'une femme comme Jane Franklin.

– Eh ! mais on te parle de Sarah McNeill, protesta Zemetchino. Loin de moi la pensée de comparer cette petite putain avec l'autre espèce de grande dame.

– Tu ne comprends décidément rien aux femmes, répondit Pavlovski. Ça ne m'étonne pas tellement de la part d'un Russe.

Zemetchino s'avança sur le Polonais, les poings serrés. On s'écarta pour leur faire de la place. Mais le joueur de cornemuse, qui avait interprété une aubade sur la tombe du vicaire, s'interposa. Il savait par cœur, dit-il, les paroles d'une chanson populaire qui avait été composée à la mémoire de John Franklin, et il proposa de la chanter. Les hommes hésitèrent entre écouter la chanson et organiser une bagarre générale. Mais le cornemuseux était déjà grimpé sur une table et gonflait l'outre de son instrument ; le silence se fit, et il chanta :

Dans la baie de Baffin, où souffle la baleine,
Aucun homme ne connaît le destin de Franklin,
Aucun mot pour décrire le sort de Franklin,
Lord Franklin qui doit dormir, allongé là-bas
avec ses hommes.
Dix mille livres, voilà ce que je donnerais de bon cœur
Pour pouvoir crier au monde que mon Franklin
est toujours vivant.

Les hommes reprirent en chœur la chanson, en remplaçant simplement la baie de Baffin par les côtes de Cornouailles, et le nom de Franklin par celui de Gaudion.

Contrairement à ce qu'avait annoncé Zemetchino, Sarah ne devint pas folle. Elle eut simplement, pour qui ne connaissait pas son histoire avec Gaudion, un comportement parfois singulier.

Ainsi, le jour où elle acheta des rideaux pour sa chambre, demanda-t-elle à la mercière de lui céder un anneau de plus qu'il ne fallait. Et cet anneau en trop, elle se le passa au doigt. Malgré le froid de plus en plus vif, elle cessa de porter des gants pour aller vendre son lait aux ouvriers – elle agitait sa main nue, de façon à faire briller l'anneau dans la lumière matinale.

Elle ne prétendit pas qu'il s'agissait d'une alliance, n'essaya même pas de le laisser croire. Comment se serait-elle mariée secrètement dans cette île où l'on savait tout les uns des autres, où l'on était comme ces invités qui, le temps d'une longue soirée qu'ils ne peuvent quitter, doivent partager la même pièce, le même feu dans la cheminée, toujours à portée de voix ou de regard, sans pouvoir jamais se retrancher les uns des autres ? D'ailleurs, Gaudion était peut-être déjà marié. Leur nuit ensemble avait été si brève qu'ils n'avaient pas eu le temps de se dire quoi que ce soit d'important – mon Dieu ! pensait Sarah, nous avons discuté de soupe à la graisse et du mérite comparé des tavernes de Braye Road !

Elle expliqua aux ouvriers qu'elle portait cet anneau en souvenir de Gaudion, un simple souvenir sans doute, mais tout de même assez fort pour qu'elle s'oblige à le considérer comme un engagement qu'elle prenait. Cet été, à son retour, il appartiendrait à Gaudion de décider s'il ôtait l'anneau du doigt de Sarah ou s'il voulait bien l'y laisser – et elle se privait de nourriture, pour empêcher ce doigt de grossir au point qu'on ne puisse plus faire coulisser l'anneau. Peut-être Gaudion lui offrirait-il une autre bague, en or celle-là, achetée pour elle dans une bijouterie de Londres ou de Roscoff grâce à l'argent des oignons. Mais, tant qu'elle portait ce petit anneau, personne ne pouvait prétendre lui prendre la main.

De toute façon, les ouvriers du brise-lames n'avaient jamais tenté de la tripoter. Elle n'était pour eux qu'une enfant dont ils craignaient confusément qu'elle ne leur communique sa maladie du silence ; sur ce chantier qui s'avançait dans la mer assourdissante, il fallait s'égosiller pour se parler et la survie, parfois, tenait au cri d'un camarade vous avertissant à temps de l'approche de la locomotive ou du déferlement d'une lame – dès lors, que vaudrait un homme incapable de crier ?

Quelques-uns d'entre eux remarquèrent qu'un changement s'était opéré en elle, mais l'anneau de cuivre n'y était pour rien ; ce qui les frappa, ce fut la robe noire remplaçant la robe bleue, et soulignant la blancheur de la chair de Sarah.

– 8 –

La jeune fille divisa en deux l'argent qu'elle prélevait subrepticement sur la vente du lait et de l'eau-de-vie. Elle en mit une partie de côté en prévision de son voyage à Londres, et consacra l'autre à commander chez un drapier de Guernesey un métrage prodigieux de mousseline et de tulle, de plusieurs nuances de rouge, pour façonner une crinoline qui, arrangée en bouillons, en volants et en gaufrés sur l'ancien cerceau qu'elle gardait dans sa chambre, atteindrait après finition trois mètres de tour.

Quand le *Courier* lui livra ses étoffes, elle s'attela aussitôt à la tâche. La fin de l'hiver et le printemps ne lui seraient pas de trop pour venir à bout de cette immense robe qu'elle prévoyait de mettre pour danser avec Gaudion au prochain bal des Brandons. Encombrantes et coûteuses, dangereuses quand on s'approchait trop près du feu, les crinolines étaient passées de mode depuis près de vingt ans, mais Sarah s'en moquait, elle trouvait ça joli.

Le soir et le dimanche, les séances de couture remplacèrent les parties de dames. Loin de s'en désoler, Hermie regardait avec plaisir Sarah travailler à son interminable robe rouge. Et même, il l'encourageait en lui affûtant ses aiguilles et ses ciseaux à l'aide d'une pierre grise sur laquelle il la faisait d'abord cracher. Il traquait pour elle, sur la lande, des éclats de cailloux plâtreux, il les taillait pour en faire des craies dont elle se servait ensuite pour dessiner l'arrondi de ses futurs volants.

Si Hermie se montrait aussi compréhensif, c'est qu'il comptait bien finir par toucher ses dividendes ; la vieille cage d'acier sur laquelle devait reposer la crinoline lui avait donné une idée magnifique : il en limerait discrètement un des cerceaux et, le jour du premier essayage, les genoux de Sarah heurteraient le cerceau saboté, celui-ci se briserait et tout le système de la crinoline menacerait de s'effondrer. « Fais quelque chose, Hermie ! » supplierait alors Sarah. Et comment, qu'il ferait quelque chose ! Il se glisserait là-dessous, il prendrait tout son temps pour rafistoler le cerceau. En attendant, il serait entre les jambes de Sarah, dans la lumière rouge de sa robe, à se gaver d'images inoubliables et de tendres parfums. L'émotion qu'il retirerait de ce séjour serait telle qu'elle l'accompagnerait jusque dans son éternité – il se rappellerait toujours cet instant qui, à condition de s'y prendre habilement, pourrait durer peut-être une dizaine de minutes.

En observant Sarah qui poussait son aiguille dans l'étoffe, et le bout de langue rose qu'elle tirait en s'appliquant, Hermie se demanda si, pour lui du moins, l'existence ne se résumait pas à ce genre de sensations fondées sur la vue, l'odorat, et le toucher de surfaces frissonnantes et légèrement moites – car c'était ainsi, humides et tremblantes, qu'il imaginait les cuisses de Sarah quand il réussirait, avec ses manigances, à y emprisonner son visage. Eh bien oui, conclut-il après avoir examiné sa conscience, je suis comme une bête ; ce qui l'apaisa, car il se trouvait moins coupable en n'étant qu'une bête.

– Mademoiselle McNeill, dit-il avec une sorte de ravissement stupide, je suis une bête. Je viens juste de m'en apercevoir.

Elle leva à peine les yeux de dessus son ouvrage, et lui sourit :

– Quelle grande nouvelle, Hermie ! Mais nous savons tous cela depuis longtemps, et ça ne nous empêche pas de t'aimer.

C'était au déclin d'un dimanche, il avait fait beau toute la journée, la chambre de Sarah sentait la paille chaude. Cette nuit-là, Hermie commença à limer l'un des cerceaux de la future crinoline. Avec des cendres de quaipeaux mélangées à de l'huile, il fit une sorte d'onguent qu'il appliqua pour camoufler l'encoche que sa lime avait ouverte dans l'arc d'acier. Sarah n'y verra que du feu, pensa-t-il. Ainsi allait la vie du vacher – petite, sournoise et étriquée, diront certains, mais lui la trouvait passionnante.

– De la part du service postal, cria un gamin en dévalant le creux, une lettre pour Mlle McNeill !

Sarah n'avait encore jamais reçu de lettre. Presque personne n'en recevait, l'île était trop exiguë pour qu'on se donne le ridicule de s'écrire alors qu'il était si commode, quand on avait quelque chose à se dire, d'aller les uns chez les autres. Exception faite des journaux de Toby, la correspondance se composait essentiellement de plis administratifs destinés au gouverneur, aux ecclésiastiques et aux ingénieurs du brise-lames. L'arrivée d'une lettre pour Sarah constituait donc un événement si étrange que tout le monde sortit dans la cour en même temps que la jeune fille. Celle-ci s'était élancée vers le messager qui, lui-même, courait vers elle sans se soucier des orties qui fouettaient ses mollets. Il semblait impressionné par l'importance de sa mission. Le soleil derrière sa tête ébouriffée faisait comme l'auréole d'un ange, mais ce n'était qu'un petit garçon qui s'appelait Simpson. Il brandissait la lettre en la tenant par un coin et Sarah pensa : « Pourvu qu'il ne la perde pas dans le vent. Oh ! mon Dieu, faites qu'il ne la perde pas dans le vent… »

– La lettre vient d'Angleterre, s'époumonait Simpson.

Sûrement lady Jane, se dit Sarah. Un instant, elle avait espéré qu'il s'agissait d'une lettre de Gaudion lui annonçant son arrivée et lui demandant de tout préparer pour le recevoir comme il convenait. Peut-être même avait-il tourné une ou deux formules de sa façon, pour lui dire qu'il l'aimait bien et se souvenait d'elle avec plaisir. Mais, avant même que le petit Simpson ne parle d'Angleterre, Sarah avait déjà compris que ce n'était pas le genre de Gaudion d'envoyer des lettres. C'était donc lady Jane, ce qui n'était déjà pas si mal car ça prouvait que le marchand d'oignons s'était chargé de porter jusqu'à Londres le message de Sarah. Elle sourit en songeant aux difficultés qu'avaient dû rencontrer les *Johnnies*, empotés comme ils l'étaient, pour se faufiler avec leur goélette parmi la multitude de navires remontant la Tamise.

Simpson s'assit sur ses talons, au milieu des poules, pour reprendre son souffle. Ou bien cette lettre avait voyagé dans un sac postal mal fermé, ou bien cet animal de Simpson avait postillonné dessus – toujours est-il que l'encre avait coulé, et le nom de Sarah McNeill dégoulinait vers le bas de l'enveloppe en formant de longues arabesques bleues.

– Hermie, chuchota-t-elle, donne donc quelque chose à Simpson pour sa peine d'avoir couru jusqu'ici.

– Laisse ça, intervint Wilma, Hermie ne connaît rien aux

enfants. Simpson, mon garçon, viens plutôt voir par ici. Qu'est-ce que tu dirais d'une bonne tartine de miel ?

Simpson se releva et suivit Wilma. Au passage, il balança un coup de pied hargneux en direction des poules. Sans doute était-il désappointé par une récompense réduite à une tartine de miel. Sarah les regarda s'éloigner. C'était rudement chic de la part de sa mère, pensa-t-elle, de s'arranger pour la laisser seule au moment d'ouvrir sa lettre, la première lettre de sa vie.

Elle inséra son index sous le rabat de l'enveloppe et décacheta la missive.

Celle-ci provenait d'un grossiste de Londres, spécialisé dans le commerce des étoffes : *Votre adresse*, écrivait-il, *m'a été fort aimablement communiquée par un de mes confrères de Guernesey que vous avez bien voulu honorer d'une commande importante*, et il citait le nom du drapier auquel Sarah avait acheté de quoi faire sa crinoline rouge. C'était juste une lettre commerciale, rien de plus qu'une sorte de réclame annonçant que le grossiste de Londres venait de recevoir des Indes un arrivage de tissus chatoyants ; il avait d'ailleurs glissé quelques échantillons dans l'enveloppe, mais Sarah les regarda à peine.

Lentement, elle regagna la ferme. Elle vit que les autres l'observaient derrière les carreaux. Et de fait, quand elle entra dans la salle, tous les regards se fixèrent sur elle et sur la lettre qu'elle tenait entre ses doigts. Alors elle dit :

– C'est elle, c'est lady Jane Franklin. Elle me remercie de lui avoir écrit, elle me répond.

– Oui, bon, dit Wilma avec agitation, et qu'est-ce qu'elle te raconte ?

– Oh, des choses assez banales. C'est une femme réservée.

Moi, je sais qui elle est, mais elle, elle ne me connaît pas. Que pourrait-elle me dire de si important ? Enfin, elle semble très contente à l'idée de me voir bientôt à Londres.

– Toi, bientôt à Londres ? s'exclama Toby. Tu n'as rien à faire à Londres.

– Non, ma chère, dit Hermie en prenant le ton pincé qu'il supposait être celui d'une lady Jane, on ne voit pas ce que vous iriez faire à Londres.

– Elle m'attend, dit Sarah en se détournant pour cacher les larmes qui lui montaient aux yeux. Elle a fixé elle-même le jour et l'heure du rendez-vous : un matin à onze heures.

– Toi, en Angleterre ? répéta Toby. Sauf les élucubrations du docteur Wikes, maudit soit son nom, je n'ai jamais rien entendu d'aussi grotesque. Tu n'as pas l'air de bien te rendre compte où est Londres.

– Et toi, tu n'as pas l'air de comprendre que je suis attendue là-bas par une personne considérable qui a tout prévu, tout arrangé. Tiens, elle m'a même envoyé un morceau de… eh bien, de l'étoffe de la robe qu'elle portera ce jour-là, afin que je la reconnaisse au premier regard en descendant sur le quai.

Au hasard, Sarah tira un échantillon de l'enveloppe du grossiste. C'était un morceau de soie peinte en bleu nuit, un batik d'origine javanaise. Elle l'agita dans l'air. Un rayon de soleil le traversa, lui donnant une douceur de vitrail.

– Ça, c'est quelque chose, apprécia Wilma en clignant des yeux. Je ne vois pas quelle dame, chez nous, oserait porter une robe cousue dans une étoffe pareille, mais j'avoue que c'est vraiment quelque chose ! Donne-moi ça, Sarah, que je palpe un peu…

Sarah lui tendit l'échantillon. Comme une aveugle cherchant à identifier les contours d'un visage, Wilma froissa le batik entre ses doigts, porta l'étoffe à ses narines, puis à ses lèvres :

– Qualité supérieure. Supérieure et admirable. Pour ne pas dire exceptionnelle. Seule une lady, et pas n'importe quelle lady, peut s'offrir de telles merveilles. Et puis, c'est bleu. Le bleu de Sarah, la couleur de son présage, de son bon présage – la nappe, n'oubliez pas la nappe dans laquelle je l'avais enveloppée ! Toby, conclut-elle, ta fille ira à Londres. Elle sera reçue chez cette dame, et nous serons fiers de ce qu'elle nous racontera en rentrant.

– Il y a un détail, dit Toby. Ici, on lit les journaux, on les relit, mais qui regarde la date à laquelle ils ont été publiés ?

Se tournant vers Sarah, il ajouta avec douceur :

– Je ne sais pas qui t'a écrit cette lettre, petite, mais on s'est moqué de toi. Je crains que ta lady Jane ne soit aujourd'hui une très vieille personne. Et si tu me permets de dire tout à fait ce que je pense, je crois même qu'elle est morte.

Sarah fit les calculs qui s'imposaient. En feuilletant le *Blackwood's Edinburgh*, elle découvrit que Jane Franklin, née Griffin, avait vu le jour à Londres en 1791. A supposer qu'elle soit toujours vivante, elle aurait aujourd'hui près de quatre-vingt-dix ans. Cela rendit Sarah songeuse : dans son entourage, personne n'avait jamais atteint cet âge, ni même envisagé qu'il soit seulement possible de l'atteindre.

– A présent, dit Wilma, c'est sûr que ton père est dans le vrai. Même bien nourrie, même en mangeant de la viande plusieurs fois par semaine, une femme qui a tellement espéré – et qui a été aussi cruellement déçue dans ses espérances –

n'a certainement pas pu vivre aussi vieille. Quand le chagrin ne tue pas tout de suite, il use.

Et Wilma prit un air consterné. En réalité, elle était soulagée. Sarah devenait exaspérante avec ses allusions obsessionnelles à la fidélité de Jane Franklin. Toute lady qu'elle soit, cette personne n'était pas forcément une référence pour une jeune fille. Après tout, on ne savait presque rien d'elle, sinon qu'elle se gavait de romans, qu'elle avait une façon très libre et très audacieuse de considérer l'existence, et surtout qu'elle avait attendu d'avoir trente ans pour se marier. Et puis, cette façon de jeter des fortunes à la mer pour tenter de retrouver un cadavre gelé, était-ce bien raisonnable ? C'est si romantique ! disaient les journaux. Soit. Mais Wilma se souciait comme d'une guigne de ce qui était romantique. N'avait-on pas crié sur tous les toits que le jeune vicaire Bancroft était un romantique ? Eh bien, rétorquait Wilma, on avait surtout vu à quel point il était devenu maigre, et comme il crachait du sang, et où tout ce soi-disant romantisme l'avait conduit, finalement.

Dans sa chambre, Sarah considéra en silence le portrait de lady Jane. Il serait vraiment navrant que la vieillesse ait flétri, ridé, creusé un visage aussi charmant. Après tout, peut-être valait-il mieux que Jane soit morte. Trois jours durant, elle en chercha la preuve dans les journaux de Toby. Enfin, dans un numéro du *Times* daté de 1875, elle tomba sur l'avis de décès. Elle ne l'avait pas remarqué jusqu'alors, car elle lisait rarement le *Times*, lui préférant l'*Illustrated London News*. Et quand il lui arrivait de le parcourir, elle sautait les notices nécrologiques – elle ne connaissait aucun de ces morts ; leurs noms, leurs titres, les adresses luxueuses où ils avaient vécu, tout cela n'évoquait rien pour elle.

La mort de lady Jane la désola. Elle s'isola dans sa chambre, et elle pleura.

– 9 –

Cette mort profita à Gaudion, que Sarah avait fini par suspecter de n'avoir pas délivré la lettre qu'elle lui avait confiée. Il a fait ce qu'il a pu, pensa-t-elle, mais, en se présentant au domicile des Franklin, il aura probablement trouvé porte close, volets cloués.

Ou alors, si quelqu'un lui avait ouvert la porte, la maison était habitée maintenant par d'autres personnes qui n'avaient jamais rencontré lady Jane, des gens qui n'avaient peut-être même jamais vu la mer. C'était une grande famille brouillonne, des spéculateurs ayant fait fortune depuis peu, ils avaient acheté cette maison sans même en discuter le prix. Chez eux, ça sentait le chien au lieu de l'encaustique, et l'ail chaud parce qu'ils avaient toujours un gigot au four – ils mangeaient français, rien de comparable avec la rigueur et l'élégance des Franklin. Leurs enfants étaient effrontés, ils se penchaient en gloussant par-dessus la rampe pour dévisager le visiteur. On avait repeint les plafonds, changé les tentures et les tapis. Tout était neuf et clair, il n'y avait plus de mystère. « C'est que, monsieur, quand l'avoué nous a fait visiter la demeure, elle était comme une crypte. Quelque chose de lugubre vous prenait à la gorge. »

Ils avaient vendu le fiacre à lanternes et le cheval, remercié le vieux cocher et engagé à sa place une petite servante délurée. Dans le hall, les portraits de navires avaient été remplacés par des chromos représentant des fabriques et des usines. « Lady Jane avait sa table de travail ici même, à la lumière du bow-window. Un antiquaire nous l'a rachetée, comme d'ailleurs tout ce qui avait appartenu à cette dame. C'était un beau meuble que ce bureau, monsieur, mais trop chargé de souvenirs, et surtout de chagrins. La pauvre femme, en a-t-elle écrit, des lettres et des lettres ! Sa signature avait fini par s'incruster dans le cuir du sous-main – sa signature et le prénom de son mari, oui monsieur, c'était tout griffé de Jane et de John. Ces noms-là, vous pouviez les déchiffrer les yeux fermés, rien qu'en promenant votre index sur le sous-main. »

Entre deux ventes de ses oignons, Gaudion avait dû hanter tous les cimetières de Londres en quête de la tombe de Jane Franklin. S'il l'avait trouvée, il y avait sûrement déposé des fleurs volées sur un autre caveau, *de la part de Sarah McNeill, milady.* Et voilà pourquoi, à son retour d'Angleterre, ne sachant pas comment annoncer à Sarah une aussi triste nouvelle, il avait préféré ne pas relâcher dans les eaux d'Alderney. Sarah voulait croire qu'il avait pensé à elle, en regardant l'île monter puis disparaître à l'horizon.

A présent, se disait-elle, Gaudion arpentait ses champs d'oignons. Les poings dans ses poches, il se tenait coi. De temps en temps, il se mettait à courir en poussant des cris forcenés pour faire fuir les corbeaux – les marchands d'oignons n'ont pas grand-chose d'autre à faire durant l'hiver. Profitant des longues veillées de la morte-saison, Gaudion avait probablement commencé plusieurs lettres à l'intention de Sarah. Certaines, les plus faciles à écrire, relataient simplement son voyage en Angleterre et ce qu'il y avait appris à propos de lady Jane. Les autres, écrites après qu'il eut peut-être un peu bu, faisaient allusion à ce qui s'était passé entre Sarah et lui ; il parlait de leurs baisers, de la montée de l'escalier avec la jeune fille dans ses bras, il décrivait l'émotion, le plaisir inconnu, qui avaient été les siens : ... *rien à voir, mon enfant, avec ce que me donne la veuve de Roscoff, rien de commun (c'est juste un exemple) entre son parfum et votre parfum. Vous, d'ailleurs, on ne peut pas parler de parfum, c'est juste une odeur, pleine et ronde, terriblement fraîche malgré le chaud de votre sommeil – car vous dormiez à moitié, vous en souvenez-vous bien ? Son souffle à elle ne sent rien du tout, elle est toujours à suçoter des trucs et des machins, des grains de violette, des perles de réglisse, des pastilles de menthe. Vous, votre bouche sent quelque chose que je ne sais pas dire. Toutes ces heures passées à la barre de la goélette, ah ! je vous jure que j'en ai cherché des comparaisons ! Amandes, avoine, nougat oublié au soleil, tout ça c'est le goût, la fleur de votre bouche, mais pas seulement, il y a autre chose encore d'indéfinissable. Le lendemain de l'appareillage, quand la cloche a piqué midi, j'avais encore sur ma lèvre l'odeur de votre lèvre. Je faisais des grimaces pour me la retrousser sous le nez. L'équipage riait de moi.*

A mi-voix, Sarah se récitait ces lettres qu'elle n'avait jamais reçues, qui n'avaient sans doute jamais été écrites. Mais, s'obstinait-elle, si Gaudion m'écrivait, voilà ce qu'il me dirait : c'était ma bouche qui lui plaisait le plus, j'ai bien vu qu'il ne regardait qu'elle, et comment il se penchait dessus.

Elle s'expliquait l'absence de courrier par le fait que Gaudion était prudent, qu'il ne savait pas si Sarah ouvrait elle-même ses lettres ou si ses parents les lisaient avant elle. Sur le chemin de la poste, pris d'un doute, il choisissait de les détruire avant de les poster, et il s'en revenait, les bras ballants, incertain de tout. Heureusement, Sarah avait des certitudes pour eux deux.

L'été s'avançait. On serait bientôt le troisième lundi de juillet, le grand jour des *Johnnies*. Cette année, Gaudion et sa compagnie de paysans seraient prêts à l'heure, ils prendraient la mer en même temps que les autres *masters* – même nuit, même marée, mêmes amures. Encadrée par la flotte innombrable des dundees et des goélettes roscovites, comme mise en cage entre ces centaines de mâtures, de haubans et de bouts-dehors, la *Dame-de-Penhir* n'aurait pas, cette fois, la possibilité de s'écarter du droit chemin : cap à l'ouest-nord-ouest, elle filerait sur la Cornouailles sans même reconnaître les falaises d'Alderney.

Dans l'angle de la chambre, là où la pente du toit se faisait plus aiguë, la crinoline rouge enfin terminée reposait sur son cerceau d'acier. Aveuglé par le soleil du matin, un papillon de nuit s'y était empêtré ; il en faisait frissonner les volants, se cognait à l'étoffe comme à l'abat-jour d'une lampe. Sarah décida qu'elle ne porterait pas cette crinoline pour le prochain bal des Brandons. Le papillon n'était pas en cause, c'était simplement qu'une banale robe noire ferait l'affaire : cette année encore, Sarah n'aurait personne à éblouir.

Elle partit sur la lande à la recherche d'Hermie. Il y avait longtemps qu'il n'avait pas plu ; comme souvent en début d'été, on avait eu du vent, des nuages bas, mais trop maigres, qui n'avaient pas lâché d'eau ; les combes sentaient le silex, l'herbe était devenue sèche, cassante, elle donnait un lait sans saveur. Sur ordre de Toby, le vacher avait conduit les bêtes sur les herbages de Petite-Blaye où il y avait un abreuvoir public.

Sarah observa Hermie de loin, sans se montrer. Somnolent, affalé sur une plaque de bruyère, avec son curieux chapeau sur le crâne, il avait l'air d'un champignon noir sur lequel quelqu'un aurait marché par mégarde. Sarah se rapprocha. Le champignon la reconnut, se redressa. Ils s'assirent côte à côte. Hermie se racla la gorge, souleva son chapeau, fourragea dans sa tignasse :

– C'est la première fois, dit-il.

– La première fois que quoi ?

– Que vous venez me voir, comme ça.

– Oh ! dit-elle en se mordant la lèvre, ça se peut bien, oui.

– Vous auriez dû apporter le damier. Quand tout est calme, on peut jouer dehors. J'ai eu de nouvelles idées pour nos gages, vous voulez que je vous les dise ?

Elle n'y tenait pas plus que ça, mais elle sentit que ça lui ferait plaisir ; et tant qu'il parlait de ces choses, au moins ne réclamait-il pas de les faire pour de bon.

– Alors, mademoiselle McNeill, qu'est-ce que vous en pensez ?

– Plus tard, peut-être.

De toute façon, songea le vacher, si elle lui avait dit : « Eh bien soit, Hermie, voyons voir un peu tout ça, par quoi commençons-nous ? », il n'aurait pas osé. C'était une chose de lire un journal, c'en était une autre de mettre en pratique ce qu'on y avait lu, là comme ça, en plein jour sur la lande de Petite-Blaye. Il ferma les yeux pour rêver. Les fumées du goémon qu'on brûlait un peu partout, en profitant du beau temps, s'élevaient dans le ciel limpide. L'air qu'on respirait avait un goût de poussière et de sel.

– Hermie, chuchota soudain Sarah, tu ne le sais peut-être pas, mais j'ai retenu une table sur la route de Blaye.

– Chez les scaphandriers ?

– Non, chez les ingénieurs. Il y a longtemps que je l'ai réservée, ça date de l'année dernière. Et j'ai payé d'avance, le repas et tout. Mais la personne que j'attendais ne viendra pas – la personne pour qui j'avais fait garder la table, je veux dire.

– Je sais qui c'est, devina le vacher en hochant la tête, vous voulez parler de cet homme qui m'appelait le Grêle.

– Il ne pensait pas à mal, murmura Sarah. De certaines fleurs aussi, tu sais, on dit quelquefois qu'elles sont grêles.

– Ne vous fatiguez pas, mademoiselle. Quand il me regardait, ce n'était pas aux fleurs qu'il pensait. Mais ça ne fait rien. Ce qui est bien, c'est qu'à présent vous êtes dans le vrai : non, il ne reviendra pas. Est-ce que ça vous désole tellement ?

– Je n'ai pas dit que j'étais désolée. Sauf qu'à la taverne ils ne me rendront pas mon argent. Alors toi, Hermie, est-ce que tu viendrais ?

– Manger avec vous ?

– Il y aura du sherry pour commencer, et un grog après le dessert.

– Un *dog-nose*, rien que ça ! s'exclama Hermie en se renversant en arrière et en se mettant à gigoter furieusement, comme un enfant. Quelle journée ! D'abord, vous venez vous asseoir près de moi, et, à présent, voilà que vous m'invitez chez les ingénieurs. Par Dieu, mademoiselle, c'est une idée qui ne me serait jamais venue ! Et comment serons-nous placés ? L'un en face de l'autre, ou bien côte à côte ?

– Ce sera comme tu voudras.

– L'un en face de l'autre, décida-t-il sans hésiter. Que je puisse bien vous regarder.

Elle acquiesça. Il craignit d'en avoir trop dit, trop montré, il modéra son enthousiasme, rabattit son chapeau sur ses yeux pour cacher la petite flamme qui s'y était allumée :

– Eh ! mademoiselle, si je fais ça, c'est pour vous rendre service, juste pour vous éviter de perdre votre argent.

– C'est aussi comme ça que je l'entendais, Hermie.

– Maintenant, ajouta-t-il après avoir réfléchi un instant, on peut se demander ce que vont penser les gens en nous voyant tous les deux ensemble ?

– Nous dirons qu'une de nos vaches a eu trois veaux, trois à la fois, et que c'est toi qui les lui as sortis du cul, vivants tous les trois, et sans esquinter la vache. C'est quelque chose qui mériterait bien une récompense, non ?

Elle se leva. Hermie avança le bras pour brosser le bas de la robe où s'étaient accrochées des brindilles de bruyère ; mais il n'osa pas aller jusqu'au bout de son geste, il recroquevilla ses doigts et les cacha dans ses paumes calleuses et ridées comme celles d'un singe. Sarah s'éloigna sans se retourner. Au passage, l'ourlet de sa robe balaya le visage du vacher. Hermie respira très fort, mais la robe de Sarah ne sentait que l'herbe et la fumée.

– A ce soir, donc, dit la jeune fille.

Les coudes sur la table, le menton dans les mains, elle le dévisageait. Il mangeait salement, il engloutissait. Quand son assiette fut vide, il piocha dans celle de Sarah. Elle le laissa faire, elle n'avait pas faim. Elle avait juste trempé ses lèvres dans le sherry, puis discrètement poussé son verre devant Hermie, qui s'était empressé de le vider d'un trait.

Il faisait encore jour quand ils s'étaient retrouvés à la taverne. Arrivée la première, Sarah s'était assise face à la porte. Elle avait senti son cœur battre plus fort en apercevant, sur la route, la silhouette du vacher. Car, à cause de la qualité détestable des vitres (on n'y voyait guère mieux qu'à travers une bouteille ambrée, ventrue), cette silhouette pouvait passer pour celle de n'importe qui. Un instant, Sarah s'était imaginée que c'était Gaudion qui, après avoir levé le visage vers l'enseigne pour vérifier qu'il ne s'était pas trompé d'adresse, s'apprêtait à entrer. Elle avait bousculé dans sa tête les premiers mots qu'elle allait lui dire, les premiers gestes qu'elle allait faire pour lui plaire – et, pour commencer, renvoyer en arrière cette mèche blonde qui pendait stupidement le long de son oreille : les maraîchers aiment l'ordre, les choses disciplinées, dociles et alignées, qu'il s'agisse d'oignons ou de mèches de cheveux.

En entendant le bruit de la porte, elle avait fermé les yeux pour faire durer plus longtemps l'illusion de Gaudion. Malheureusement, le vacher avait parlé presque tout de suite, et sa voix grinçante avait brisé le rêve de Sarah :

– Déjà là, mademoiselle McNeill ? Vous êtes rudement en avance, est-ce qu'on n'avait pas dit six heures et demie ?

En venant, elle avait emprunté Victoria Street et descendu la route de Braye, paisiblement, sans se demander une seule fois quelle heure il pouvait bien être. Elle aurait pu le savoir en jetant un coup d'œil aux pendules exposées dans la vitrine de Casby Weybridge, l'horloger. Mais quelqu'un comme

Hermie ne valait pas qu'on se fasse du souci à propos de l'heure, il vous prenait quand vous étiez là, voilà tout.

Tandis que Sarah faisait signe à la servante d'apporter le sherry, Hermie s'était assis sans ôter son chapeau :

– C'est toujours mieux de dîner tôt. Comme ça, après, il nous restera du temps pour nous promener un peu tous les deux. Plutôt que de couper par Sainte-Anne, on pourrait rentrer à la ferme en passant par le sentier au-dessus de Crabby Bay et de Platte Saline.

– Oui, pourquoi pas ? Nous verrons.

Peu à peu, la taverne s'était remplie. A une table avaient pris place des gens du chemin de fer de Mannez Quarry. Sarah avait cru comprendre qu'ils célébraient ce soir l'arrivée prochaine de deux nouvelles petites locomotives, 0-6-0T *Bee* et 0-6-0T *Spider*, destinées à remplacer les désuètes *Veteran* et *Fairfield* qui s'époumonaient depuis 1847. A une autre table, près de la cheminée éteinte, était venu s'asseoir un homme solitaire, rondelet, aux longues oreilles d'un rose translucide, cartilagineuses comme celles des porcs. Il portait une moustache de fumeur de pipe, d'un blanc terni, tavelée de taches brunâtres. Il était vêtu d'un costume plus quetsche que vraiment noir, mais dont l'économie d'étoffe et la coupe austère faisaient songer à celui d'un clergyman. Mais il n'était pas clergyman car la servante ne l'appelait ni révérend ni monsieur le pasteur, mais simplement monsieur Pook. D'ailleurs, détail suffisant pour comprendre qu'il n'était pas un ecclésiastique, M. Pook transportait avec lui un grand carton à dessins.

M. Pook ouvrit ce carton, l'étala sur sa table. Il prit un crayon, une gomme, et, tout en mangeant d'une main, il se mit de l'autre à corriger ses croquis. D'où elle se trouvait,

Sarah ne pouvait voir ce qu'ils représentaient. Mais quand elle déposait devant M. Pook une assiette, de la bière ou du pain, la servante se penchait sur les dessins, et elle avait l'air de trouver ça joli. L'instant d'avant, elle avait élevé ses mains devant la lumière d'une lampe, et, en les maintenant paume contre paume et en faisant frissonner ses doigts, elle avait projeté sur le mur l'ombre chinoise d'un oiseau qui volait.

– Ce Pook doit être un pensionnaire, dit Sarah, on l'a servi sans lui présenter le menu.

– Je l'ai déjà aperçu sur la lande, dit Hermie. Il travaille sur les falaises de l'ouest, du côté des Etacs.

– Il travaille ? Quelle espèce de travail ? Est-ce que c'est un ingénieur ?

– Il emporte avec lui un matériel qui m'a tout l'air d'un attirail de peintre. Ça a des tiges de bois, avec des bouts ferrés. Comme un chevalet, quoi. Je ne sais pas trop ce qu'il en fait. De toute façon, votre père ne veut pas que je mène les bêtes du côté des Etacs, à cause des falaises trop hautes et trop dangereuses. Et puis, l'herbe des Etacs ne vaut rien – il y a trop d'oiseaux qui lui chient dessus, à force ça la brûle pire que le vent.

Sarah regarda M. Pook. Il avait une soixantaine d'années. Ses yeux étaient d'un bleu étonnamment pâle. Il les essuyait souvent du coin de sa serviette, comme s'ils larmoyaient. Sa bouche était petite, cornue, acérée comme un bec – sa façon de picorer dans son assiette le faisait d'ailleurs ressembler à un gros oiseau.

Sarah se détourna. En même temps qu'il continuait de s'empiffrer, Hermie ne cessait de jeter des regards inquiets vers les fenêtres, comme s'il craignait que le jour ne tombe trop vite et ne le prive de sa promenade avec la jeune fille.

– Hermie, lui dit soudain celle-ci, c'est toi qui préviendras Toby et Wilma.

– Les prévenir de quoi, mademoiselle ?

– Avant la fin de l'été, je partirai. Gaudion ne reviendra pas tout seul, alors c'est moi qui irai le retrouver. Lady Jane était bien obligée d'attendre le retour de Franklin, il était perdu si loin d'elle, elle ne pouvait pas espérer remonter toute seule jusqu'à lui. Moi, je le ferai. Gaudion n'est pas au diable. Il est juste en Angleterre, c'est tout près. Je filerai en douce. Je sais bien que les marins du *Courier* ne sont pas assez discrets, toujours à bavarder sur le quai avec les gens d'ici. Alors j'ai retenu mon passage sur un schooner de Southampton qui doit nous amener des génisses et repartir en emportant des cailloux. Toi, tu laisseras passer deux ou trois jours pendant lesquels, comme tout le monde, tu feras semblant de me chercher partout dans l'île en te demandant où j'ai bien pu passer. Tu prendras un air lamentable.

– C'est l'air que j'ai toujours, dit Hermie, la bouche pleine.

Il avait espéré qu'elle le contredirait, mais elle se contenta de sourire.

– J'irai avec les cailloux. Et après, tu pourras dire la vérité à tout le monde.

– Mais d'abord à M. et Mme McNeill ? Pauvre Hermie ! conclut-il avec une grimace navrée.

– Ce sera comme si tu semais des orties dans leur maison. Tu auras sûrement tout un tas d'ennuis pour avoir connu mon secret et l'avoir gardé. Imagine que c'est un gage que je te donne, ça te paraîtra moins dur.

– N'empêche que je n'aime pas ça – je ne parle pas de ce

que me feront vos parents, c'est votre idée de partir que je n'aime pas.

Il reposa la bouchée qu'il s'apprêtait à engloutir, la tritura dans son assiette du bout de sa fourchette. Il dit que l'Angleterre, quand même, c'était autre chose qu'Alderney. On ne s'y cognait pas forcément sur celui qu'on cherchait. Tout géant qu'il soit, Gaudion ne serait là-bas qu'une aiguille dans une meule de foin. Hermie s'était renseigné sur les *Johnnies*. Quittant les petites plages de la côte où ils avaient débarqué, ils s'enfonçaient dans l'intérieur des terres. Portant leurs bottes d'oignons pendues à de longs bâtons, ils allaient de bourg en bourg, sans itinéraire précis. Encore que, depuis toutes ces années, on puisse supposer que chaque *Johnny* avait ses adresses secrètes, qu'il savait dans quelle maison il serait accueilli, et dans laquelle il ferait mieux de ne pas se risquer à cause du maître, des chiens, et même des oies qui étaient capables de mordre aussi cruellement que les chiens. Comme les Juifs en Égypte, la nuit du passage de l'Ange tueur d'enfants, ils avaient pris la précaution de graver des signes de reconnaissance dans le tronc des chênes, la pierre des fontaines, les vantaux des portails. Quelques jours après leur arrivée, ils s'étaient déjà tous éparpillés, indécelables dans la campagne anglaise à perte de vue. Mais, pareil à l'hirondelle, chacun d'eux avait retrouvé son nid de l'année précédente, le nid et aussi la femme anglaise qui l'y attendait, qui lui avait chauffé la place tout l'hiver. Ils ne se rassemblaient même pas entre eux quand le soir tombait : étroitement solidaires tant qu'ils avaient leurs bateaux à charger et la mer à traverser, ils devenaient des concurrents furieux, des loups entre eux, sitôt mis pied à terre.

– N'importe quoi ! gronda Sarah. Et puis, qu'est-ce que

ça peut me faire, qu'ils s'éparpillent comme des hirondelles ? Gaudion, c'est Londres. C'est là que je lui ai dit d'aller.

– Tout le monde ne vous obéit pas comme moi, répondit humblement Hermie.

– Qu'est-ce que tu sais de Gaudion ? Mon pauvre garçon, tu l'as à peine vu, juste le temps qu'il te flanque une raclée et te fiche par terre !

A vouloir forcer ce qui lui restait de voix, Sarah devenait inaudible. Son souffle, sur lequel elle avait à peu près réussi jusqu'alors à poser des sons articulés, la trahit brusquement. Il n'était plus qu'un soupir rauque, saccadé, qui lui enflammait la gorge. Un peu de salive moussa au coin de ses lèvres. Hermie avança une serviette tremblante vers la bouche de Sarah, mais déjà la jeune fille s'était essuyée elle-même d'un revers de la main. Elle plongea cette main dans une poche de sa robe, en ressortit des billets froissés, des pièces ternies, qu'elle étala sur la table. Hermie écarquilla les yeux :

– Où est-ce que vous avez eu tout ça, mademoiselle McNeill ?

– Tu vois, chuchota-t-elle, j'ai de quoi tenir quelques mois. Lady Jane était beaucoup plus riche, mais elle...

Sarah s'interrompit. Elle toussa, s'étouffa. La servante accourut, lui tendit un verre d'eau, Sarah voulut boire, elle s'étrangla.

– Partons, dit Hermie. Sortons d'ici, tout le monde vous regarde, on sera mieux en train de marcher et de respirer un bon coup d'air frais sur le sentier de Crabby Bay.

– Attends, articula péniblement Sarah, tu dois encore boire ton *dog-nose*, je te l'avais promis.

– Je ne suis pas à vendre pour un foutu grog, dit le vacher. Décidément non, je ne crois pas que je vais vous laisser partir comme ça sur ce schooner – un bateau plein de cailloux, pour aller plus vite au fond.

Derrière le comptoir, la servante dosait le gin, le sucre roux et l'eau chaude. Sarah lui fit signe de rajouter du gin, encore et encore. Elle pencha son visage vers celui d'Hermie – elle avait souvent remarqué que la soumission du vacher croissait à l'inverse de la distance qui le séparait d'elle ; quand il lui arrivait de l'effleurer, il devenait comme un enfant sage.

– D'accord, dit-il. Je ferai ce que vous voulez, mademoiselle.

Il avala son grog, et but aussi celui de Sarah qui avait la gorge trop douloureuse pour y laisser couler de l'alcool brûlant. Ils se levèrent tous les deux. Hermie chancelait un peu.

M. Pook les suivit des yeux. Depuis un moment, il ne cessait d'observer Sarah. Quand elle eut quitté la taverne en compagnie d'Hermie, M. Pook demanda à la servante si c'était par discrétion que cette jeune fille était tellement silencieuse.

– Non, dit la servante en regardant vers la porte restée ouverte sur la nuit qui était maintenant tombée, elle est toujours comme ça. C'est dommage, parce qu'elle est bien jolie – vous ne trouvez pas qu'elle est bien jolie, monsieur Pook ?

M. Pook finit sa bière. Au cours de ses déplacements, il avait rencontré à peu près tous les échantillons de servantes d'auberge que peut proposer le genre humain. Il s'était même diverti à les classifier en ordres et en familles, à les répertorier dans son carnet de voyage en embranchements et sous-embranchements, comme il le faisait avec les oiseaux. D'habitude, ces filles admettaient rarement qu'une autre créature du même sexe puisse être simplement agréable à regarder. M. Pook en conclut qu'il avait bien fait de venir dans cette petite île qui n'était décidément pas un endroit comme les autres.

– Eh bien, dit-il en rangeant soigneusement ses croquis, je ferais aussi bien de monter me coucher. Je voudrais être sur les falaises avant l'aube. Je crois avoir repéré un phalarope à bec large. Vous me direz que cet oiseau ne devrait pas se trouver là avant l'automne, et vous aurez raison. Mais j'ai reconnu son cri : *kit* et *driit*, il n'y a pas à s'y tromper.

Tout en précédant Sarah sur le sentier de Crabby Bay qui longeait le littoral en direction de Platte Saline, Hermie attendait le moment favorable. Les *dog-noses* contribuaient pour beaucoup à la décision qu'il avait prise. Mais, pour ce qu'il voulait faire, Sarah et lui étaient encore trop proches du port de Braye et de l'épi du brise-lames. Ne disait-on pas que certains ingénieurs, pris de scrupules, se relevaient la nuit pour venir sur le terrain corriger leurs épures à la lueur d'une lampe tempête ? Malgré les nuages qui couraient devant la lune, l'un d'eux pourrait les apercevoir.

Parvenu à l'aplomb de Platte Saline, Hermie se retourna enfin sur la jeune fille et lui barra le chemin. En dessous d'eux, la mer rugissait, sautait, puis s'aplatissait en miroir sous l'effet d'une brusque rafale qui la couchait ; les rares lumières de l'île ondulaient alors sur l'eau comme des serpents.

– Quelque chose qui ne va pas, Hermie ?

– Vous m'avez offert un fameux dîner, mademoiselle McNeill. C'était la première fois de ma vie que je buvais du sherry. Ça a un goût de tonneau, mais ça n'est pas désagréable. Le *dog-nose*, je connaissais. Mais les *dog-noses* de ce soir étaient supérieurs à tous ceux que j'ai pu boire, oui, largement supérieurs.

– J'ai fait tripler la dose de gin, avoua Sarah en souriant.

– Probable que c'est pour ça que je me sens si bien, dit Hermie en lui rendant son sourire. Tellement bien qu'on devrait s'asseoir là un moment tous les deux.

– Mais nous aurons froid si nous nous arrêtons de marcher. Et puis, murmura-t-elle, s'asseoir là ? Mais où ça, s'asseoir ?

Elle regarda autour d'elle, étonnée. La mer était d'un côté, la broussaille des ajoncs de l'autre, il n'y avait rien ici de prévu pour s'asseoir. C'était un endroit obscur, assourdissant et périlleux.

– Là, suggéra Hermie, on peut poser son cul sur le talus.

Il donna l'exemple et, d'un ton tranquille, il poursuivit :

– J'ai tellement envie de vous prendre dans mes bras, mademoiselle. Oh, je me doute bien que ça ne vous plaît guère, à vous. Mais ça ne sera pas long, bientôt vous serez dans votre chambre, vous dormirez et vous n'y penserez plus. Moi, je m'en souviendrai toujours.

Sarah s'était aussitôt reculée de quelques pas :

– Qu'est-ce que tu veux me faire, Hermie ?

– Rien, juste vous prendre dans mes bras – c'est ce que je viens de dire, mais vous n'écoutez pas.

Elle fit non de la tête :

– C'est impossible, ce que tu demandes.

– Qu'est-ce qui est impossible, mademoiselle ? Vous dans mes bras, juste une seconde ou deux, qu'est-ce qu'il y a d'impossible là-dedans ? Je voulais déjà faire quelque chose comme ça, pendant que vous cousiez votre robe rouge, mais je n'ai pas osé. De quoi vous avez peur ? Est-ce que j'ai dit que j'allais en profiter pour vous tripoter ou pour vous embrasser ? Non, je n'ai jamais dit une chose pareille.

Sarah vit le trouble noyer les yeux d'Hermie. Elle se reprocha le sherry, les *dog-noses*. Il est vrai qu'elle ne les avait pas prévus pour le vacher, mais pour un homme dont, justement, elle cherchait le trouble.

– Tu ne l'as pas dit, mais tu y penses. Tu ne penses qu'à ça, depuis toujours. Essaye seulement de me toucher, et je raconte à Toby ce que tu m'as fait. S'il ne te bat pas à mort, il t'enverra devant les magistrats. On t'attachera serré comme un goret, on t'embarquera sur le *Courier*, dans les fonds, là où la mer cogne contre les tôles, il paraît que c'est effrayant, surtout pour quelqu'un qui est ligoté et qui n'a aucune chance de s'en tirer en cas de naufrage. Tu seras emmené à Guernesey, et peut-être bien jusqu'à Londres. Et si tu étais pendu pour ça, Hermie ?

Il parut stupéfait :

– Pendu, moi, rien que pour vous avoir prise dans mes bras ? Mais je veux seulement votre tête sur mon épaule, ce n'est presque rien, je n'en demande pas plus. Et je me dis aussi que si personne ne veut de vous…

– Il y a Gaudion qui voudra de moi ! dit-elle en frappant du pied.

Si rageusement que des cailloux se détachèrent du sentier et dévalèrent la falaise ; on les entendit rebondir sur les rochers et crépiter à la surface de la mer.

– Je ne sais pas comment vous dire que je vous aime, mademoiselle McNeill, c'est sûr que je n'oserai jamais vous le dire.

– Quoi ? Mais tu viens de le dire, oh ! tais-toi, tu viens de le dire, Hermie !

Elle le dévisageait avec répulsion, essayant de se rappeler quelles imprudences elle avait bien pu commettre pour l'encourager à développer quelque chose d'aussi hideux que cet amour-là. Elle n'avait jamais été impudique, elle avait toujours pris soin de tendre un linge devant le tub quand elle prenait son bain dans la fumée de l'âtre, elle n'avait jamais dansé avec lui que ces sarabandes endiablées où le partenaire n'avait aucune importance, où l'on était des dizaines à gambader autour des feux de joie en se tenant par le bout des doigts, elle ne lui avait jamais fait goûter un fruit dans lequel elle avait mordu la première. Il la devina :

– Ce n'est pas votre faute, mademoiselle. C'est vrai que vous me parlez à peine, que vous ne me regardez pas. Même quand on joue aux dames, on dirait que vous jouez toute seule. Mais moi, je ne dors pas bien. Même complètement crevé, je commence toujours par voir et par dire des choses dans ma tête. Je vous ai toujours vue de cette façon-là.

– Tu voyais des choses qui n'existent pas, tais-toi !

– Des choses qui font des rêves. Qu'est-ce qu'on peut contre ça ? Vous avez été un bébé blessé, et il y a des gens pour dire que sans moi, cette nuit-là, vous y seriez restée.

– Mon père m'a sauvée. Et peut-être que le docteur Wikes, maudit soit son nom, m'a un peu sauvée lui aussi. Mais toi, tu n'as rien à voir dans tout ça.

– Je conduisais la carriole.

– N'importe qui aurait pu la conduire.

– Pas comme moi, dit le vacher. Jamais fichue carriole n'a couru aussi vite. A l'arrivée, on aurait cru qu'on l'avait passée à la râpe tellement j'avais raclé les murs. C'est qu'un petit corps comme était le vôtre, ça ne contient pas beaucoup de sang. Et vous en perdiez tellement, à chaque tour de roue vous en perdiez un peu plus.

Depuis que Sarah avait parlé du schooner où elle avait réservé son passage pour Southampton, un tocsin sonnait follement dans le crâne d'Hermie, sous son chapeau noir. Le vacher se dressait maintenant en travers du sentier de Platte Saline avec la même révolte, la même détermination que lorsqu'il s'était arc-bouté sur les brancards de la carriole ; et rien ni personne n'arrêterait quelqu'un d'aussi simple, d'à la fois un peu ivre et un peu animal, tendu vers un seul but qui n'était pas loin d'être celui de toute sa vie : tenir enfin – et avec son accord – la jeune fille dans ses bras.

Sarah comprit cela et, en le comprenant, elle se soumit. Elle s'approcha de lui. Elle s'assit sur un étroit replat, se plaignit que c'était pointu et froid là où elle était assise. Hermie sut qu'il avait gagné, il ôta son chapeau, l'agita comme pour saluer :

– Relevez-vous juste une seconde, mademoiselle, je vais vous arranger ça.

Hermie se servit de son chapeau pour balayer le remblai. Sarah se rassit, disant que c'était beaucoup moins inconfortable ainsi, merci Hermie, elle se pencha en avant, tira sa robe sur ses chevilles ; puis elle resta comme ça, les bras autour des genoux, se balançant sur elle-même et geignant doucement comme quelqu'un qui a mal.

– Est-ce que vous voilà prête ? interrogea Hermie. A présent, est-ce que ça y est, est-ce que je peux vous prendre dans mes bras ?

Elle fit oui de la tête. Il étendit son bras droit, le posa sur les épaules de Sarah. Mais il ne l'enlaça pas. Il retira son bras, retroussa sa manche :

– Excusez-moi, mademoiselle McNeill, mais c'est que je veux sentir vos petits cheveux sur la peau.

– Quels petits cheveux ?

– Les petits cheveux dans votre nuque. Vous ne le croirez peut-être pas, mais ça fait des années et des années que je regarde votre nuque. A mon avis, votre nuque et votre bouche sont les deux choses les plus magnifiques du monde.

– Ma bouche aussi ? murmura-t-elle. Elle est abîmée, Hermie.

– Des gens peuvent penser qu'elle l'est. Mais d'autres gens peuvent penser qu'elle ne l'est pas. C'est comme la tempête, on peut aimer ou détester la tempête.

Il allongea à nouveau son bras. Et cette fois, en effet, il sentit les boucles de Sarah chatouiller sa peau nue. Mais maintenant que son bras droit était en place, il se demanda ce qu'il allait bien pouvoir faire du gauche. Logiquement, il devrait l'avancer lui aussi, mais alors il risquait d'effleurer les seins de Sarah, et ça ne faisait pas partie de l'accord qu'ils avaient passé. Il réfléchit. De toute façon, il n'était pas pressé. Il avait exigé si peu qu'il avait intérêt à savourer chaque instant qui s'écoulait – cet instant qui était comme le beau temps, une anomalie entre deux tourmentes ; il n'était pas dans la nature de pareils instants de durer, mais il était dans la nature des hommes d'en profiter. Hermie décida d'oublier son bras gauche. Se servant seulement du droit, il inclina donc la tête de Sarah vers sa poitrine. Les joues de la jeune fille basculèrent, passant à portée de la bouche d'Hermie. Il aurait pu les embrasser, mais cela non plus n'était pas compris dans leur entente. Il laissa passer les joues. Ce fut alors au tour des tempes, du renflement des sourcils, de frôler sa bouche. Il continua de ne rien faire. Comme elle était lente à ployer, cette jeune fille, à s'abandonner contre lui ! Il remarqua qu'elle avait fermé les yeux. Il ne se fit pas d'illusion, c'était par répugnance qu'elle avait baissé les paupières. Eh bien, pensa-t-il, s'il fallait me pendre pour si peu !

Et voilà, la tête de Sarah était maintenant arrivée au bout de sa course, elle reposait contre la maigre poitrine du vacher. Sur son bras nu, Hermie perçut la chaleur de sa chair, la palpitation affolée d'une artère. Il pleura. Ses larmes tombèrent sur le front de Sarah, qui se méprit :

– Est-ce qu'il pleut, Hermie ? On ne va pas rester trop longtemps là sous la pluie, s'il te plaît.

Il ne voulut pas lui avouer qu'il pleurait. C'était une question de dignité – et déjà qu'il n'en avait pas beaucoup, de dignité...

– Encore un instant, dit-il.

Cet instant passa. Quelle avait été sa durée ? Elle n'était évidemment pas la même pour Sarah que pour Hermie. Seule la mer qui cognait en bas de Platte Saline l'avait mesurée à sa juste valeur : ce fut un instant de quarante-trois vagues.

Le vacher se redressa, dégagea son bras, libéra Sarah. Elle se leva, s'écarta vivement.

– Il ne pleut plus, dit-elle.

– Non, dit Hermie, il ne pleut plus.

Il avait prévu qu'en se relevant elle se détournerait de lui. Il eut tout le temps d'essuyer ses yeux, et Sarah ne sut pas qu'il avait pleuré sur elle.

Était-il plus heureux à présent ? Il n'en savait rien. Ils reprirent en silence la route des Hauts-de-Clonque. A la place où s'était posé le visage de Sarah, la chemise d'Hermie resta tiède encore un moment. Puis tout s'effaça.

– 10 –

Un phalarope à bec large se comporte exactement comme un phalarope à bec étroit : bien que nageant l'un et l'autre de façon nerveuse (le cou tendu, ils dodelinent de la tête et s'agitent furieusement sur l'eau pour faire remonter en surface les animalcules dont ils se nourrissent), ils sont de nature confiante et n'ont pas peur des hommes.

Depuis la falaise dominant Trois Vaux Bay, à l'ouest de l'île, M. Pook pouvait donc observer, sans avoir à se dissimuler, l'oiseau qu'il avait repéré. De toute façon, la hauteur des falaises, le fracas des vagues éclatant en gerbes d'écume sur les rochers et le criaillement forcené des colonies de goélands suffisaient à empêcher ce phalarope de déceler l'anomalie d'une présence humaine. L'œil rivé à une longue lunette de cuivre montée sur trépied (cet appareil qu'Hermie croyait être un attirail de peintre), M. Pook n'en revenait pas de ce qu'il voyait : les phalaropes affectionnent ordinairement les tourbières, les étangs, les vasières maritimes, les marais tourbeux, les prairies inondées – mais jamais rien qui ressemble au lourd balancement de la mer à l'aplomb des Etacs. Il en conclut que ce phalarope à bec large, qu'il venait d'identifier avec certitude dans un habitat où il n'aurait pourtant pas dû se trouver, était un oiseau malade. Après avoir précocement quitté les régions circumpolaires où il avait niché pour descendre vers l'Atlantique sud où il avait ses habitudes d'hivernage, le phalarope, pris de faiblesse, s'était arrêté ici. Il s'était posé sur les vagues pour attendre la mort. S'il continuait de nager en pivotant sur lui-même pour brouiller l'eau, c'était parce qu'il en avait toujours fait ainsi. En réalité, la quête de nourriture ne l'intéressait plus ; son bec fouaillait la mer par réflexe, mais il ne s'entrouvrait même pas.

Délaissant sa lunette, M. Pook ôta sa redingote qu'il enfila à l'envers, la doublure à l'extérieur, pour s'allonger plus commodément sur le bord de falaise. Les ongles enfoncés dans la bruyère humide, il laissa sa tête ronde pendre au-dessus du vide comme un gros fruit prêt à tomber. Les yeux brûlés par les embruns, il cherchait du regard un semblant de sentier qui pourrait lui permettre d'atteindre le bas de Trois Vaux, de se plaquer contre la roche pour guetter la mort du phalarope et, en profitant d'une vague favorable, recueillir son cadavre.

A la connaissance de M. Pook, aucun taxidermiste digne de ce nom n'avait encore mis un tel oiseau sur le marché de Londres – du moins en plumage d'été. Seuls quelques chasseurs islandais avaient réussi à naturaliser des phalaropes à bec large et à les vendre à des capitaines de goélettes morutières faisant route sur l'Angleterre ; mais il s'agissait de bricolages d'amateurs, les oiseaux étaient trop mal apprêtés pour espérer résister au temps : en quelques mois, la luisance des plumes s'éteignait, celles-ci se racornissaient et tombaient comme les aiguilles d'un sapin de Noël après la fête, la peau se boursouflait et se fendillait en exhalant une odeur de graisse rance.

Ce n'était pas que M. Pook espérait négocier sa capture beaucoup plus cher qu'un héron, qu'une barge à queue noire ou un courlis cendré – ce serait même tout le contraire, car ses clients lui achetaient rarement de petits oiseaux, leur préférant les grands échassiers aux longs becs graciles qui convenaient tellement mieux aux vastes salons des hôtels particuliers de Kensington. Mais, comme tous les artistes, il arrivait à M. Pook de travailler sans arrière-pensée mercantile, pour satisfaire son seul plaisir d'un ouvrage bien fait, et de naturaliser certains oiseaux pour l'effet attractif qu'ils ne manquaient pas de produire dans sa vitrine, laquelle, à l'inverse des riches demeures de Kensington, était étroite, basse et obscure.

Il lui sembla, en se penchant davantage, reconnaître une sorte de sinuosité au flanc de la falaise ; mais ce passage, si c'en était un, était trop périlleux pour une personne de son embonpoint : M. Pook avait besoin d'espace de part et d'autre de sa panse qui, tel un lest mal arrimé, avait une fâcheuse tendance à le faire pencher du côté du vide. Sans compter que les milliers d'oiseaux qui nichaient à Trois Vaux Bay et sur les îlots des Etacs ne laisseraient pas le taxidermiste s'aventurer impunément dans leur domaine.

Il était déjà arrivé à M. Pook d'être attaqué. C'était un jour de mai sur l'île de Man, et il en gardait un souvenir affreux – il en rêvait encore la nuit, quand le vent s'engouffrait par la fenêtre ouverte et faisait palpiter le drap de lit sur sa figure comme une aile. Des labbes s'étaient jetés sur lui de face, en vol rasant, attendant l'ultime seconde pour modifier leur trajectoire. Les grands oiseaux sombres l'avaient frôlé à hauteur du visage, l'assourdissant de leurs cris d'alarme qui rappelaient les miaulements des chats furibonds. Il avait fallu un certain temps à M. Pook pour comprendre que les labbes cherchaient moins à lui crever les yeux qu'à introduire leurs becs crochus dans ses oreilles, comme pour lui aspirer la cervelle.

Le mieux, songea alors M. Pook, serait peut-être de louer les services d'un pêcheur qui, avec sa barque, pourrait le conduire à proximité du phalarope malade ; mais cela demanderait du temps et, lorsqu'on arriverait enfin sur les lieux, le cadavre de l'oiseau aurait disparu, englouti par la mer ou déjà dépecé par les goélands.

En se redressant, M. Pook découvrit la présence de Sarah McNeill, qui examinait la lunette avec curiosité. M. Pook ne l'avait pas entendue s'approcher. Les jeunes filles sont pourtant généralement de petits personnages bruyants et agités, qui passent le plus clair de leur temps à glousser et à gesticuler pour mettre en valeur les étoffes dont elles se parent – elles sont ce qu'il y a de plus comparable aux oiseaux, sauf que leur babil et leurs robes voyantes sont aussi ce qu'il y a de plus sûr pour effaroucher ces derniers.

Or Sarah pataugeait littéralement au milieu d'une foule de jeunes guillemots blanc et noir, encore incapables de voler. Ils jacassaient à ses pieds en déambulant maladroitement et en agitant leurs ailes courtes d'une manière comique. Ils étaient si nombreux à se presser autour d'elle qu'il semblait impossible qu'elle puisse s'en dégager sans en écraser quelques-uns. Pourtant, les petits guillemots ne paraissaient nullement effrayés.

– Je me doutais bien qu'ils nichaient par ici, constata avec surprise M. Pook, mais du diable si j'en ai vu un seul avant votre arrivée ! Ma foi, on dirait que vous avez passé un pacte avec eux.

Sarah sourit et murmura quelque chose qu'il ne saisit pas,

à cause du vacarme mêlé de la mer et des oiseaux. M. Pook se rappela alors ce que lui avait dit l'autre soir la servante de la taverne à propos des silences de la jeune fille.

– C'est une chance que vous soyez venue, reprit-il. J'ai peut-être une affaire à vous proposer, figurez-vous.

Tout en parlant, il examinait la façon dont Sarah était habillée. Il estima rapidement le prix de la robe noire, du fichu noué en pointe et des sabots. Malgré un peu de dentelle qui courait ici ou là, cela valait moins que rien, la fille était pauvre et se montrerait enchantée du peu qu'on lui offrirait – j'ai sans doute au fond de mes poches assez de menue monnaie pour lui régler son travail, songea M. Pook, qui avait d'autant moins envie de retourner chercher de l'argent dans sa chambre à la taverne que le phalarope accusait des signes d'agonie de plus en plus marqués ; les autres oiseaux commençaient à tourner au-dessus de lui, essayant de précipiter sa mort en l'étourdissant de leurs cris et de leurs battements d'ailes.

– Cette pelade le long de la falaise, demanda M. Pook, est-ce que c'est un sentier pour descendre ?

Sarah fit oui de la tête.

– Eh bien, dit M. Pook, il y a un bel oiseau posé sur la mer, là en bas.

– Je le vois. Il ne va pas bien.

– C'est une femelle. Elle va mourir. Et, sitôt morte, la mer va l'emporter. Pensez-vous pouvoir l'attraper et me la rapporter ? Elle ne comprend pas ce qui est en train de lui arriver, elle est angoissée. Mais vous êtes si calme, tellement silencieuse, qu'elle n'aura pas peur de vous. Il vous suffira de tendre le bras, et l'oiseau se laissera prendre. Ne craignez pas qu'il se débatte : il mourra probablement à l'instant même où vous l'arracherez de l'eau, et vous n'aurez plus affaire qu'à une espèce de paquet mouillé. L'important est de ne pas l'abîmer pendant la remontée. Voyons, que diriez-vous de trois pence pour votre peine ?

Un penny pour descendre, un pour capturer l'oiseau, un autre pour le rapporter au sommet de la falaise, voilà le calcul qu'avait fait M. Pook, et il lui paraissait assez juste. Mais Sarah dit :

– Non. Cinq pence, s'il vous plaît.

Dans la recherche de Gaudion que Sarah s'apprêtait à entreprendre, chaque penny allait compter. D'après l'*Illustrated London News*, lady Jane ne s'y était pas prise autrement pour mener ses affaires, sauf qu'elle calculait en milliers de livres sterling.

– D'accord pour cinq pence, consentit M. Pook, plus impatient qu'agacé. Mais je vous en prie, allez-y tout de suite.

A l'aide d'une des courroies de cuir dont se servait M. Pook pour transporter le trépied de sa lorgnette, Sarah sangla le bas de sa robe autour de ses jambes pour l'empêcher de se gonfler de vent, de s'accrocher et de se déchirer aux aspérités des rochers. Cette entrave limitait sensiblement sa mobilité, mais elle n'avait aucune raison, sur ce sentier étranglé, de faire de grands pas.

Elle s'engagea dans la sente à reculons, tournant le dos à l'à-pic, de façon que ses mains aient toujours devant elles une prise à saisir. Montant et descendant le long de la paroi dans un grand tourbillon d'ailes, les oiseaux qui revenaient de la pêche cherchaient à se poser, mais la présence de Sarah les effrayait, et ils repartaient en piaillant. Dans leur désarroi, certains engloutissaient le poisson qu'ils destinaient à leurs petits, d'autres le laissaient tomber à la mer.

Le raidillon n'était qu'une piste naturelle, large tout au plus d'une trentaine de centimètres, qui profitait de la moindre excroissance de roche pour en faire tantôt une marche où poser un pied, tantôt une poignée à laquelle s'agripper. Chauffé par le soleil d'été qui avait brillé toute la journée, le rocher dégageait une légère tiédeur résiduelle que Sarah percevait sur ses lèvres quand elle se plaquait un instant contre la paroi, le visage sur le granit, pour reprendre son souffle après un franchissement plus difficile.

Les innombrables échancrures creusées dans le granit contenaient des vestiges de nids faits d'un entassement brouillon de débris d'algues, de substances végétales arrachées à la lande et de couronnes de duvet gris-brun. A cette époque de l'année, presque tous ces nids étaient abandonnés. Ou les oisillons avaient tenté leur premier envol, généralement en se jetant dans le vide, ou ils étaient morts au nid, et leurs minuscules squelettes gisaient alors, renversés sur le flanc, blancs et propres, entrelacés de plumes. A partir de leur décomposition s'était formé une sorte d'humus où le hasard du vent avait jeté des graines qui avaient fini par germer, donnant naissance à de petites fleurs qui ressemblaient à l'armeria des murets de pierres sèches. De cet amalgame d'algues et de restes organiques suintait une odeur fade, entêtante. Un peu écœurée, Sarah avait hâte de retrouver les claires et franches senteurs de la mer qui grondait une centaine de mètres en dessous d'elle, et dont le souffle frais s'insinuait sous sa robe entravée. Elle n'avait pas besoin des encouragements de M. Pook qui, de là-haut, lui criait d'aller plus vite car le phalarope à bec large était à présent presque mort.

Mais plus Sarah descendait vers le bas de la falaise, plus celle-ci était couverte de déjections. La roche devint si gluante que, craignant de déraper, la jeune fille préféra se déchausser. Au moment de coincer ses sabots dans une anfractuosité où elle comptait les retrouver en remontant, l'un d'eux lui échappa. Elle l'entendit rebondir contre la paroi, et éclater.

– Qu'est-ce que vous jetez sur l'oiseau ? hurla M. Pook. Est-elle donc sotte, cette pauvre fille ! Vous allez nous l'affoler, et il va utiliser ses dernières forces pour s'écarter du rivage. Après ça, bien malin qui pourra l'attraper !

Sarah leva son visage vers le sommet de la falaise. Comme tout à l'heure, M. Pook s'était mis à plat ventre pour surveiller sa progression et, en même temps, guetter les derniers frémissements du phalarope mourant. Depuis son perchoir à mi-falaise, Sarah trouva que la figure ronde de M. Pook avait tout à fait l'air d'une de ces lunes ternes qui s'observent en automne, par temps de brume. Si elle avait eu assez de voix pour ça, elle le lui aurait volontiers crié : « Eh ! monsieur Pook, vous avez une face de lune ! » Mais elle avait mieux à faire : d'une main pointée vers l'abîme, elle désigna les rochers où s'était fracassé son sabot, puis, montrant ses cinq doigts largement écartés, elle fit comprendre à M. Pook qu'il allait devoir lui donner cinq pence de plus pour compenser la perte du sabot. Le taxidermiste protesta qu'il n'en ferait rien, et que c'était à Sarah d'apprécier le risque qu'elle prenait en se déchaussant dans une situation d'équilibre aussi précaire. De toute façon, pensait M. Pook, je suis en position de force : j'ai de la voix, elle n'en a pas, impossible pour elle de négocier *hic et nunc* dans ces conditions-là ; elle devra attendre d'être de retour ici en haut, mais j'aurai mon oiseau, et elle pourra toujours aller se faire voir avec ses cinq pence de plus.

Sarah entama alors tranquillement sa remontée.

– Qu'est-ce que vous prétendez faire ? hurla M. Pook. Du chantage, c'est ça ? Faites votre travail d'abord, et je verrai ensuite à vous dédommager pour ce sabot.

Imperturbable, Sarah regagnait mètre après mètre.

– C'est entendu, céda M. Pook. Je consens à vos cinq pence de plus. Mais prenez garde à ne pas perdre l'autre sabot.

A dire vrai, Sarah n'y avait pas songé – mais à présent, la vérité lui apparaissait dans toute son évidence : un sabot solitaire, cela ne valait rien. En reprenant sa descente, elle s'arrangea donc pour déloger le sabot survivant coincé dans son anfractuosité et lui faire suivre, volontairement cette fois, le même chemin que l'autre. Radieuse, elle agita de nouveau sa main aux cinq doigts écartés. M. Pook n'essaya même plus de transiger :

– Quinze pence en tout, c'est ce que vous vouliez depuis le début, pas vrai ? Il fallait le dire tout de suite, au lieu de faire semblant d'accepter ma première offre. Est-ce que j'ai l'air d'un de ces grippe-sous qui en sont à un penny près ? Et tenez, bien que vous n'ayez plus rien à jeter dans le vide, je prends de l'avance : si j'ai l'oiseau, vous aurez vingt pence – oui, j'irai jusqu'à vingt pence, entendez-vous cela, mademoiselle ?

Il se dit que, en plus des concessions financières qu'il venait de lui accorder, cette pauvre fille aux pieds nus serait flattée qu'il l'ait appelée mademoiselle, et il décida, pour se conserver ses bonnes grâces, de continuer à l'appeler ainsi par la suite – même si, avec ses manigances, elle réussissait à le délester encore de quelques pence supplémentaires.

En fait, M. Pook était à présent disposé à investir beaucoup plus d'argent que ces misérables pence. Car une idée lui avait brusquement traversé l'esprit, une idée tellement saisissante qu'elle lui avait fait presque oublier son désir de posséder cette femelle de phalarope à bec large. Dévissant l'écrou papillon qui maintenait la lorgnette fixée sur son trépied, M. Pook s'empara du long tube brillant et l'inclina par-dessus le bord de la falaise, l'orientant entre les herbes qui étaient ici un peu plus hautes, comme des cheveux entourant une tonsure. Il braqua l'instrument sur Sarah, à présent arrivée en bas de la falaise. Elle dévalait de rocher en rocher pour s'approcher de l'échancrure où l'oiseau venait de mourir – une aile étendue dans une ultime crispation, il avait basculé sur le côté ; sa joue ornée d'une sorte de masque blanc comme en ont les gens de carnaval était couchée sur l'eau, et l'écume moussait sur ses plumes dorées ; bientôt, le reflux l'entraînerait et, sauf à se jeter à la mer, Sarah ne pourrait rien pour le rattraper.

Mais M. Pook ne regardait plus le phalarope. Tournant une bague crantée, il fit le point sur Sarah. L'optique précisa les traits de la jeune fille, au point que M. Pook était presque en mesure de compter ses cils. La vision n'était troublée que par les goélands de la falaise, qui avaient cessé de houspiller le phalarope et, décrivant maintenant autour de Sarah des cercles de plus en plus rapprochés, donnaient l'impression que des voiles blancs s'interposaient fugitivement entre son visage et l'œil de M. Pook.

« Votre silence, mademoiselle, marmonna le taxidermiste

en se répétant le discours qu'il tiendrait à Sarah tout à l'heure, votre silence forcé est la vertu la plus précieuse que je puisse attendre d'une collaboratrice. Durant la saison froide, je suis dans mon atelier – ma tanière, direz-vous quand vous connaîtrez mon royaume, car cela ressemble à une grotte d'ours, à un terrier de renard : juste sous la boutique, c'est une espèce de cave obscure et fraîche, toujours encombrée de bêtes écorchées. Mais, du printemps à la fin de l'été, je voyage là où se rassemblent les oiseaux, tantôt sur le littoral, tantôt dans les montagnes ou les forêts, ou bien le long des rivières. Je m'approvisionne en dépouilles, mais surtout j'observe les attitudes des vivants, je fais des croquis de leurs vols, de leurs nages, de leurs parades. C'est indispensable si l'on veut, par la suite, restituer aux oiseaux naturalisés un peu plus qu'un simulacre de vie. Car une naturalisation réussie, mademoiselle, doit retrouver avec une extrême précision le mouvement de l'envol, de la capture d'une proie, de l'amour, et parfois du combat ou de l'agonie. Faute de ces observations scrupuleuses faites sur le terrain, la plupart de mes confrères tentent de remplacer le mimétisme qu'ils sont incapables de rendre en posant leurs empaillés sur des branches tordues qu'ils vernissent comme si la Nature vernissait ses forêts, ou sur des rebords de nids qu'ils vont chercher sur des pommiers – un aigle sur un nid de merle, j'ai vu cette hérésie, et j'ai surtout vu quelqu'un l'acheter et partir avec, enchanté. Moi, mademoiselle, je livre mes oiseaux absolument nus, avec juste un socle de bois brut sous leurs pattes. Non, Mortimer Pook n'est pas du genre à leur glisser des libellules poussiéreuses ou des poissons raides de colle en travers du bec.

« Vous pourriez être celle qui m'accompagne dans mes

campagnes d'observation, celle qui repère les empreintes, les pelotes de réjection, les fientes et les plumes qui nous mèneront ensuite aux sites de nidification. Vous pourriez porter mon carton à dessins, ma boîte à fusains, ma lorgnette – non que ce soit trop lourd pour moi, mais parce que je vous devine capable, grâce à votre mutisme, d'approcher les oiseaux de plus près que n'importe qui d'autre. Et pourquoi, lorsque nous serons deux, ne pas nous mettre à la photographie ? »

Il prévoyait, à cet endroit de son discours, de rire un peu.

« Je nous imagine très bien en train de découper votre robe noire pour en faire un de ces sacs que les photographes se mettent sur la tête. Oh ! mais vous n'y perdrez pas au change, je vous achèterai d'autres vêtements, de ceux qui se fondent parfaitement avec les paysages où nous serons appelés à nous déplacer. Vous aurez une robe rouille et or pour les sous-bois, une crayeuse et grise pour les falaises, une autre, mordorée, pour les étangs, une couleur de sable très pâle pour les estuaires. Il y a, établie dans Soho, une couturière française qui vous équipera parfaitement. Connaissez-vous le tableau de Whistler intitulé *La Fille blanche* ? Il montre une longue jeune femme, un peu chevaline à mon goût, qui tient un lys à la main. Eh bien, d'après certaine rumeur, la robe blanche de cette jument au lys aurait été cousue par cette couturière. Même s'il n'y a rien de vrai dans cette rumeur, c'est pour dire, mademoiselle, que Pook ne se moquera pas de vous.

« Vous aurez, soyez-en sûre, une vie confortable. Vous ne pouvez pas en juger ici – votre petite île n'offre pas beaucoup de commodités en matière d'hôtellerie –, mais j'ai pour habitude de loger dans les établissements les mieux fréquentés.

Mon goût du bien-être y est sans doute pour quelque chose : Mortimer Pook est un épicurien, mademoiselle. Mais il y a surtout que j'y rencontre des gens de qualité dont je peux espérer m'attacher la clientèle. Une fois la conversation bien engagée, je trouve toujours un moyen de parler de mon art et de faire valoir à ces personnes combien deux grands échassiers, un de chaque côté de l'escalier du hall par exemple, remplaceraient avantageusement les stupides plantes vertes qu'on y met par défaut d'imagination. Après quoi, il est bien rare que ces personnes ne disent pas : "Tiens, comme c'est curieux, il se trouve que j'ai moi aussi un escalier avec des plantes vertes de part et d'autre – et donc, monsieur Pook, vous croyez que des oiseaux empaillés... ?" Lorsque nous descendrons dans ces hôtels luxueux, votre chambre ne sera pas à l'étage des domestiques, comme c'est l'usage quand on emmène avec soi une employée. Vous logerez sur le même palier que moi, vous bénéficierez des mêmes services et avantages. Si notre logis a vue sur la mer, vous verrez la mer. S'il possède un ascenseur, vous prendrez cet ascenseur. Comment, vous ne savez pas ce qu'est un ascenseur ? Eh bien, mademoiselle, je gage que cet appareil vous amusera beaucoup. Mais, naturellement, il ne faudra pas y passer tout votre temps, vous n'êtes plus une enfant.

« Voilà pour la belle saison. Et quant au reste de l'année, me direz-vous ? J'y ai pensé. Bien que de petite taille, vous ne manquez pas d'une certaine grâce. Vos sourcils sont sans doute un peu trop fournis, mais ce ne sera rien de les épiler comme il faut. Et vous ne serez pas la seule, tant s'en faut, à montrer un nez retroussé : beaucoup de filles de l'East End ont le même et, pour mon goût, ce n'est pas si vulgaire que le prétendent nos bourgeois. La bizarrerie vient de votre bouche. Quelles drôles de lèvres épanouies et gonflées ! C'est à croire que vous avez gardé la moue de votre petite enfance. Cela doit fameusement gercer en hiver. Bah ! nous y mettrons de l'onguent. En résumé, on peut dire que vous avez une physionomie agréable. J'imagine même que certains vous trouveront assez jolie fille – mais point trop quand même, enfin, pas au point d'exciter la jalousie des autres femmes. C'est important dans mon commerce, car vous aurez le plus souvent affaire à des dames. Ce sont ces messieurs qui décident de faire naturaliser les oiseaux qu'ils ont tués à la chasse, mais ce sont leurs épouses qui nous les remettent, parfois encore tièdes – oh ! vous verrez leurs petites mines dégoûtées quand elles déballent la bête –, et ce sont elles qui vous recevront quand vous irez les livrer. Car je suis disposé à vous engager, l'été pour me suivre et m'assister dans mes expéditions, l'hiver pour livrer mes oiseaux – une charmante jeune muette pour porter à domicile mes beaux oiseaux figés, admirez l'élégance, le raffinement du projet ! Outre votre habillement, dont j'ai déjà parlé, et qui n'est pas rien, vous serez logée, nourrie, chauffée, éclairée, blanchie. Quand vous irez livrer les oiseaux, je payerai vos billets d'omnibus. Une fois par trimestre, je vous offrirai une loge au Théâtre royal de Drury Lane, car j'ai horreur de sortir seul. Après quoi, s'il ne pleut pas trop, nous irons souper ensemble chez Evans, au Grand Hotel. Leur soupe à la tortue est délicieuse, car ils y mettent du sherry, et Dieu m'est témoin, mademoiselle, qu'ils n'y vont pas de main morte. »

Ne voyant plus rien qu'il puisse dire à la jeune fille pour la persuader, M. Pook, qui s'était pris à fermer les yeux pour mieux rêver à leur avenir commun, s'ébroua et riva de nouveau son œil droit à la lorgnette. Mais il eut beau orienter celle-ci en tous sens et tourner nerveusement les mollettes de réglage, Sarah avait disparu de son champ de vision.

L'hypothèse qu'elle ait pu se noyer l'effleura. Hypothèse abominable, mais pas absolument saugrenue : quand M. Pook, emporté par ses pensées, avait cessé de surveiller la descente de Sarah, celle-ci n'avait pas encore atteint les éperons rocheux qui prolongeaient le socle de la falaise et s'avançaient dans la mer, à moitié submergés. Peut-être la jeune fille avait-elle déchiré ses pieds nus sur des coquillages et, sous l'effet de la douleur, avait-elle glissé. Avait-elle ouvert sa bouche étrange sur un cri silencieux ? Cette petite paysanne ne savait probablement pas nager. Horrifié, le taxidermiste essaya de repérer, dans l'écume livide qui montait et descendait en bouillonnant, au moins la tache de la robe noire. A cause de l'air emprisonné dans ses plis, celle-ci devait surnager comme un ballon ridé. Mais il n'y avait rien de semblable à l'aplomb de la falaise.

M. Pook se redressa. Mais il dut se rasseoir aussitôt, tant ses jambes courtes s'étaient mises à flageoler et refusaient de soutenir l'espèce de barrique qui lui servait de corps.

Et c'est alors qu'il la vit : Sarah était là-bas, déjà loin, elle nageait en direction des îlots des Etacs, à la poursuite du phalarope mort qui dansait sur la crête des vagues. Malgré sa robe entravée, ses pieds nus frappaient l'eau avec une régularité de roue à aubes.

– Et par-dessus le marché, s'écria M. Pook éperdu d'admiration, regardez-la qui nage comme un homme ! Même si elle nous fait le coup de tomber dans la Tamise par une nuit de fog, elle s'en sortira. Elle en sera quitte pour une fluxion, mais je saurai bien la soigner.

M. Pook n'avait jamais soigné qu'une seule femme, et ça n'avait pas servi à grand-chose. Il est vrai qu'elle était incurable. Pourtant, il avait toujours pensé qu'il aurait pu faire un excellent médecin. Un jour, on lui avait apporté un blaireau à naturaliser, et M. Pook avait trouvé cette petite bête si jolie que, avant de se décider à l'inciser, il avait commencé par la caresser longuement. Dans ses mains, le blaireau n'était en fait ni si froid ni si rigide que ça, si bien qu'au bout d'un moment il s'était mis à palpiter, puis il avait éternué, et mordu cruellement les doigts de M. Pook. Dans son for intérieur, le taxidermiste savait parfaitement que le soi-disant miracle du blaireau ressuscité ne supportait qu'une seule explication plausible, à savoir qu'en réalité le petit animal n'était pas vraiment mort. Il n'empêche que, depuis ce jour, M. Pook se persuadait parfois qu'il possédait comme un talent de guérisseur.

– Revenez, cria-t-il à Sarah, laissez donc tomber cet oiseau, c'est vous dont j'ai besoin !

Pour rentrer de Trois Vaux Bay à Braye Road, ils durent traverser l'île dans sa plus grande largeur, et ça leur prit du temps. M. Pook marchait lentement à cause de sa corpulence, et Sarah, sans ses sabots, ne pouvait pas aller bien vite non plus. M. Pook ne cessait de se tourmenter et de répéter qu'il avait hâte d'installer Sarah devant un bon feu, mais elle disait que tout allait bien, et que le vent sur la lande achèverait de la sécher mieux que n'importe quel feu. Et de fait, quand ils s'engagèrent sur la route du Grand-Val, entre la Petite et la Grande-Blaye, la robe noire avait perdu son allure lamentable de vieux chiffon mouillé et retrouvé sa raideur un peu austère.

M. Pook s'était chargé de la lorgnette et de son trépied, et Sarah de l'oiseau qu'elle tenait par les pattes afin que son plumage détrempé s'égoutte sur le chemin. Le taxidermiste fit part à la jeune fille du projet qu'il avait pour eux deux. Elle le laissa parler sans l'interrompre, sans manifester aucune émotion. C'est perdu, se dit M. Pook, elle ne viendra pas. Après en être arrivé à sa conclusion (son apologie de la soupe à la tortue du Grand Hotel), il se tut et se détourna comme s'il avait honte de sa proposition. Et en y réfléchissant bien, peut-être en avait-il honte, en effet : comment Sarah pouvait-elle croire à la sincérité de son offre ? Sans doute s'imaginait-elle que le discours de M. Pook cachait des désirs inavoués, ce genre de désirs qu'on prête forcément à un homme, surtout s'il est vieux, gros et laid, quand il a l'audace de suggérer à une jeune fille de venir habiter chez lui et de l'accompagner dans des hôtels renommés – qu'ai-je eu besoin de lui dire que nous logerions au même étage, se désolait M. Pook, autant lui parler de chambres communicantes et de lits à deux places !

Ils marchèrent un moment en silence. Entrant dans Sainte-Anne par La Trigale, ils obliquèrent sur la droite pour suivre Le Huret. Anonymes dans la pénombre des logis, des visages s'approchaient des fenêtres à petits carreaux, et des yeux perçants suivaient cette jeune fille balançant son oiseau mort et ce gros homme qui ne cessait d'éponger son visage en sueur ; demain, négligeant le gros homme (on ne s'intéressait pas aux étrangers), le bruit courrait que Sarah McNeill avait fait ostensiblement pénitence en traversant la ville les pieds nus. On se demanderait quel péché elle avait pu commettre – il devait être bien lourd pour qu'elle se punisse ainsi, car les ruelles du haut de Sainte-Anne n'étaient pas pavées mais simplement couvertes d'une caillasse irrégulière, forcément douloureuse et blessante. Une fois de plus, on reprocherait à ces catholiques de McNeill d'être trop traditionnels en toutes choses, de la réparation de leurs péchés à l'étalage de leurs quaipeaux.

– Si j'ai bien compris, dit enfin Sarah (elle s'était arrêtée un instant pour ôter un éclat de pierre incrusté dans son pied), c'est à Londres que vous vivez ?

– Oui, mademoiselle.

– A Londres même ?

– J'habite le Wapping, c'est un quartier près des docks.

– Là où sont les bateaux ?

– La plupart y relâchent.

– Je veux bien, alors.

M. Pook leva les yeux au ciel pour remercier Dieu – mais la rue était à cet endroit si resserrée que M. Pook, en fait de vision de Dieu, n'aperçut qu'un étroit pan de ciel en train de noircir, contre lequel se balançait en grinçant l'enseigne en bois d'un marchand de thé et de spiritueux, qui y avait fait représenter la silhouette blanche d'un clipper.

– Serait-ce que les bateaux vous attirent, mademoiselle ? C'est assez rare, chez les jeunes filles.

– Pas tous les bateaux, dit Sarah, juste ceux qui transportent des oignons.

– Oh, des oignons ! s'exclama M. Pook. Alors, vous avez tout à apprendre de Londres. Car je vous affirme, moi, que vous assisterez sur les docks au déballage de marchandises infiniment plus prodigieuses que des oignons ! En vérité, mademoiselle, vous serez éberluée par tout ce qu'on peut récolter de par le vaste monde. Mais il ne faudra pas prendre des risques en allant traîner là-bas toute seule. Que diraient vos parents s'il vous arrivait quelque chose de fâcheux ?

– Je n'ai plus de parents.

– Pardonnez-moi, fit M. Pook en prenant un air navré, je ne savais pas.

– C'est comme ça, dit Sarah.

M. Pook n'insista pas – surtout pas. Il fallait que cette question des parents soit réglée, et voici qu'elle l'était, par un mensonge probablement. Ils n'en furent dupes ni l'un ni l'autre. Mais les choses seraient plus faciles ainsi. M. Pook ne se voyait pas demander au père de Sarah la permission d'engager sa fille comme assistante l'été, commissionnaire l'hiver – les faits les plus simples prenaient souvent des allures alambiquées sitôt qu'ils passaient de votre pensée à vos lèvres, et de là aux oreilles d'autrui ; tout, depuis l'âge du taxidermiste jusqu'au détail des chambres d'hôtel sur le même palier, sans oublier l'ascenseur (cabine étroite, si lente à monter, où il n'était pas raisonnable d'enfermer l'un contre l'autre, serrés à se toucher, un célibataire et une très jeune fille), tout aurait paru tellement suspect.

– Je ne vous ai pas demandé votre âge ? s'enquit encore M. Pook.

– L'âge auquel j'ai perdu mes parents ?

– Non, dit-il, ne parlons plus de ça. Mais l'âge que vous avez maintenant ?

Elle le regarda, troublée, et elle hésita. Pour lui épargner un second mensonge, il s'empressa de la rassurer :

– Cela ne change rien à notre arrangement, c'est juste pour votre billet de steamer : les mineurs accompagnés bénéficient d'un abattement de cinquante pour cent. Mais je vois bien que vous n'êtes plus une enfant. Allons, ça ne fait rien, je payerai le plein tarif. Simplement, lorsque nous débarquerons à Southampton, nous dirons que vous êtes une de mes parentes, et, si ces messieurs de la police nous demandent de le justifier, nous prétendrons que vous avez eu l'imprudence de vous pencher par-dessus bord et que vos papiers sont tombés à la mer. Je prendrai un air fâché, et je vous reprocherai tout ce temps que vous allez me faire perdre en démarches pour obtenir un duplicata. Pour pousser notre comédie jusqu'au bout, ajouta-t-il en riant, peut-être vous donnerai-je un ou deux coups de canne sur les mollets. Et évidemment, je ne vous appellerai plus mademoiselle, mais Sarah, sotte et maladroite petite Sarah.

Sarah et M. Pook étaient à présent assis dans la taverne des ingénieurs où le taxidermiste avait son couvert et sa chambre. Le phalarope à bec large reposait entre eux deux, allongé sur la table de bois. Sarah avait très froid et la servante, sur l'insistance de M. Pook, s'était empressée de bourrer la cheminée de brassées de genêts ; mais ceux-ci étaient trop verts et dégageaient beaucoup plus de fumée que de flamme chaude.

– Un *dog-nose*, s'il vous plaît, chuchota Sarah en claquant des dents.

– Un *dog-nose* pour mademoiselle, répéta M. Pook en forçant sa voix plus que nécessaire.

Et il pensa que, lorsqu'ils seraient à Londres tous les deux, il devrait s'habituer à répercuter à voix haute, dans les lieux publics, tout ce qu'elle demanderait dans un souffle.

Sur la fin de l'après-midi, le temps s'était brusquement dégradé. M. Pook et la jeune fille avaient de peu échappé à la pluie d'orage qui, maintenant, fouettait les vitres. Les nuages étaient si opaques qu'on aurait cru qu'il faisait presque nuit.

– Nous embarquerons tôt demain matin, prévint M. Pook, le vapeur appareille avec la marée, aux environs de six heures. Si vous préférez dormir ici, j'enverrai la servante prendre votre malle.

– Pas besoin, dit Sarah, je n'aurai pas de malle. Et ne vous inquiétez pas, je serai à l'heure.

Elle voulait rentrer chez elle en traversant Sainte-Anne, s'arrêter devant chaque maison et graver dans sa mémoire chaque nuance du granit des façades, prendre un bain dans la cheminée, jouer encore une fois aux dames avec Hermie, renifler l'odeur humide des vieux journaux de Toby, et passer une dernière nuit dans sa chambre après avoir embrassé Wilma. Si elle retrouvait Gaudion, probablement ne reviendrait-elle jamais dans l'île.

Elle se détourna et regarda la pluie transformer en boue la terre qui servait de pavement à la route de Braye. M. Pook se méprit sur le sens de son mouvement, il lui dit de ne pas avoir peur, qu'il serait doux avec elle, qu'elle aimerait se promener dans Londres, en omnibus avec ses oiseaux à livrer, et entrer dans des demeures somptueuses dont, sans cela, elle n'aurait jamais eu l'occasion de franchir le seuil. Elle répondit qu'elle n'avait pas peur. Maintenant qu'elle avait pris la décision de partir, elle sentait simplement une sorte de lassitude l'envahir. Mais ce n'était pas désagréable, ça ressemblait à cet instant de parfait renoncement qui précède et permet le sommeil. Les choses iraient très vite, pensa-t-elle, avant la fin de l'été elle aurait retrouvé Gaudion. Habituée à l'exiguïté de son île, elle n'avait pas le sens des distances et concevait difficilement que l'Angleterre – n'était-elle pas une île, elle aussi ? – puisse être tellement plus vaste.

A peine réchauffée par le grog qu'elle avait avalé d'un trait, Sarah repartit sous l'averse.

En passant devant la taverne des scaphandriers, elle vit se découper derrière les vitres les silhouettes de Jo Zemetchino et de Tom Walcott. Ils jouaient au whist, et la partie semblait endiablée. Autant que Sarah pouvait en juger à travers la buée, il y avait beaucoup d'argent sur la table. Des hommes du chantier entouraient les deux joueurs et les encourageaient en leur criant aux oreilles, comme on braille sur les coqs ou les chiens qu'on pousse à se battre.

Sarah les observa un instant. Si Zemetchino se retournait, s'il la reconnaissait à travers le rideau de pluie, s'il abandonnait sa partie pour venir vers elle et la prier d'entrer, s'il lui offrait ne serait-ce qu'une demi-pinte de bière ou même si, tirant son mouchoir de sa poche, il faisait simplement le geste de lui essuyer le visage – si tout cela s'enchaînait, si tout cela arrivait, alors elle ne prendrait pas demain matin le vapeur avec M. Pook.

Mais Sarah eut beau y fixer son regard, les larges épaules de Zemetchino ne tressaillirent même pas. Le scaphandrier allongea le bras, renversa une pyramide de pièces soigneusement empilées, les ramena à lui, les fit ruisseler sur ses genoux. Tom Walcott distribua une nouvelle donne. D'où il était placé, Tom ne pouvait manquer d'apercevoir Sarah, et il aurait dû faire signe à Zemetchino de se retourner : « Ta petite amie est là sous la pluie, Jo, est-ce que tu ne vas pas lui proposer d'entrer ? » Mais Tom ne dit rien de semblable. Ses yeux étaient fixes et ne voyaient que la table, les cartes et l'argent. Ce soir, il perdait beaucoup trop pour songer à autre chose.

Elle s'écarta de la vitre et cracha par terre. Non par mépris pour qui que ce soit, mais parce qu'elle avait eu un brusque afflux de salive dans la bouche. Cela lui arrivait souvent quand elle était émue. La plupart des filles pleuraient, elle, c'était sa bouche qui se remplissait d'eau.

Elle s'engagea dans la pente qui, en s'incurvant sur la droite, montait vers Sainte-Anne. Elle aperçut les lumières de quelques maisons où l'on avait déjà allumé des lampes pour repousser cette pénombre malsaine venue avec la pluie. La servante lui avait prêté des sabots, mais ils étaient trop étroits pour les pieds de Sarah qui se meurtrit les orteils en les forçant à y rester enfoncés.

Alors qu'elle dépassait la fourche de Rocquettes et du Val, elle entendit tinter, lointaine encore, la cloche de l'église méthodiste. Ce n'était pourtant pas l'heure du culte. Si en entrant dans cette église, se dit Sarah, je trouve les cierges allumés et le révérend Ruskin derrière son pupitre en train de faire chanter les gens, je ne rejoindrai pas M. Pook demain matin sur le port – après Zemetchino, c'était à Dieu qu'elle donnait à présent une chance de la garder dans l'île.

Mais l'église était vide, ce n'était que le vent qui agitait la cloche et la faisait sonner.

Sarah remonta l'allée centrale, s'approcha de la plaque de marbre qui, au-dessus de l'harmonium au pied duquel il s'était écroulé, rappelait la mort brutale du jeune vicaire :

A la mémoire de Frederic Elias Bancroft
Donne-nous, ô Seigneur, la force de sa foi
Son courage et sa fidélité.

La main droite de Sarah se posa sur le marbre froid. Elle ferma les yeux, suivant comme une aveugle le contour des lettres gravées au burin. Ses doigts venaient de s'arrêter sur le dernier mot, *fidélité*, lorsque la porte de la sacristie s'ouvrit sur le révérend Ruskin. Il portait une sorte de bricolage d'échelle en bois, trop longue et trop souple pour être une honnête échelle, et il avait enroulé une corde de chanvre autour de son buste. Il ressemblait à ces alpinistes audacieux dont la jeune fille avait vu des images dans les journaux de Toby.

– Sarah McNeill, dit-il en appuyant sa façon d'échelle contre le mur, je ne sais pas ce que vous fichez là, mais je suis rudement content de vous y trouver. Allumez donc un cierge ou deux, qu'on y voie clair, il y a un briquet sur le lutrin. J'ignore ce qui nous arrive dessus, mais c'est une nuit détestable. On dirait que quelque chose se prépare – oui, mais quoi ?

– C'est moi qui m'en vais, murmura Sarah.

Pour elle, c'était évidemment l'événement le plus considérable depuis la nuit de sa naissance – mais tout de même, elle s'en voulut d'avoir laissé échapper ça. Dans une église catholique, elle serait aussitôt tombée à genoux en implorant l'absolution : Mon Père, je m'accuse d'être une orgueilleuse, on n'a jamais vu le départ d'une fille sans voix et sans importance provoquer dans le ciel un pareil déluge. Mais chez les méthodistes, Dieu seul pardonnait. Sarah resta donc debout. Le révérend Ruskin déplaça son échelle, la dressa à la verticale d'une trappe qui s'ouvrait dans le plafond de l'église.

– Partir, oui, je comprends que vous soyez pressée de partir et de rentrer chez vous, mais vous ne refuserez pas de me donner un coup de main. J'avais l'intention de grimper là-haut pour ficeler le battant de la cloche. Est-ce exaspérant, cette cloche qui bat sans rime ni raison ! Vous allez le faire à ma place, vous êtes plus souple que moi. Montez donc, Sarah McNeill, je vous tiens l'échelle, montez sans crainte. Si vous avez le vertige, imaginez-vous que vous êtes l'apôtre Pierre quand il s'enhardit à marcher sur les eaux. Certes, à la fin il trébucha, mais c'est parce que sa foi l'avait quitté.

Barreau après barreau, Sarah gravit l'échelle qui, malgré la poigne du révérend Ruskin, oscillait de plus en plus au fur et à mesure qu'elle se rapprochait du sommet. Si je me flanque par terre, pensa-t-elle, c'est du coup que M. Pook pourra toujours m'attendre ! Est-ce qu'ils mettront pour moi, à l'endroit où je serai tombée, une plaque de marbre comme ils en ont mis une pour Bancroft ?

L'échelle tanguait follement, Sarah allongea les bras, souleva la trappe qui conduisait au clocheton, le vent et la pluie s'y engouffrèrent.

– Orage du diable, gronda Ruskin en courbant l'échine sous l'avalanche qui lui ruisselait dessus à travers l'ouverture, que Dieu et tous les saints me pardonnent de vous avoir envoyée là-haut, Sarah McNeill !

Sarah se hissa sur la plate-forme. L'échelle retomba, en renversant un chandelier.

Depuis le campanile, Sarah embrassait l'île tout entière. C'était la première fois qu'elle la voyait du haut du ciel. On aurait dit un bouquet dans un vase trop grand. Les maisons de Sainte-Anne qui étaient éclairées, principalement celles de Victoria Street, de High Street et de Connaught Square, formaient la grappe des fleurs de ce bouquet, des fleurs que la noirceur de la nuit faisait paraître plus chaudes et plus dorées, tandis que le reste frissonnait tout autour comme un feuillage sombre, vernissé par l'averse. Des landes désertes montait une odeur acide de terre de bruyère et de fumier mouillé. Sur les remparts des forts, les drapeaux étaient tellement gorgés de pluie que les rafales, pourtant capables de soulever la mer, ne réussissaient même pas à s'insinuer dans leurs plis pour les faire palpiter.

C'était le monde de Sarah, il était simple et brutal, mais il n'avait certainement rien à envier aux autres mondes, ses quelques kilomètres carrés contenaient tous les éléments de la Genèse, un ciel et des étoiles, de la terre et de l'eau, des plantes et des bêtes : ce qui avait suffi à Dieu pour faire l'univers pouvait suffire à Sarah pour faire sa vie. Mais elle avait mordu dans l'oignon que lui tendait Gaudion, alors elle devait quitter ce monde pour un autre, un monde qui n'existait encore pour elle que sous forme d'articles découpés, d'images piquées d'humidité. A son tour, elle allait faire partie de ce monde en papier : un entrefilet paraîtrait dans le *Times*, annonçant que M. Mortimer Pook, taxidermiste dans le Wapping, informait sa fidèle clientèle qu'il mettait désormais à sa disposition un service de livraison diligemment assuré par une jeune fille discrète. Les oiseaux terminés seraient portés à domicile les lundi, mercredi et vendredi, tandis que le mardi et le jeudi seraient consacrés à collecter les dépouilles à naturaliser. La réclame préciserait que la jeune fille préposée à ce va-et-vient avait une grande habitude des oiseaux, car elle était originaire d'une île anglo-normande réputée pour ses colonies innombrables de macareux, limicoles, goélands et guillemots.

Quelques années plus tôt, pensa Sarah, elle aurait pu avoir comme cliente lady Jane en personne, qui lui aurait ouvert sa porte pour la conduire dans quelque cabinet encombré d'oiseaux étranges en train de se faner, rapportés par John Franklin de cette lointaine Tasmanie dont il avait été le gouverneur colonial.

« Croyez-vous, jeune fille, que monsieur Pook pourrait leur redonner un peu d'allure ? Les plumes de celui-ci scintillaient comme des pierres précieuses, voyez comme elles sont à présent devenues ternes. Est-ce le climat de Londres ? Quant à celui-là, il était le préféré de sir John, vous comprendrez que j'y sois particulièrement attachée. Mais une servante l'a fait tomber, le bec est fendu, une aile brisée. Eh bien, qu'en pensez-vous ? L'avis paru dans le *Times* affirme que vous vous y entendez en oiseaux.

– Je viens des États d'Alderney qui en sont pleins.

– Les États d'Alderney ?

– Une île, madame.

– Une île qui s'appelle Alderney ? Comment l'écrivez-vous, mademoiselle ? Où donc situez-vous Alderney ? »

Sur une des cartes que lady Jane gardait toujours à portée de main, prêtes à être déroulées devant ses capitaines, elles se seraient penchées toutes deux, en emmêlant leurs chevelures – les boucles de lady Jane, devenues sèches et blanches, et les mèches blondes et souples de Sarah.

« Voyons cela, mademoiselle. Je connais, comme si j'y étais allée moi-même, les îles Russel et Cornwallis, l'île Gateshead et l'île Beechey, l'île Byammartin et les îles Anderson et Stuart – mais votre île d'Alderney… est-ce vraiment le nom qu'on lui donne sur les atlas de l'Amirauté ? Mais si, cette enfant a raison ! Voici votre île, ma chère, là, regardez, je la tiens, juste au bout de mon ongle. Ainsi, c'est là que vous avez vécu ? Comme c'est petit, on comprend qu'une jeune personne s'y soit trouvée à l'étroit !

– Je ne l'ai pas quittée pour trouver plus grand, madame. Je cherche quelqu'un. Il s'appelle Gaudion. Je suis à Londres pour chercher Gaudion comme vous avez cherché sir John. Je n'ai pas vos moyens, mais j'écouterai vos conseils.

– Mes conseils ? Vous savez ce que j'ai retrouvé de John ? Une boîte en fer-blanc.

– Vous pleurez, madame ?

– Je ne pleure pas, petite sotte. Essuyez donc plutôt vos yeux, vous aussi, ce sont les vôtres qui sont les plus mouillés. C'est l'humidité. Cette maison est humide, ici tout est humide – après Venise, Londres est peut-être la ville la plus humide du monde. A cause de quoi, la veille de son départ, je m'en souviens, John était fortement enrhumé. Le pauvre, il détestait les rhumes à cause de la privation d'odorat. Un marin a tellement besoin de flairer l'odeur de la mer ! Elle ne sent pas la même chose selon que vous êtes au large ou à proximité des terres. Dans ces régions là-bas dont il n'existe aucun relevé, où la banquise fait que vous ne savez jamais où vous en êtes, où il n'y a même pas d'oiseaux pour vous renseigner, vous avez besoin de tout votre nez. A propos d'odeurs, qu'est-ce donc que vous sentez, petite McNeill ?

– Madame, les produits dont se sert M. Pook, le camphre...

– Laissez-moi vous offrir le thé, il va être bientôt cinq heures. Et ensuite, mademoiselle, au bain ! Je me chargerai moi-même de vous étriller comme il faut. Ah ! si John et moi avions eu une fille, je l'aurais dorlotée, adorée... Il en a eu une, notez bien, mais sans moi, d'un autre lit. Eleanor était déjà éduquée quand nous nous sommes connus.

amour pour eux. Et comme nous les aimons, n'est-ce pas ! Pourtant, la plupart sont assez laids à regarder, non ? Leurs vêtements n'ont rien de bien séduisant, comparés à ceux que nous portons pour leur plaire. Et quand ils sont en chaussettes et en caleçon, ou au lit avec leur bonnet sur la tête, mon Dieu ! comment faisons-nous, Sarah, pour ne pas éclater de rire ? Il n'y a rien qui soit plus contraire à la grâce qu'un homme. Et pourtant nous aimons la grâce, et nous aimons aussi les hommes. Comment expliquez-vous cela ? Sir John n'était pas beau, vous savez. Certains capitaines que j'ai envoyés à sa recherche – tenez, je pense à Inglefield, une élégance folle celui-là ! – avaient un physique autrement avantageux. Ils n'avaient pas cet air de bulldog, une face aussi ronde et massive, un aussi gros ventre, un front aussi bombé et dégarni que John. Et les oreilles de John, oh ! les oreilles de John... Sans compter qu'il était sensible à l'extrême. La moindre querelle, le moindre antagonisme le plongeaient dans un désarroi effrayant. Mon mari avait quelque chose d'un petit enfant – j'imagine que, pour mourir, il a dû se recroqueviller ; dans mes bras aussi, d'ailleurs, il se recroquevillait... Mais pendant toutes ces années d'expectative terrible, c'est à John, rien qu'à John, que j'ai pensé jour et nuit. C'est pour lui que j'acceptais de me nourrir, de m'endormir le soir, de me réveiller le matin. Et même de pisser, ma chère ! Quand on a le chagrin que j'avais, c'est un effort surhumain que de se défaire de tous ces jupons, de tous ces falbalas. J'aurais voulu m'étendre et ne plus bouger, quelque part dans le noir, mais non, je courais de ma banque à l'Amirauté, et de là sur les docks, j'assistais sous la pluie à la mesure et à la coupe des cordages de chanvre, à la pesée des citrons et de la choucroute contre le scorbut, je grimpais dans la mâture, oh ! pas très haut, juste pour éprouver la tension des haubans, je goûtais les salaisons, l'eau du charnier. Sur les quais, j'ai ramassé quelques pauvres chiens errants, je les ai offerts à mes équipages en guise de mascottes – savez-vous qu'ils les ont mangés, finalement ? Moi qui aimais tant les romans et si peu les bateaux, je ne lisais presque plus, mais je passais des nuits entières, trois oreillers dans le dos, à étudier l'hydrographie, la dérive des courants et des glaces. Vers la fin j'aurais pu, je crois, épouvanter John par l'étendue de ma science nautique. Les hommes ne savent pas pourquoi nous les aimons, mais le savons-nous nous-mêmes ?… »

– Sarah McNeill, s'égosilla le révérend Ruskin, qu'est-ce que vous êtes donc en train de fabriquer là-haut ? Est-ce que tu rêves, ma fille ? Allez-vous vous décider à attacher ce battant, et à faire taire ce stupide carillon ?

Sarah ne répondit pas – entre la cloche qui battait toute seule, le ululement du vent et le bruit de la pluie, elle n'avait aucune chance de se faire entendre.

Elle plissa les yeux, cherchant à discerner dans la nuit la terre et la ferme des McNeill. D'abord elle n'y vit rien du tout, parce que Wilma retardait toujours autant que possible le moment d'allumer les lampes. Elle attendait que ceux de la maison lui réclament de la lumière – elle aimait être celle qui dispensait la clarté, elle aimait entendre Toby, Sarah et Hermie pousser ensemble leur Aaah, enfin ! Pour elle, qui connaissait par cœur les angles de la salle, l'endroit où étaient les choses, qui ne se cognait jamais, qui jamais ne heurtait deux objets l'un contre l'autre, l'obscurité n'était pas une gêne. « Wilma, disait Toby, tu es un chat. »

Son regard s'habituant à la nuit, Sarah reconnut enfin les Hauts-de-Clonque, comme une motte terne (« une pelote de réjection » aurait dit M. Pook avec sa façon de tout rapporter aux oiseaux) au milieu de l'étoile formée par quatre chemins blêmes ; un chemin s'en allait vers Sainte-Anne, un autre vers la mer – celui-là, Sarah l'avait tracé pour son usage personnel, il était le plus étroit, à la dimension de ses hanches de jeune fille –, et les deux derniers, bien élargis et tassés par le piétinement des troupeaux, escaladaient le vallon pour gagner la Bonne-Terre et Giffoine, puis se perdaient dans la végétation. Une carriole courait sur un des chemins. Par un temps pareil, ce ne pouvait être qu'une urgence – le docteur Wikes, maudit soit son nom, ou des ingénieurs du brise-lames allant mesurer la colère de la mer, ou l'autre ecclésiastique de l'île, le pasteur anglican, partant réconforter un mourant. Ou bien ce n'était personne, et cette carriole qui donnait l'impression de filer le train du diable n'était finalement que l'ombre d'un nuage de tempête glissant au-dessus d'Alderney. Des nuits comme celle-ci, les gens croyaient souvent voir des choses qui n'existaient pas.

Mais Gaudion, pensa Sarah, c'était Gaudion, je ne l'ai pas rêvé – « Dans Gaudion, disait-il, on entend *gaudia*, qui signifie joie en latin » ; est-ce qu'elle aurait pu inventer un nom pareil, elle qui, en dépit d'une longue lignée d'ancêtres écossais, catholiques et romains, n'avait jamais su un seul mot de latin ? Un an avait passé, à quelques semaines près, et elle se souvenait pourtant, avec une précision si vive qu'elle en avait encore les jambes coupées, de l'impression d'arbre rugueux et chaud qu'elle avait eue, blottie contre lui.

Elle forma un nœud coulant autour du battant et l'arrima aux montants du campanile. La cloche se tut enfin.

– Nous avons fait du bon travail. Dieu te bénisse, Sarah

McNeill, dit le révérend Ruskin en remettant l'échelle en place.

Il se demandait si, lorsque la vieille Ruth n'aurait décidément plus la force de tenir son ménage, il ne devrait pas essayer de persuader Toby et Wilma de lui louer les services de Sarah. Servante de pasteur – allons, nous dirons gouvernante, cela flattera les McNeill –, n'était-ce pas une situation inespérée pour une quasi-muette ? Le révérend décida de pousser jusqu'aux Hauts-de-Clonque un de ces prochains soirs, car il n'était jamais trop tôt pour mettre en route d'aussi vastes projets. Il reçut Sarah dans ses bras au moment où elle arrivait en bas de l'échelle.

– Mais elle est trempée, cette enfant, et elle claque des dents ! Venez un moment au presbytère, Ruth vous prêtera du linge sec. Vous boirez un lait chaud, nous y mettrons de l'écorce d'orange et de la cannelle. Je vous ferai visiter la maison. Tenez, ajouta-t-il en clignant de l'œil, je vous montrerai une certaine chambre, regardez-la tout à loisir, vous me direz plus tard ce que vous en pensez et comment on pourrait, selon vous, la rendre plus attrayante.

Mais Sarah fit non de la tête, et ses cheveux mouillés battirent l'air en envoyant des éclaboussures sur les cierges. Ceux-ci crépitèrent. L'un d'eux s'éteignit.

Elle franchit le porche à l'instant précis où un grand éclair silencieux inondait l'église. La jeune fille sembla se diluer dans la lumière. Quand le révérend Ruskin rouvrit les yeux après un aveuglement passager, Sarah n'était plus là. En rentrant chez lui, il déclara à Ruth :

– Elle a disparu comme un ange, on ne peut pas mieux dire.

A cinq heures du matin, Sarah quitta la ferme. Pour éviter que les chiens n'aboient, elle les incita à la suivre comme si elle les emmenait à la chasse. Ils y croyaient et gambadaient joyeusement autour d'elle. Après le vallon, elle les renvoya. Ils eurent l'air surpris mais repartirent, obéissants, la queue basse. L'orage avait lavé le ciel, l'aube était magnifique. Une brume impondérable, d'un bleu de tulle léger, montait de la mer.

Il n'y avait encore personne sur le quai quand la jeune fille arriva au brise-lames. Le steamer était là depuis la veille au soir. Sa cheminée noire et les tambours de ses roues à aubes s'ornaient d'un grand G peint en jaune, qui signifiait probablement Guernesey. Mais Sarah voulut lire dans cette initiale celle d'un autre nom, et elle y vit un présage heureux. Elle monta à bord sans être aperçue de personne, pas même de l'équipage, qui dormait encore – comme on était à quai et que la tempête s'était éloignée, il n'y avait pas de vigie. Sarah explora le navire. Il était petit, plutôt sale. Elle s'enferma dans les toilettes, qui étaient encore plus repoussantes que le reste du bateau. Les émanations d'ammoniaque la firent tousser mais sa toux, comme tout ce qui sortait de sa gorge, ne faisait aucun bruit.

Plus tard, les autres passagers embarquèrent. Il y avait maintenant une grande agitation autour du steamer. La machine commençait à battre, les tôles vibrèrent.

M. Pook descendit au pont inférieur, emprunta la coursive, frappa trois coups du pommeau de sa canne contre la porte des toilettes pour dames. Il dit, sans hésiter :

– C'est Pook, mademoiselle.

Sarah ouvrit la porte des toilettes.

– Comment avez-vous deviné que j'étais là ?

– Vous n'avez plus de parents, c'est une affaire entendue, mais peut-être encore des amis qui n'apprécieraient pas... enfin, qui chercheraient à vous retenir...

– Oui, il valait mieux que je me cache.

– Naturellement. Je vous préviendrai quand nous serons en haute mer. J'apprécie grandement votre prudence, mademoiselle. C'est une chance pour moi d'être tombé sur une jeune fille aussi responsable. Entre vos mains, mes oiseaux seront en sécurité.

Deux jours et deux nuits durant, comme il l'avait promis, Hermie se joignit à la foule qui cherchait Sarah à travers l'île. Il se mêla aux soldats de la garnison puis, quand le colonel déclara qu'il fallait abandonner tout espoir de retrouver Sarah vivante, Hermie se porta volontaire pour actionner le volant du compresseur dispensant de l'air aux scaphandriers qu'on avait requis pour fouiller et sonder la vase du port de Braye, afin d'y retrouver au moins le corps de la jeune fille. Derrière les carreaux de son casque de cuivre, le visage de Zemetchino n'était pas beau à voir.

Au matin du troisième jour, comme il en était convenu avec Sarah, Hermie dit enfin ce qu'il savait, tout d'une traite, en s'étouffant avec les mots :

– Elle a passé la mer. Elle est en Angleterre. Elle cherche Gaudion. Bien sûr, vous ne savez même plus qui est Gaudion, vous autres, vous avez déjà oublié. Pourtant, je vous avais prévenus. Qu'est-ce que c'était que ces oignons qu'il vendait ? Sarah y a goûté, j'ai bien reniflé qu'elle en avait croqué un quand elle m'a soufflé à la figure, furieuse comme un chat en colère. Oh ! attention, ce n'étaient pas d'honnêtes oignons comme on a l'habitude d'en faire rissoler, nous autres. Ceux-là sont maudits, ils ont un charme. Réfléchissez, monsieur McNeill, vous qui avez lu tous ces journaux, vous qui savez bien qu'il existe des choses qui ne s'expliquent pas. Eh bien, c'est exactement ça, m'sieur : on n'explique pas les oignons des *Johnnies*. Car enfin, monsieur, il faut bien qu'ils aient quelque chose dans leur jus pour rendre les Anglais aussi fous, pour leur faire perdre la tête. Votre petite aussi, elle a perdu la tête. Pendant presque toute une année, elle s'est promenée avec sa tête à côté d'elle, aussi écervelée qu'une décapitée. En tout cas, elle m'avait fait jurer le secret, je lui ai obéi.

Alors Toby poursuivit Hermie à travers la lande, le renversa, lui arracha sa chemise et le fouetta méthodiquement, tandis que Wilma, les poings sur les hanches et penchée au-dessus de lui, lui crachait au visage.

Puis le vacher fut chassé des Hauts-de-Clonque.

– Et je reste sur le pas de la porte, lui cria Wilma, et j'y resterai jour et nuit, et si jamais tu oses reparaître, salopard, je te tire un coup de fusil.

Tant que Sarah y vivait, Hermie n'était pas loin de considérer la ferme des McNeill comme le paradis sur la terre. Mais maintenant qu'elle était partie, il voyait bien que ce n'était après tout qu'un entassement de masures plus ou moins déglinguées, et qui sentaient mauvais.

Comme il avait prévu de le faire au cas où il serait renvoyé, il se présenta au bureau d'embauche de la digue. On le connaissait pour l'avoir souvent vu rôder à proximité du chantier, mais les ouvriers témoignèrent qu'il n'avait jamais rien volé – pas même un madrier ou une poignée de graviers. On l'engagea à la place d'un Irlandais qui rentrait chez lui. Son travail consistait à s'arc-bouter contre les blocs de granit, et à les maintenir en place dans la mâchoire du brise-lames le temps que d'autres ouvriers les maçonnent. Parfois, du ciment coulait sur Hermie. Il ressortait de là avec les épaules prises comme dans une gangue. Jo Zemetchino s'approchait de lui et, avec son poignard de scaphandrier, patiemment, il le délivrait. Ensemble, ils parlaient de Sarah.

Un matin, vers la fin de l'été, le bruit courut que des pêcheurs avaient aperçu une sirène en train de se prélasser sur des rochers au nord de l'île. Ils avaient nettement vu ses seins, qui étaient roses et ronds comme des pommes. Et, de fait, des bandes d'oiseaux tournoyaient au-dessus de Roselle Point, en poussant des cris rauques. Les ouvriers s'y précipitèrent. Un ingénieur y alla aussi, emportant un appareil photographique. Hermie voulut les suivre, car chaque fois que la mer rejetait quelque chose il se disait que c'était peut-être Sarah. Après tout, son départ n'avait eu aucun témoin. « Elle a juste disparu comme un ange », répétait inlassablement le révérend Ruskin, qui passait pour être le dernier à l'avoir vue vivante. Mais Zemetchino persuada l'ancien vacher de laisser tomber cette histoire de sirène : ce n'était probablement qu'un phoque malade qui s'était échoué, et auquel le mouvement de la mer donnait un semblant de vie.

Et c'était bel et bien un phoque malade, et le vent se leva, et il fit de nouveau gris et froid.

DEUXIÈME PARTIE

Londres, 1881

– 1 –

– Voici ma maison, dit M. Pook. Deux étages, dont je propose que nous en occupions un chacun. Vous en haut, moi au rez-de-chaussée. En espérant que vous n'êtes pas somnambule, ce que les jeunes filles sont souvent, et que vous ne passerez pas vos nuits à marcher sur ma tête.

Il sortit un trousseau de clefs, en essaya plusieurs sans résultat, pesta contre ces serruriers sans imagination qui forgeaient des clefs qui se ressemblaient toutes, trouva enfin la bonne et entra. Sarah le suivit. Confiné depuis longtemps, l'air était fade, lourd à respirer, imprégné d'une odeur de substances chimiques.

– Cette bâtisse servait autrefois à stocker les fourrures en provenance du Nouveau Monde, expliqua M. Pook. C'est d'ailleurs pourquoi je l'ai achetée : elle possède une cave voûtée où l'on reprenait le tannage des peaux que les trappeurs américains avaient mal apprêtées. J'y ai tout naturellement installé le laboratoire où je travaille les oiseaux. S'il vous arrive d'y faire le ménage, ne vous étonnez pas de trouver encore, dans les rainures du parquet, des poils de ragondin, de renard blanc ou bleu, de castor, et parfois de loup gris.

« Sur l'arrière, nous donnons sur cette venelle encombrée

de fûts, de chariots à bras, de cercles de métal accrochés aux murs. Salomon Gutermann, un brasseur, y a sa fabrique tout au bout. C'est assez étonnant pour un Juif, pourtant le fait est là : la bière de Gutermann est excellente, mais ses affaires cataclysmiques. Est-ce parce que le vieillard s'obstine à vouloir brasser en indépendant, pour fournir les seuls pubs du Wapping, et les plus mal famés d'entre eux, au lieu de s'allier avec les grands brasseurs, les Anchor, les Courage ou les Fuller ? J'attends, et même j'espère, sa banqueroute d'un jour à l'autre : sa fichue ruelle ressemble à un cloaque à cause des dégorgements de bière qui, même les jours de sécheresse, détrempent le passage. De toute façon, de ce côté-ci, nos fenêtres resteront fermées. Ce vieux fou de Gutermann se plaint de mes odeurs de benzine et de térébenthine, mais moi je ne supporte pas ses puanteurs de houblon.

« Sur le devant, nous devrions logiquement jouir d'une vue dégagée sur les docks et la Tamise, mais en fait vous ne verrez, dans la journée du moins, couler que des hommes, un interminable fleuve d'hommes, et d'ailleurs de la même couleur limoneuse que la rivière, et faisant le même bruit de clapotis avec leurs grosses lippes. Des marins, pour la plupart. Nègres, Chinois, Javanais, enfin de tout. Le soir, une prostituée indienne vient s'adosser à notre porte. Elle s'appelle Sadhana. Pas d'excès de zèle, ne la chassez pas, je lui ai accordé ce droit de s'appuyer contre nous – ce droit, elle est la seule à l'avoir, vous pouvez déloger les autres putains, sauf les nuits de pluie ou de neige, parce qu'il faut savoir se montrer humain. Sadhana porte généralement une assez jolie robe bleue, avec des moirures dorées qui me font penser à la queue d'un paon. Et gentille, avec ça. Il lui arrive de m'offrir du thé que lui envoie sa famille, un grand seigneur de thé issu du jardin de Darjeeling. Croyez-vous que Salomon Gutermann, lui, m'ait jamais offert une pinte de son délicieux poison ? J'aime assez bien les prostituées. Je ne les fréquente pas, mais le seul fait qu'elles existent me réjouit, enfin me rassure – oui, le seul fait de savoir qu'il me suffirait de vouloir pour pouvoir.

« A présent, faites attention aux marches, elles sont toujours un peu glissantes. Cette pièce profonde est donc celle où je travaille. Jetez ce linge sur vos épaules comme un châle, il règne ici une température de cave. Je ne chauffe jamais, même au plus fort de l'hiver. Les oiseaux sont si fragiles, ils ont si vite fait de se corrompre. Le savon arsenical et l'acide phénique ne sont pas la panacée, fraîcheur et pénombre ont aussi leur importance – ces oiseaux sont des morts, après tout, ils ont besoin de froidure et de nuit. Je ne vois aucun inconvénient à ce que vous descendiez quelquefois pour me regarder faire. Mais ne touchez à rien, surtout pas aux instruments ni aux produits.

Sur une longue table au plateau blanchi par des récurages répétés s'alignaient des scalpels, des ciseaux, des brucelles et des cure-crânes, des vrilles et des carrelets, des alênes, des poinçons, des tranchants et des scies. Sarah s'étonna que M. Pook ait besoin de tant d'outils cruels, froids, déchirants, pour travailler de petites dépouilles qui n'avaient d'autre protection que leurs plumes. Tout autour de la cave, des étagères supportaient des bocaux, pour la plupart en verre ambré ou bleu, remplis de plâtre pour le séchage des plumes, de sciure de bois, de savon de Bécœur, de soude et de potasse caustique, de sel marin et de cristaux d'alun.

– Ces deux beaux oiseaux là-bas, reprit M. Pook, dans lesquels vous aurez reconnu des oies des moussons, d'autant plus précieuses qu'elles ne sont qu'accidentelles en Angleterre, ainsi que ce lagopède d'Écosse en plumage d'automne, n'attendaient que vous, ma chère. Voyez comme ils vous lorgnent – ne dirait-on pas le regard du chien quémandant sa promenade ? Mais, à propos de regard, voici quelque chose qui va vous amuser, mes visiteurs sont toujours émoustillés de voir cela : le placard aux yeux. En haut, le tiroir aux yeux bleus, puis celui des yeux jaunes, puis les yeux rouges, et enfin le tiroir aux yeux verts. C'est un prothésiste de Chelsea qui me les fabrique. Les yeux d'oiseaux sont son passe-temps, en fait il vit essentiellement du bon gros œil de verre traditionnel, l'œil du borgne. Harley est un artiste admirable, qui s'oblige à faire chaque matin le tour des allées de Ranelagh Gardens pour étudier la couleur des fleurs et s'inspirer de leur palette. Je vous enverrai quelquefois chez lui me chercher des yeux. Il les vend au poids et les fait glisser dans des cornets de papier blanc, on dirait un épicier et ses bonbons multicolores. La première fois que vous irez chez lui, il vous prendra par les épaules, vous conduira près de la fenêtre, vous demandera de tourner votre visage vers la lumière du jour et, longuement, il observera vos iris. Ne prenez pas cela pour de la privauté. Harley a la passion des yeux comme j'ai celle des oiseaux. Mais les passionnés ne sont jamais dangereux, leur passion leur tient lieu de tout.

« Votre chambre. Y serez-vous à votre aise ? Peut-être est-ce un peu humide – humidité qui n'est pas due à l'insalubrité de la maison, je vous rassure là-dessus, mais à la proximité du fleuve. Celui-ci déborde toujours un peu, au moins en brouillards. Cette sorte de verdure sur les murs, ce n'est pas de la crasse, mais des taches de Tamise. Un de ces jours, je vous monterai quelques bûchettes et un bon feu dans la cheminée assainira la pièce. Nous dînerons à six heures. Ne vous mettez en peine de rien, j'ai un arrangement avec les cuisiniers des bateaux, ils m'apportent les repas à domicile. En échange, je leur empaille telle ou telle bestiole qu'ils ont rapportée de leurs voyages. Si ma mémoire est bonne, nous dégusterons ce soir de la cuisine indonésienne. Demain, la recette sera chinoise, ce qui est encore mieux, et la semaine prochaine nous mangerons caraïbe. Vous verrez, c'est amusant. Tenez, pour célébrer votre arrivée, je vais déroger à tous mes principes et aller quémander un peu de bière chez Gutermann l'obstiné, dans son horrible venelle nuiteuse.

« Chère petite, j'admets que la tête vous tourne, et que vous éprouviez le besoin de vous reposer un moment – le lit est fait pour cela, veillez seulement à ôter vos souliers avant de vous y allonger. Mon Dieu, mais elle frissonne ! Le froid ou la fatigue du voyage ? Allons, disons la fatigue, il fait ce soir à Londres une chaleur étouffante – j'espère que notre phalarope n'en aura pas trop souffert, je m'occuperai de lui tout de suite après le souper. Vous pouvez fermer les yeux, mais permettez-moi d'ouvrir la fenêtre un instant, que je vous initie un peu aux rumeurs de Londres. A cette heure-ci, nous devrions entendre les femmes qui crient les titres des journaux, mais non, c'est la sirène des remorqueurs – signe que la brume est déjà sur le fleuve, et qu'elle sera sur nous avant la nuit, bien épaisse et bien moite.

« Vous commencerez demain par un butor étoilé que j'ai figé dans son attitude de camouflage, le cou dressé, le bec pointé vers le ciel. Vous le livrerez à Mme Forbes, dans South Grove, Highgate. C'est encore un peu la campagne, là-bas, vous ne vous sentirez pas trop dépaysée pour une première sortie. Même si le damné brouillard devait s'installer, ne craignez pas de vous perdre, les omnibus connaissent leur chemin.

– 2 –

Ils étaient douze voyageurs à prendre le premier omnibus matinal qui partait de Finsbury Circus pour rejoindre Hampstead Heath et Highgate.

Sur la banquette de gauche se tenait une vieille dame qui serrait entre ses genoux un parapluie défraîchi dont plusieurs baleines étaient brisées ; au moindre cahot la toile du parapluie s'affaissait sur elle-même et palpitait comme les ailes membraneuses d'une grande chauve-souris, c'était hideux à voir. A côté d'elle étaient assis deux messieurs, l'un s'était coiffé d'un haut chapeau grenat, celui de l'autre était bleu nuit, mais, dans la mauvaise lumière de l'omnibus, ces chapeaux avaient l'air noir tous les deux. Venaient ensuite une personne pâle et sa mère ; la personne pâle se comprimait les tempes, comme si elle souffrait d'une migraine. Puis on trouvait un jeune homme pensif, qui passait son temps à tapoter ses dents du pommeau de sa canne, en produisant une sorte de cliquetis exaspérant.

Sur la banquette de droite étaient assises des jumelles, dont l'une avait dit, en prenant place, qu'elle se rendait dans un hôpital pour y subir un traitement, ce qui avait aussitôt suscité l'intérêt de la personne pâle, qui avait alors parlé de sa migraine. Ensuite, il y avait une sorte de paysan, avec un chapeau bistre à larges bords dont il s'éventait sans arrêt – peut-être cherchait-il en réalité à dissiper les miasmes qu'exhalaient la jumelle malade et la personne pâle. Près de l'homme au chapeau agité, une maman berçait un bébé. Sarah était blottie tout au fond, contre la cloison. Elle avait placé entre ses jambes un grand sac de toile beige d'où dépassaient le cou et la tête d'un butor étoilé.

Sur la cloison, juste devant Sarah, était placardée une réclame sous verre vantant les prix étudiés et la célérité d'un tailleur militaire qui s'était fait une spécialité d'uniformes coloniaux, et son affichette montrait, sur fond de ciel bleu et de temples hindous inondés de soleil, des officiers de l'armée des Indes se préparant pour une chasse au tigre à dos d'éléphant. Eh bien, se dit Sarah, même si l'on n'envisage pas d'acheter un uniforme colonial, voilà enfin quelque chose de réconfortant à regarder ! Car, bien qu'on n'en soit encore qu'au petit matin, Londres semblait déjà aussi éteinte, terne et décolorée que si l'on avançait vers le soir. A travers les vitres de l'omnibus, la lumière jaunâtre donnait l'impression de couler du ciel, grasse, fade et molle comme une huile. Habituée aux ciels échevelés d'Alderney, Sarah se sentit oppressée par la monotonie de celui de Londres – un nuage à lui tout seul, maussade et sans fin. A bord de l'omnibus, des quinquets avaient été allumés au départ de Finsbury Circus. Ils dégageaient une odeur de pétrole qui, dans cette atmosphère confinée, serrait les tempes et piquait le nez. Sarah nota d'emporter la prochaine fois un mouchoir où elle demanderait à M. Pook de verser quelques gouttes de ces essences de thym ou de serpolet dont il se servait pour aromatiser ses préparations.

La voiture s'arrêta et le cocher, après avoir crié le nom de la station, entrouvrit la porte pour demander aux voyageurs de se serrer davantage afin de laisser un peu de place à ceux qui voulaient monter. Les voyageurs essayèrent de se tasser, ce qui eut pour seul résultat de comprimer Sarah contre la cloison du fond, et elle protesta :

– Ne poussez pas comme ça, vous allez casser le cou de mon oiseau.

Bien sûr, on ne l'entendit pas, alors la vieille dame au parapluie prit le relais de Sarah et clama de sa petite voix stridente :

– Cette jeune fille dit que vous allez lui tuer son oiseau.

Le cocher referma la porte et annonça aux gens sur le trottoir que c'était complet. On vit ces personnes sautiller sur place pour tenter de vérifier, à travers les vitres, si ce que disait le cocher était vrai. Et l'omnibus repartit. Il était toujours très lourd à s'ébranler.

– Merci, chuchota Sarah à la dame au parapluie.

– De rien, dit la vieille. Je déteste qu'on fasse du mal aux animaux, voilà tout.

– En réalité, expliqua Sarah, cet oiseau est déjà mort depuis longtemps. Il est empaillé, vous pouvez le toucher si vous voulez.

– Je déteste la mort, dit la vieille.

Sarah n'insista pas. Elle pensa à la satisfaction de M. Pook, à sa fierté d'artiste quand elle lui raconterait qu'une femme, dans l'omnibus de Highgate, s'était interposée pour protéger le butor étoilé qu'elle prenait pour un oiseau vivant. Elle omettrait de lui préciser que cette femme était âgée, et sa vue probablement défaillante. Elle souhaitait concourir de toutes ses forces au bonheur de M. Pook, qui était pour elle si attentionné.

Cette nuit-là, il s'était levé pour monter voir si elle dormait. Elle avait laissé la fenêtre ouverte pour entendre les bateaux sur le fleuve, et elle grelottait. M. Pook était redescendu lui chercher une couverture supplémentaire. Après avoir fermé la fenêtre, il s'était assis sur le bord du lit, attendant qu'elle se rendorme. S'il avait tenu ses yeux globuleux posés sur elle, elle n'aurait pas pu s'assoupir. Mais M. Pook regardait fixement vers le fleuve. Il était à la fois tout près de Sarah et bien loin d'elle. Il paraissait étrangement triste. Elle avait senti la chaleur de son gros corps tassé sur le lit se communiquer peu à peu au matelas. C'était réconfortant. A un moment donné, il lui avait dit : « Ce rire, vous entendez ce rire ? C'est Sadhana. Je me demande ce qui peut la faire rire comme ça. Est-ce que vous ririez de cette façon, vous, si vous deviez passer la nuit dehors à attendre... mais après tout, on ne sait que trop ce qu'elle attend, et elle rit peut-être parce qu'elle l'a trouvé... » Il était allé jusqu'à la fenêtre, pour voir ce qu'avait trouvé Sadhana. En revenant s'asseoir sur le lit, il avait furtivement faufilé sa main sous la couverture pour vérifier si les doigts de Sarah commençaient à se réchauffer, et maugréé : « Je ne sais pas avec qui elle s'en va. Trop de brume, on n'y voit goutte. Ça a l'air d'être quelqu'un de jeune, pour une fois. Ça marche vite, en tout cas. Si vous n'aviez pas si froid, je rouvrirais la fenêtre un instant pour écouter le bruit des pas – oh ! je serais certainement capable de reconnaître s'il s'agit des bottes d'un marin ou des souliers d'un de ces petits lords qui viennent se dessaler dans le Wapping. Mais il faut vous reposer, vous aurez demain une journée difficile, cette Mme Forbes habite si loin, et c'est une cliente si exigeante ! » Sarah avait fini par s'endormir. Le lendemain, elle avait noté que le bord du lit où s'était assis

contente de manger ceux qui échouent dans mon assiette. Pourquoi devez-vous acheter des oignons ? Êtes-vous une bonne, ou quelque chose comme ça ?

Sarah choisit de ne pas contrarier le jeune homme. Elle voulait gagner sa confiance, et qu'il l'aide à trouver les marchés de Londres où les *Johnnies* allaient vendre leurs oignons – peut-être même accepterait-il de faire avec elle un bout de chemin car, s'il lui donnait seulement une ou deux adresses, elle craindrait trop de s'égarer dans cette ville qui, à travers les carreaux de l'omnibus, lui apparaissait si vaste, si anarchique et tortueuse.

– Je suis au service de Mme Forbes, mentit-elle. Je suis allée chercher cet oiseau pour elle, chez M. Pook, taxidermiste dans le Wapping. Et après ça, il faut encore que je rapporte des oignons pour le déjeuner.

– Vous êtes nouvelle, chez Mme Forbes ? Est-ce que la cuisinière ne vous a pas recommandé un fournisseur privilégié chez qui vous procurer ces oignons ?

Sarah hocha la tête pour acquiescer à la première question, et tout aussitôt la secoua pour répondre non à la seconde.

– Je vois ce que c'est, dit-il en riant. Votre arrivée ne plaît pas plus que ça à la cuisinière des Forbes : jusqu'à présent, c'est elle qui s'occupait du ravitaillement, et elle en profitait pour faire danser l'anse du panier.

– Faire quoi ?

– Elle gardait pour elle une partie de l'argent que lui confiait votre patronne. Vous vous y mettrez vite, vous aussi. Vous ne connaissez pas le système ?

– Oh ! non, protesta Sarah, tout en songeant que, à défaut de celle du panier, elle avait fort bien su faire danser l'anse du bidon de lait sur la digue de Braye.

Du pommeau de sa canne, le jeune homme souleva le bord de son chapeau :

– Je m'appelle Dunglewood, Nicholas Dunglewood. Et vous ? Vous avez une drôle de façon de parler.

Elle se présenta à son tour. De sa voix essoufflée, elle raconta la nuit du couteau, décrivit la folle course de la carriole à travers la lande et le pacte qu'Hermie avait conclu avec le diable. Dunglewood la regardait, fasciné.

– Eh bien, dit-il enfin, c'est une chance pour vous et votre gorge d'avoir trouvé une place à Highgate. C'est encore l'endroit de Londres le plus salubre, là où l'on respire le mieux. Nous avons aussi une source d'eau minérale, par ici. Elle était très prisée, à la fin du siècle dernier. On ne sait jamais, ça pourrait être efficace pour ce que vous avez.

L'omnibus s'arrêta. Sarah descendit. Dunglewood la suivit, marchant si près d'elle qu'on pouvait penser qu'il allait la prendre familièrement par le bras. Ils n'étaient séparés que par le sac où l'oiseau avait l'air plus vivant que jamais. Un vent léger retroussait les plumes de sa calotte, et l'on se serait presque attendu à l'entendre pousser son cri formidable qui, d'après M. Pook, ressemblait à un long mugissement et pouvait porter à plus de cinq kilomètres.

Le taxidermiste avait raison : on se serait cru à la campagne. On apercevait, à travers les frondaisons, un moutonnement de douces collines où s'éparpillait un semis de cottages, de petits hôtels particuliers en briques brunes ou blondes, cachés derrière des retombées de cèdres, de rosiers ou de grands volubilis bleus. Ce quartier aux portes de Londres se donnait des allures de village verdoyant. La plupart des demeures avaient des pergolas, des serres, des vérandas, des jardins d'hiver d'où montait une entêtante odeur d'humus, de feuillages aromatiques, de fleurs épanouies. Le ciel lui-même semblait ici moins cendré, moins spongieux qu'au-dessus du reste de la ville, une lueur diffuse l'irradiait du dedans – ce doit être le soleil, pensa Sarah, qui n'avait jamais connu de paysage aussi placide ; elle s'arrêta un instant, étourdie par le silence qui avait succédé au brimbalement de l'omnibus sur les pavés disjoints.

– J'attends ici pendant que vous allez déposer l'oiseau, dit Dunglewood en s'adossant contre un arbre de South Grove et en sortant sa tabatière. Ensuite, je propose que nous partions ensemble à la recherche de vos oignons.

Voilà donc précisément ce qu'espérait Sarah, mais elle se garda de le montrer : elle ne voulait pas passer pour une jeune personne timorée incapable d'aller toute seule acheter des oignons, ni non plus que Dunglewood se fasse des illusions.

– Merci, mais vous avez sûrement autre chose à faire.

– Ne vous inquiétez pas, dit-il. D'une certaine façon, j'ai l'éternité pour moi : je travaille au cimetière. Je suis graveur sur pierre. J'inscris les noms sur les tombes, les dates, tout ça. C'est une occupation réellement enrichissante – enfin, pour l'esprit, parce que, malheureusement, je ne suis pas à mon compte. Grâce aux épitaphes, on apprend tout un tas de choses : des citations de poètes, des versets de la Bible ; mais le plus amusant, c'est quand on sait que la plupart des gens ont eux-mêmes choisi ce qu'ils voulaient voir inscrit sur leur stèle. Leur dernier déguisement, en somme. A les en croire, tous ont rêvé de bonté, de pureté et de fidélité.

– Ça doit bien arriver quelquefois, murmura Sarah.

Elle pensa à lady Jane et se demanda ce qu'on avait gravé

sur son tombeau ; elle espérait que Gaudion s'en souviendrait.

– Avant, reprit Dunglewood, j'étais seulement peintre en lettres. Je faisais les vitrines, les enseignes. Mais c'était un métier aléatoire : vous ne pouvez pas peindre quand il pleut, tandis que la pluie ne gêne en rien la gravure sur marbre, elle contribue même à éviter qu'on avale trop de poussière. Si cela vous intéresse, je vous ferai tout à l'heure visiter Egyptian Avenue. C'est la plus belle allée du cimetière, celle des riches.

– Les oignons d'abord, dit Sarah.

Au bout d'une allée cavalière noyée dans la verdure, Forbes House était en fait la réunion de deux maisons blanches, hautes de trois étages chacune. Des feuillages vernissés entraient (ou sortaient, car on ne savait pas trop d'où ils tiraient leur origine) par les fenêtres ouvertes. C'était la première fois que Sarah pénétrait dans des pièces où, en plus de ceux qui étaient indispensables à la vie de tous les jours, il y avait un nombre considérable de meubles et d'objets manifestement inutiles, disposés pour le seul plaisir de les admirer. Des domestiques allaient et venaient sans faire aucun bruit. C'était l'heure où l'on remontait les pendules et où l'on changeait l'eau des vases.

Emma Forbes était une petite femme replète et agitée, aux paupières si lourdes qu'on distinguait à peine ses yeux. Chacun de ses mouvements faisait s'envoler de son visage un léger nuage de poudre crayeuse à l'odeur de violette. Elle tourna plusieurs fois autour d'une table en acajou sur laquelle elle avait fait signe à Sarah de poser le butor étoilé. Elle avançait la main pour toucher l'oiseau, puis la retirait vivement, comme si ce contact lui répugnait. « Certaines femmes ont la phobie des animaux naturalisés, avait prévenu M. Pook. Dans ce cas-là, ne les forcez jamais à caresser la bête pour apprécier la douceur de ses plumes. Suggérez-leur au contraire de s'écarter pour mieux contempler l'oiseau dans son ensemble. De trop près, surtout si le travail est récent, il y a toujours le risque de respirer certains onguents ou essences nécessaires à la préparation, et qui rappellent la mort. »

Mais Mme Forbes n'avait aucune phobie, elle était seulement mécontente de l'ouvrage que Sarah lui présentait.

– Pourquoi Pook lui a-t-il dressé et allongé le cou comme s'il s'agissait d'une chandelle ? Cet oiseau vole le cou replié, mademoiselle.

– C'est que monsieur Pook l'a monté dans l'attitude de l'alerte, plaida Sarah, en essayant de se souvenir des explications du taxidermiste. Là, par exemple, on peut s'imaginer qu'il est au milieu d'un marécage : il a peur, il a entendu s'approcher un renard, alors il relève le cou. Ça fait toujours comme ça, ces bêtes-là.

– Un renard ! s'exclama Mme Forbes. Vous racontez n'importe quoi. D'ailleurs, vous chuchotez. On chuchote quand on ne connaît pas sa leçon, et je vois en effet que vous avez mal appris la vôtre. Les renards se jettent à l'eau quand ils ne peuvent pas faire autrement, mademoiselle – pour échapper aux chiens. Mais où avez-vous pris qu'ils pourchassaient les butors étoilés jusqu'au milieu des étangs ?

– Je ne sais pas, avoua Sarah.

– Et Pook n'en sait rien, lui non plus. Pook n'en fait qu'à sa tête, au prétexte qu'il est un artiste. Alors qu'on lui demande seulement d'être un taxidermiste. J'ai bien envie de ne pas payer ce travail et de vous laisser remporter l'oiseau. Peut-être Pook réussira-t-il à le revendre à une personne moins exigeante que moi.

Sarah avait déjà entrouvert son sac pour y enfouir le butor, mais Mme Forbes lui donna sèchement une tape sur les mains :

– Laissez donc cela, petite sotte. Nous allons convenir d'un arrangement : je garde votre oiseau tel qu'il est, quitte à le reléguer au fond d'une armoire, mais, pour prix de ma déception, je ne règle que la moitié de la somme prévue. Qu'en pensez-vous ?

Sarah ne répondit pas. Elle avait remarqué que l'argent que lui tendait Mme Forbes était préparé d'avance sur un plateau d'argent, et compté à un penny près. Ainsi donc, avant même d'avoir vu l'oiseau, Mme Forbes avait-elle prémédité de n'en payer qu'une partie. Pour aider plus tard Gaudion dans son commerce d'oignons, Sarah décida de marquer dorénavant d'un signe particulier le porche de chacune des maisons où elle aurait eu affaire à une personne malhonnête – Nicholas Dunglewood se ferait sûrement un plaisir de sortir son burin et son marteau et de flétrir pour elle le pilier droit de Forbes House, discrètement mais à jamais.

– J'ai un autre ouvrage pour Pook, dit Mme Forbes. Cette fois, il devra s'appliquer. Je vais vous chercher la dépouille.

– Je reviendrai demain, murmura Sarah. Je ne dois pas, le même jour, livrer des oiseaux achevés et emporter des dépouilles. C'est pour ne pas risquer de salir le sac.

– Pook n'a-t-il donc pas calculé que cet absurde système lui fera dépenser le double en billets d'omnibus ? Un surcoût qu'il répercutera sur ses factures, à n'en pas douter. Vous emporterez le nouvel oiseau aujourd'hui, mademoiselle, ou bien je m'adresserai ailleurs.

Désespérée à l'idée que sa première course, dont la rentabilité avait déjà été divisée par moitié, pourrait en outre faire perdre une cliente à M. Pook, Sarah consentit à se charger de l'oiseau mort. Un domestique lui remit alors une chose flasque enveloppée dans plusieurs épaisseurs de torchon, et qui dégageait une fade odeur de volaille.

– C'est un syrrhapte paradoxal, dit Mme Forbes. Que Pook donne le meilleur de lui-même, cet oiseau est si précieux ! On ne l'aperçoit qu'à l'occasion de rares invasions. Mais heureusement, quelques sujets décident parfois de ne pas repartir pour les steppes d'Asie, ils nidifient par ici, et l'espèce se perpétue – oh ! une poignée d'individus seulement. Mon mari a trouvé celui-ci dans un champ, juste après la moisson. Il l'a étouffé très proprement. Tout de même, hâtez-vous de le remettre à Pook.

Il était neuf heures. Parfaitement réglées, toutes les pendules sonnèrent à l'unisson.

Quand Sarah quitta Forbes House, Nicholas Dunglewood était toujours adossé contre l'arbre, occupé à fumer une pipe recourbée dont le fourneau, sculpté par lui, représentait un buste de femme. Sarah lui dit, sans donner ses raisons, ce qu'elle attendait de lui. Il fronça les sourcils :

– Une marque d'infamie sur la maison qui vous emploie ?

Elle lui expliqua qu'ils ne pourraient pas aller ensemble chercher des oignons, à cause du syrrhapte paradoxal qu'elle devait à présent porter de toute urgence chez le taxidermiste.

– Alors je vois ce que c'est, dit Dunglewood en sortant de ses poches ses outils de graveur, vous êtes tombée chez des fous. Peut-être qu'ils vont passer leur temps à vous faire traverser Londres, de Highgate au Wapping et vice versa. Que font-ils de tous ces oiseaux empaillés, croyez-vous ? Un jour, un de ces fichus Forbes finira bien par mourir, et c'est moi qui graverai sa tombe. Je jure de vous venger.

– Comment ? demanda-t-elle, amusée.

– Je ferai une faute d'orthographe, au milieu d'un mot ou d'un autre. Ce sera parfaitement ridicule.

– Et si la famille s'en aperçoit ?

– Il n'existe aucune gomme pour effacer les erreurs gravées dans le marbre. Il faut recommencer la pierre tombale. D'habitude, les gens renoncent. Ils s'accoutument à la faute. A la longue, celle-ci devient même une sorte de curiosité. Et des visiteurs qui n'ont jamais connu le défunt recherchent fébrilement sa tombe, uniquement pour voir la bizarrerie.

– Vous êtes drôle, dit Sarah.

– Et vous, vous êtes plutôt jolie, répliqua Dunglewood en soufflant sur la marque qu'il venait de creuser dans le pilier. Et ça m'est bien égal que vous parliez si bas, j'ai l'habitude, je passe des journées entières dans le silence.

Il rempocha ses outils, et cette fois il prit le bras de Sarah pour l'accompagner jusqu'à l'arrêt de l'omnibus.

Comme celui-ci tardait un peu, elle eut tout le temps de dévisager Dunglewood. Sa manie de se tapoter les dents du pommeau de sa canne lui avait renvoyé les incisives un peu en arrière. Mais il n'avait pas vraiment d'autre défaut physique. Il devait être aussi gentil qu'Hermie, pensa-t-elle, danser aussi bien que Zemetchino, et, même s'il n'était pas aussi fort que Gaudion, il devait être capable de monter un escalier en portant une femme dans ses bras. Si elle le quittait maintenant, elle ne le reverrait probablement jamais, sauf à le chercher dans les allées du cimetière de Highgate – mais serait-il occupé à graver une tombe, justement le jour où elle rapporterait le syrrhapte paradoxal à Mme Forbes ?

Elle se rapprocha de lui. Son costume de velours sentait la fumée du tabac, et ce tabac avait un parfum de feuilles mortes qui brûlaient. C'était une odeur d'autant plus agréable et rare qu'on n'avait jamais vraiment le temps de brûler les feuilles mortes, à Alderney : à peine étaient-elles tombées que le vent les emportait et les jetait à la mer.

Dunglewood lui passa un bras autour de la taille. Sarah repoussa son bras et secoua la tête. Il se pencha sur elle, intrigué, et lui demanda à quoi elle disait non.

– A rien.

Lady Jane laissait partir ses capitaines sans même aller jusqu'à la fenêtre, sans jamais écarter le moindre pan de rideau pour les apercevoir encore une dernière fois dans la rue, juste avant qu'ils ne s'engouffrent dans leur calèche frappée aux armes de l'Amirauté.

– Au revoir, lui dit-elle.

Elle lui tendit la main. Il éleva celle-ci à hauteur de sa bouche, l'effleura de ses lèvres tout en s'inclinant.

– Les manuels de savoir-vivre ne prévoient pas qu'on baise la main d'une petite bonne, dit-il en souriant. Mais je ne crois pas que vous soyez une petite bonne.

– Pourquoi est-ce que vous ne le croyez pas ?

– Parce que vous ne voulez pas venir visiter le cimetière avec moi. Une petite bonne aurait déjà sauté sur cette occasion de s'offrir un moment de plaisir. Surtout que je peux avoir la clé de certains caveaux d'Egyptian Avenue. En été, il n'y fait pas plus froid qu'ailleurs. Les petites bonnes en général, et particulièrement celles de Hampstead et de Highgate, sont des coquines assez faciles à convaincre.

– Qui suis-je, alors ?

Il la regarda avec une tendresse qu'elle ne lui soupçonnait pas et répondit qu'il ne savait pas qui elle était, mais que ça ne le dérangeait d'aucune façon.

– Une espèce de promeneuse d'oiseaux ? suggéra-t-il enfin, au moment où l'omnibus arrivait dans un roulement de tonnerre.

Nicholas Dunglewood ne fit rien pour empêcher Sarah d'y monter, mais il resta ostensiblement figé au milieu de la chaussée tandis qu'elle-même se collait contre la vitre pour l'apercevoir jusqu'à la dernière seconde, et agiter la main pour lui dire adieu.

Puisque lady Jane avait financé cinquante-deux expéditions, Sarah décida qu'elle résisterait cinquante-deux fois à l'attirance qu'un homme, autre que Gaudion, pourrait exercer sur elle. A la cinquante-troisième occasion, elle céderait. A raison d'un émoi par semaine, ce qui, même dans une ville aussi grouillante que Londres, était un calcul optimiste, elle en avait pour au moins un an. C'était un jeu, sans plus et sans risques : d'ici là, elle aurait retrouvé Gaudion.

Après avoir remis le syrrhapte paradoxal à M. Pook, elle demanderait une heure de liberté et une avance de quelques pence pour aller s'acheter un carnet sur lequel elle noterait le nom et les particularités des hommes qui l'auraient tentée. Nick Dunglewood serait le premier à figurer sur ce carnet : *Un peu famélique, mais gentil visage. Sent la feuille morte (son tabac) et la terre (son métier). Mal fagoté (des trucs lourds dans ses poches). Se racle systématiquement la gorge avant de parler, comme quelqu'un qui n'a pas trop l'occasion de causer – est-ce que j'en fais autant ? Semble connaître les usages du monde (on ne baise pas la main d'une petite bonne, dit-il). Fait tournoyer sa canne quand il marche. Jolie canne, d'ailleurs. Elle lui a probablement été offerte par la famille d'un défunt du cimetière de Highgate, ainsi que son costume vert qui n'est pas à sa taille.*

Plus tard, avec Gaudion, dans sa ferme qui servait d'amer remarquable aux navires de Roscoff, ils reliraient ensemble ce carnet et s'en amuseraient beaucoup :

« Celui-là aussi, le vieux marchand de meubles de Petticoat Lane, tu as voulu... ?

– Oh ! c'est lui qui voulait, dirait-elle. La seule chose, c'est qu'il sentait le bois, comme toi.

– Moi, je sens le bois ?

– Eh bien, plus maintenant. Mais la nuit de Hannaine Bay, quand tu es descendu de ton bateau, alors oui ! Le bois mouillé, le goudron. C'est ce qui m'a également plu chez ce marchand de meubles.

– Et le cuisinier d'anguilles de Vallance Road ? Tu écris qu'il avait aussi quelque chose à voir avec moi – mais du diable si j'ai jamais tripoté une anguille !

– C'était un matin dans le petit jardin de Bethnal Green, il a sorti un tronçon de poisson de sa bassine en émail, et il me l'a tendu avec les mêmes mots que toi la nuit de l'oignon cru : "Goûtez ça, vous me ferez plaisir. Tout le monde à Londres vous dira que mes anguilles sont les plus sucrées. Qu'est-ce qu'il y a ? Vous n'en voulez pas ? Ne faites pas tant de chichis..." J'ai fermé les yeux. Ce n'était pas ta voix, bien sûr, mais c'étaient tellement tes paroles.

– C'est étrange, s'étonnerait Gaudion, que tu te rappelles aussi précisément, après tout ce temps, ce que je t'ai dit le premier soir.

– Ce que tu m'as dit et ce que tu m'as fait. Toi, tu ne t'en souviens plus ? »

Il répondrait que si, comment aurait-il pu oublier ? Elle se détournerait légèrement pour sourire de son mensonge. Il lui plairait d'être celle qui avait aimé la première, celle qui continuait d'aimer le plus et le mieux. Gaudion refermerait le carnet, se lèverait en s'ébrouant :

« Il est temps de pousser les volets. Je m'en occupe, reste près du feu, il fait froid dehors. »

Il sortirait dans la nuit. Avant de ramener chaque volet contre la façade, il approcherait son visage du carreau pour regarder Sarah écarter un peu le bas de sa robe afin de permettre à la chaleur des braises de caresser ses cuisses, de monter jusqu'à son pubis. Quand il se coucherait sur elle, tout à l'heure, il apprécierait qu'elle ait le ventre beaucoup plus chaud que les seins – il aimait tant devoir les lui réchauffer en les couvant dans le creux de ses mains.

Enfin, c'était comme ça qu'elle voyait les choses.

En s'engageant dans St. John Street, l'omnibus se trouva soudain empêtré dans un grand déferlement de bestiaux. Une centaine de bœufs dévalaient la rue, pressés flanc contre flanc, la croupe fumante. Quand ils faisaient mine de baisser la tête pour saisir au passage un peu du foin qui jonchait les pavés, les bouviers les frappaient à coups de gourdin. Coincé par le troupeau, l'omnibus s'arrêta devant l'échoppe d'un boucher appelé Spinner. La boutique de ce Spinner était flanquée sur sa droite par celle d'un certain Howitt, marchand de pommes de terre. Ces deux commerces, qui avaient conservé une allure vieillotte, étaient comme incrustés dans une longue façade de briques rouges devant laquelle stationnaient des chariots débordant de carcasses de viande.

– Est-ce un marché ? demanda Sarah au seul voyageur présent dans l'omnibus.

– Le marché de Smithfield, lui dit celui-ci en relevant les yeux de dessus son journal. Mais ces bœufs vont à Islington. Quelle cruauté, de les faire passer par ici ! Les croit-on assez stupides pour ne pas pressentir ce qui va leur arriver ? ajouta-t-il en suivant des yeux un boucher qui sortait des halles en portant sur ses épaules un demi-mouton sanguinolent.

– Je vais descendre, murmura Sarah.

Croyant que la jeune fille était incommodée par la vision du mouton partagé par le milieu, le voyageur approuva :

– C'est ça, descendez vite avant de vomir partout sur les banquettes. Vous savez, ils ne nettoient les voitures qu'une fois par mois, et moi je prends celle-ci tous les jours.

En hochant la tête, le voyageur déploya son journal. La première page du *Penny Illustrated* montrait un policeman projetant le faisceau de sa lanterne sur une silhouette disloquée, allongée sur les marches d'un escalier, la gorge béante.

– J'espère qu'ils trouveront l'assassin, dit le voyageur. On voudrait pouvoir sortir la nuit sans avoir peur.

Sarah s'élança hors de l'omnibus. Échappée du sac, une petite plume resta posée sur la banquette où la jeune fille s'était assise. Le voyageur replia son journal, récupéra la plume entre le pouce et l'index, ouvrit son mouchoir et l'y allongea délicatement – l'indice le plus dérisoire, le plus inattendu, pouvait contribuer à démasquer et confondre cet assassin dont parlait le *Penny Illustrated*.

En habituée, Sarah se faufila sans crainte à travers le troupeau, obligeant les bœufs à s'écarter en claquant sèchement leurs flancs du plat de la main. Les cornes qui la frôlaient lui rappelaient ses parties de dames avec Hermie, les bouses de Londres puaient comme là-bas – et il en tombait davantage dans cette rue en quelques minutes que dans toute l'île d'Alderney en vingt-quatre heures.

Elle s'approcha du commis de chez Howitt, qui, grimpé sur une charrette, déchargeait des sacs de pommes de terre.

– Vous vendez aussi des oignons ? demanda-t-elle.

– Des fois, dit le commis.

– Des oignons français ?

– Ça, j'en sais rien.

Il se retourna vers la boutique, et brailla :

– Est-ce qu'on a des oignons français, nous autres, Mme Howitt ? C'est une petite dame qui demande ça.

La vieille Mme Howitt vint sur le seuil de sa boutique en essuyant les verres de son lorgnon. Elle ajusta celui-ci sur son nez et détailla Sarah avec circonspection :

– Pourquoi français ?

Les bœufs déferlaient devant la boutique. Ils mugissaient si fort que Sarah dut attendre qu'ils soient passés pour chuchoter :

– C'est-à-dire, madame, que je cherche l'homme, le Français, qui aurait pu vous les fournir.

– Un colporteur ? fit Mme Howitt. Des colporteurs, on ne voit que ça toute la sainte journée.

– Mais si celui-là est passé chez vous, insista la jeune fille, vous aurez forcément remarqué qu'il était très grand. Presque un géant, madame, avec des mains énormes.

– Quoi ? dit Mme Howitt. Mais je me fiche pas mal des mains des hommes !

– Excusez-moi, souffla Sarah, mais, comme il ne parle pas anglais, il a bien dû se servir de ses mains pour négocier la quantité et le prix de ses oignons.

– Je ne négocie jamais, dit Mme Howitt, je fixe mon prix et je n'en démords plus. Et puis, on n'est pas trop spécialisés dans l'oignon, par ici. Essayez plutôt le marché de Spitalfields. Là-bas, ils font les fruits et légumes.

– C'est loin ?

– L'East End, intervint le commis en tendant le bras vers sa gauche.

– C'est tout ce qu'il y a pour votre service ? grommela Mme Howitt, qui conclut aussitôt, sans attendre la réponse de Sarah : A cet âge-là, on ne sait rien, on n'achète rien, et on ne fait pas grand-chose non plus. Sauf grappiller par-ci par-là. C'est pour ça qu'on a un grand sac, pour y cacher ce qu'on a volé. Ne revenez plus rôder par ici.

Sarah rougit, humiliée. Mais comme elle voulait en savoir un peu plus sur l'East End et le marché aux légumes de Spitalfields, elle s'efforça de sourire à la vieille femme. Reprenant la formule de Dunglewood, elle expliqua qu'elle promenait des oiseaux pour le compte de M. Pook, taxidermiste dans le Wapping. Mais Mme Howitt lui avait déjà tourné le dos d'un air méprisant. Elle rentra dans sa boutique. Sitôt passée derrière son comptoir, elle ôta son lorgnon, l'essuya encore une fois, soupira et se recroquevilla dans un fauteuil. Il y avait bien longtemps de cela, alors que Smithfield était encore un marché aux bestiaux actif et réputé, Mme Howitt avait été renversée et piétinée par un troupeau de bœufs comme celui qui venait de passer. Ses membres avaient été brisés, puis recollés par les chirurgiens du St. Bartholomew's Hospital, mais d'une façon telle que Mme Howitt pouvait aujourd'hui les replier selon des angles bizarres qui la faisaient ressembler à une grande araignée.

– Ce n'est pas une méchante femme, dit le commis. Quand on attrape un voleur, elle n'appelle pas la police.

– Elle fait quoi ?

– Douze coups de toile de jute bien mouillée. Sur les épaules nues, dans l'arrière-boutique. C'est moi qui les donne, ajouta-t-il en posant sur la jeune fille un regard soudainement intéressé.

Sarah s'éloigna. Elle éternua à cause de la poussière soulevée par les bœufs et qui n'en finissait pas de retomber. Sautillant à cloche-pied pour éviter les bouses flasques qui parsemaient St. John Street, elle se demanda si ce commis en pommes de terre méritait de figurer dans son futur carnet des tentations. Au début, il était gentil, et elle avait pensé qu'il accepterait sans doute de l'accompagner jusqu'au marché de Spitalfields – son ouvrage terminé, bien sûr, mais elle était prête à l'attendre le temps nécessaire, assise sur un sac de pommes de terre. Peut-être aurait-elle pu, dès aujourd'hui, apprendre quelque chose à propos de Gaudion. Grâce à Hermie et à Zemetchino, et même tout récemment grâce à Nicholas Dunglewood, elle savait que, lorsqu'un homme la dévisageait d'une certaine façon, elle pouvait obtenir beaucoup de lui. Mais l'histoire de la toile de jute mouillée avait tout gâché.

Son omnibus avait disparu. Elle en vit passer d'autres, mais ils filaient sans s'arrêter. De toute façon, Sarah ne se serait pas risquée à y monter, elle n'était pas sûre de leur destination. Elle choisit de rentrer à pied, malgré l'averse qui commençait à tomber. De peur que la pluie ne corrompe les chairs du syrrhapte paradoxal, elle n'osait pas mettre le sac sur sa tête pour protéger ses cheveux ; comme chaque fois qu'ils étaient mouillés, ceux-ci perdaient leur lumière, leur blondeur tournait au gris, et ils dégoulinaient sur son visage de façon lamentable.

A chaque carrefour, elle demandait sa route aux passants. Avant de répondre, les hommes l'examinaient. Certains lui disaient : « Allons, petite, prenez mon bras, je vais justement de ce côté-là. » Elle était heureuse de se réfugier sous leur grand parapluie. Mais, en chemin, ils se penchaient sur elle pour lui proposer de passer un moment avec eux – ils avaient tous une chambre dans les environs, ou un ami qui en possédait une, ou bien ils connaissaient un hôtel où l'on pourrait s'arrêter agréablement le temps que la pluie cesse, en prenant le thé et en mangeant des gâteaux. Elle se sauvait. Une fois, une mèche de ses cheveux s'accrocha aux baleines du parapluie. Elle tira, quelques cheveux s'arrachèrent, restèrent fixés au parapluie. L'homme les saisit entre ses doigts et les agita comme un trophée. D'autres passants la trompaient sciemment sur l'itinéraire à suivre et, la voyant s'engager dans la mauvaise direction, ils mordaient leur casquette ou la manche de leur vareuse pour étouffer un fou rire.

Il faisait déjà sombre quand elle reconnut enfin le fleuve et les appontements du Wapping.

M. Pook, qui faisait les cent pas devant la porte, saisit Sarah aux épaules, la poussa à l'intérieur de la maison, où elle resta stupide au milieu de l'eau qui ruisselait de sa robe et formait une flaque à ses pieds.

– Imbécile ! hurla M. Pook. Je vous voyais déjà noyée, tombée de l'omnibus, écrasée sous les roues, est-ce que je sais ! Qui m'aurait prévenu ? Qui connaît votre présence ici ? Croyez-vous qu'il fasse un temps, pour un vieil homme, à courir les postes de police et les hôpitaux ?

Il la gifla, une fois sur chaque joue. La seconde gifle, plus forte que la première, envoya Sarah valser contre le mur. Elle pleura. Elle courut dans sa chambre. Elle se jeta sur le lit. Elle continua de pleurer. Ses joues la brûlaient. Une heure passa. La nuit, à présent, était tout à fait tombée. M. Pook la rejoignit. Il s'assit sur le bord du lit, exactement à la même place que la première nuit. D'ailleurs, le matelas était un peu creusé à cet endroit, M. Pook avait dû s'y asseoir souvent, et longtemps, bien avant l'arrivée de Sarah. Il allongea une main pour lui caresser le visage. Elle rampa vers l'autre extrémité du lit pour lui échapper.

– S'il vous plaît, dit-il, je vous demande pardon.

– Vous m'avez fait très mal, chuchota-t-elle.

– Je sais. Je ne voulais pas. J'ai eu tellement peur.

– Moi aussi. J'ai cru que je ne retrouverais jamais la maison.

Il lui fut reconnaissant d'avoir dit « la maison ». Il allongea un peu plus sa main. Cette fois, Sarah se laissa effleurer.

– 3 –

M. Pook et Sarah dînaient sur l'étroit balcon en planches qui ceinturait le devant de la maison. Surplombant les docks et leur empilage de ballots émergeant d'un fouillis de détritus, cette sorte de passerelle servait autrefois à exposer les fourrures au grand air et au soleil. Tout au long de la rive opposée, on apercevait, se succédant comme les lampions d'une guirlande sans fin, les lumières rouges des feux de position des bateaux ; des fanaux brasillaient sur le fleuve, accrochés aux mâtures des petites barques des shipchandlers qui, malgré l'heure tardive, allaient d'un navire à l'autre pour se faire régler leurs factures avant les appareillages matinaux qui avaient trop souvent des allures de déménagements à la cloche de bois. De la Tamise montait ce soir une lourde odeur de vase, tandis qu'un silence étrange pesait sur le Wapping, à cette heure qui n'était déjà plus celle du négoce et pas encore celle de la truanderie.

– Non, je ne vous enverrai pas dans l'East End. Ruelles obscures, baraques sordides, de la fange, du pourri, du lugubre et du danger partout. C'est du coup que j'aurais des raisons de m'inquiéter pour vous. D'ailleurs, qu'iriez-vous y faire ? Aucun *eastender* ne m'a jamais acheté d'oiseau. En ont-ils seulement vu voler un seul, un vrai, ces gens-là ?

De temps à autre, M. Pook coupait un morceau de son omelette au poulpe, l'inondait de sauce au soja, et le jetait par-dessus la rambarde de bois.

– Pour Sadhana, blottie là-dessous, expliquait-il. Si je lui donnais de la main à la main, elle se croirait obligée de s'incliner, de dire merci. Et elle est si fière ! Tandis que là, nous partons elle et moi du principe que je lance de la nourriture aux chiens qui rôdent. Je ne suis pas supposé savoir qu'elle est plus prompte qu'eux.

– Elle ne gagne pas assez d'argent pour manger ?

– Raisonnons autrement, dit M. Pook. Quand elle a mangé, elle ressent moins le besoin de travailler. La moitié d'une omelette, c'est une heure de trottoir en moins. Une côtelette, c'est deux heures de trêve. Un bon poulet rôti, c'est presque toute une nuit d'épargnée.

– Pourquoi m'avez-vous engagée, moi, et pas elle ?

Il se détourna pour lancer un nouveau morceau d'omelette. Sarah entendit le petit son mat des pieds nus de Sadhana frappant le pavé, et le froissement de sa robe. Un chien gronda.

– Raté, dit M. Pook. Cette fois, le chien semble avoir été le plus rapide. Je n'avais peut-être pas très bien visé.

– Elle a travaillé pour vous, insista Sarah, j'en suis sûre. Elle aussi, elle a promené des oiseaux. Mais vous ne l'avez pas gardée. Qu'a-t-elle fait de mal ?

– C'est le mal qui lui a fait quelque chose.

Elle se pencha en avant :

– Quel mal, M. Pook ? De quelle espèce de mal voulez-vous parler ?

Le taxidermiste ne répondit pas. Il laissa passer un temps, puis :

– Mercredi, vous livrez dans Tite Street, au n° 3, chez M. Oscar Wilde. La maison s'appelle Keats House, façade en briques rouges et jaunes, toiture en tuiles vertes, balcons fleuris à chaque fenêtre. Il n'y a pas un an que M. Wilde a emménagé à Chelsea, en compagnie d'un artiste, et déjà leur maison est tout à fait charmante. C'est autre chose que l'East End, cela !

Peu à peu, Sarah avait pris la mesure de la ville. Elle savait à présent emprunter les omnibus et même utiliser leurs correspondances sans se tromper de ligne. « Il faudra vous y reconnaître avant l'époque des brouillards, l'avait prévenue M. Pook. Quand ils s'installent, il vaut mieux avoir ses propres repères. » Elle avait choisi de s'orienter par rapport au fleuve. Il lui arrivait, quand elle ne se sentait pas sûre d'elle, de faire un long détour pour retrouver la rivière et repartir alors du bon pied ; car, même dissimulée sous un fog glauque et poisseux, la Tamise se signalait de loin par ses odeurs de boue, de saumure et de brai, par le fracas continu des marteaux des calfats, le grincement des poulies, et ce bruit de dortoir immense, cette respiration rauque et sifflante des dockers qui chargeaient et déchargeaient les bateaux.

Ses livraisons ramenaient Sarah toujours à peu près dans les mêmes quartiers. Les habitués des omnibus de Cheyne Walk, de Belgravia, de Marylebone, de Mayfair ou de Tavistock Square la connaissaient bien. Dès qu'ils l'apercevaient sur le trottoir, ils s'empressaient de lui ouvrir la portière et se poussaient pour lui faire de la place. Les têtes d'oiseaux qui dépassaient de son sac de toile mettaient une note de gaieté dans l'atmosphère confinée des voitures.

Dès la fin septembre, les jours s'étaient mis à raccourcir d'une manière sensible, il faisait encore nuit quand Sarah partait pour ses premières livraisons ; la buée sur les vitres l'empêchait de passer le temps du trajet à regarder le spectacle de la rue. Avant Sarah, les voyageurs lisaient le journal, somnolaient ou jouaient aux cartes sur un coin de banquette. Mais à présent, ils se serraient autour de la jeune fille pour l'écouter leur raconter les mœurs des oiseaux qu'elle promenait. Selon les espèces qu'elle décrivait, leurs aires d'hivernage ou de nidification, les voyageurs avaient l'impression de se promener en forêt ou de longer un étang, de courir sur une lande ou de se pencher au bord d'une falaise. Certains d'entre eux, qui n'avaient en réalité rien à faire dans

St. James Street ou Cromwell Road, prenaient exprès l'omnibus pour le seul plaisir d'entendre ces petites conférences improvisées. A sa demande, M. Pook avait imité pour Sarah les cris de parade ou d'alerte des oiseaux et, malgré sa voix éteinte, elle les répétait pour distraire ses compagnons :

– *Kokolop, kokolop,* ça c'est la bécassine sourde, *kokolop, kokolop,* est-ce qu'on ne dirait pas un peu le trot de notre cheval ? Le bécasseau violet, c'est comme quelqu'un qui rit : *pupupupupu.* Et le râle d'eau, *gruuweeit, grruit, grou, gra,* à quoi est-ce qu'il vous fait penser ?

– A un petit cochon qu'on égorge ? proposait un voyageur.

– Gagné, monsieur !

– Et je gagne quoi, mademoiselle ? N'avez-vous pas dit que la récompense était un baiser ?

– Si fait, s'esclaffaient les autres, c'est bien ce qu'elle a dit !

– Mais non, pas du tout, protestait Sarah en riant avec eux.

L'omnibus se partageait aussitôt en deux camps : l'une des factions poussait le vainqueur vers Sarah, l'autre empoignait la jeune fille pour l'obliger à se rapprocher de l'homme. Elle prenait le visage du voyageur entre ses mains fraîches et lui posait un baiser sur le front.

– Earl's Terrace, Kensington ! annonçait le cocher.

– Mon Dieu, chuchotait Sarah, mais c'est ici que je descends ! Voyons, messieurs, cessez de chahuter, et laissez-moi passer...

Ils s'agglutinaient contre les vitres qu'ils essuyaient à grands revers de leurs manches pour suivre des yeux la jeune fille qui s'éloignait en balançant son sac de toile – quelquefois, elle en portait deux. Elle ne leur avait jamais dit son nom, mais ils eurent tous la même idée que Nicholas Dunglewood, et ils l'appelèrent entre eux la Promeneuse d'oiseaux. Sauf dans l'omnibus qui traversait la City, où on l'avait baptisée la Chinoise : ce surnom lui avait été donné par un banquier de Lombard Street, revenu d'inaugurer une succursale à Hong Kong, et qui affirmait avoir vu là-bas des Chinois promener de petits oiseaux, le soir, dans de jolies cages ouvragées.

Malgré l'attention, parfois un peu trop appuyée pour des gentlemen, que lui portaient les voyageurs des omnibus, Sarah n'avait pas encore eu beaucoup de noms à inscrire dans son carnet des tentations ; à celui de Nicholas Dunglewood qui l'avait inauguré, elle ajouta tout de même celui d'Oscar Wilde.

M. Wilde ne s'était pas dérangé pour examiner l'oiseau qu'elle lui apportait, un tétras-lyre en attitude de parade, avec ses sous-caudales blanches largement déployées et, au-dessus des yeux, les caroncules bien rouges et gonflées. Un valet s'était chargé de recevoir l'oiseau qu'il avait d'ailleurs à peine regardé, se contentant de grommeler qu'il espérait bien que M. Wilde n'allait pas se mettre à collectionner les animaux naturalisés comme il le faisait déjà des porcelaines de Chine. Il avait alors quitté la pièce pour aller chercher l'argent de la facture que Sarah lui présentait. Celle-ci s'était approchée d'une porte masquée par une tenture de velours cramoisi. Après avoir écarté la tenture et entrebâillé la porte pour voir ce qu'il y avait derrière, elle avait découvert une sorte d'atelier de peintre. Assis dans un fauteuil en rotin qui débordait de coussins à glands et à pompons, un homme d'une trentaine d'années fumait un cigare long et fin. Son élégance, inhabituelle pour quelqu'un qui était chez lui et ne faisait apparemment rien d'autre que contempler des tableaux inachevés, avait frappé Sarah. Sur un pantalon à rayures blanches, M. Wilde portait une veste d'un noir profond qu'éclairaient une pochette de soie grège et une fleur de gardénia. Sa cravate s'ornait d'une épingle d'or où brillait un diamant. Il avait un visage un peu empâté, surtout au menton, et une bouche aux lèvres épaisses. Il avait deviné la présence de Sarah, tourné son regard vers elle, et celle-ci s'était sentie troublée par la douceur triste de ses yeux. Elle lui avait souri, mais il ne lui avait pas rendu son sourire. Il l'avait fixée encore un instant, comme s'il ne parvenait pas à décider s'il allait se montrer avenant ou bien désagréable. Finalement, il n'avait été ni l'un ni l'autre et s'était contenté de demander, d'une voix lasse :

– Êtes-vous la nouvelle marchande de violettes ?

– J'ai juste apporté un bel oiseau pour vous, monsieur Wilde. Vous ne voulez pas y jeter un coup d'œil, s'il vous plaît ? En rentrant, j'aimerais pouvoir dire à M. Pook ce que vous en pensez.

– Mon ami Miles raffole des jeunes marchandes de violettes, avait dit Wilde comme s'il n'avait pas entendu la réponse de Sarah. Mais je préfère qu'il n'en amène pas trop ici, même si cette maison est autant à lui qu'à moi.

Il avait pointé son cigare vers un dessin posé sur un chevalet. Ce fusain représentait une petite fille dépeignée, proposant des bouquets à des gens qui sortaient d'un théâtre. Le bas de sa robe était effrangé, et laissait voir la nudité de ses jambes presque jusqu'aux genoux.

– Vous aimez ?

– Oui, monsieur Wilde.

Cette petite fille ressemblait à celle que Sarah avait été quelques années auparavant – il suffisait de remplacer le panier de violettes par des bidons de lait, et les colonnes du théâtre par les fondations du brise-lames.

– Ce cher Miles a beaucoup de talent. Enfin, pour le dessin. Quand il s'essaye à peindre, c'est une autre histoire. Il est daltonien, comprenez-vous ?

Sarah ignorait ce que cela voulait dire. Elle crut qu'il s'agissait d'une maladie grave et chuchota qu'elle en était désolée pour M. Miles. Malgré son trouble, ou peut-être justement à cause du fourmillement délicieux que celui-ci provoquait en elle, elle soutint le regard de Wilde. Les hommes qu'elle avait rencontrés jusqu'alors avaient tous dans les yeux quelque chose de farouche, de violent parfois. Elle les sentait tendus, bâtis pour l'alerte et le combat. Cette tension, pour autant qu'elle pouvait en juger, n'existait pas chez Wilde. Il dévisageait Sarah comme un enfant – non pas comme si elle était une enfant, mais comme si lui-même en était un. Elle se disait qu'il avait probablement eu le même regard en naissant, et qu'il l'avait gardé ainsi, intact et inaltéré depuis tout ce temps. Et ce regard valait à lui seul toutes les choses ravissantes dont regorgeait pourtant la maison de Tite Street.

– Je suis de plus en plus certain que c'est Miles qui vous a fait venir. Les violettes, les oiseaux, tous les prétextes lui sont bons pour attirer de jeunes modèles.

C'est alors que le valet était revenu dans la pièce avec l'argent. Il avait posé celui-ci sur une petite table précieuse et s'était empressé de fermer la porte de l'atelier et de laisser retomber le rideau cramoisi. Wilde n'avait rien fait ni rien dit pour l'en empêcher.

– M. Wilde déteste être importuné. Vous êtes payée, alors maintenant allez-vous-en. La prochaine fois, veillez à passer par l'entrée de service, comme tous les fournisseurs. Vous auriez pu aussi bien tomber sur le prince de Galles.

– Le prince de Galles ? avait balbutié Sarah. Je ne savais pas...

– Il est venu ici, pas plus tard qu'en juin, assister à une séance de télépathie. Mais à Salisbury Street, déjà, et ce n'était pourtant qu'une vilaine tanière, nous recevions des personnes du grand monde.

– Est-ce que lady Franklin est venue à Salisbury Street ?

– Je ne vois pas de qui vous voulez parler, avait dit le valet en la poussant dehors.

Après être sortie, Sarah s'était promenée dans Cheyne Walk. Des chaloupes à voile déchargeaient des fûts de bière. L'un d'eux avait échappé aux portefaix, il était tombé, s'était brisé, et la bière avait commencé à se répandre sur le quai en une scintillante coulée de mousse crépitante. Cette vision avait donné soif à Sarah, qui était entrée à la Tête du Roi et les Huit Cloches pour se faire servir une citronnade. Par une étrange coïncidence, il y avait là, assis à une table voisine de la sienne, deux jeunes hommes aux costumes râpés, et ils parlaient justement d'Oscar Wilde :

– Il achève un recueil de contes. J'en ai lu un ou deux. Je t'assure, c'est extraordinaire.

– Est-ce que c'est doux et triste ? avait demandé Sarah.

Les jeunes gens l'avaient dévisagée, intrigués. Mais, voyant qu'elle était si jeune, celui qui venait de parler avait haussé les épaules et dit avec morgue :

– Pas du tout. C'est subtil et raffiné.

– Et puis, avait ajouté son compagnon, qu'est-ce que ça peut vous faire ?

Elle avait avalé précipitamment une gorgée de citronnade dans l'espoir illusoire de rendre sa voix un peu plus audible :

– Eh bien, j'étais chez lui tout à l'heure – chez M. Wilde, je veux dire.

– Et il vous a parlé de son nouveau travail ? Vous êtes dans la confidence du dieu ?

– Oh ! non, avait-elle dit en rougissant.

Alors les jeunes gens s'étaient détournés sans plus s'occuper d'elle. Elle avait ouvert son carnet, sucé la mine de son crayon et noté : *Oscar Wilde. Un poète. Mais les filles punies de l'école d'Alderney n'ont jamais copié un seul poème de ce type-là. En tout cas, je ne connais personne qui en ait gagné un à la loterie de la kermesse d'été. Malgré ce que raconte M. Pook, il n'est sûrement pas encore très célèbre comme poète, voilà l'explication. Mais il est si bien habillé, si triste et si doux, et il connaît le prince de Galles. Sa maison sent le cigare et le chèvrefeuille. Quand je vois une maison comme ça, je vois en même temps que je suis pauvre ; que nous tous, là-bas, nous sommes pauvres, et que nous ne le savons pas – non, même pas John Pentecôte et son fils Armand. La plus belle chose de notre maison, la soupière blanche, celle qui a des fleurs tout autour et qui sera à moi quand je me marierai avec Gaudion, si on la donnait à M. Wilde, il la cacherait dans un coin, ou bien il se dépêcherait de la casser. Si les yeux de M. Wilde restent ouverts et vous regardent pendant un baiser, ça doit produire un effet bizarre. On ne doit plus très bien savoir comment embrasser. De toute façon, je ne sais pas embrasser, Gaudion l'a dit. Si M. Pook tient sa promesse de m'emmener avec lui au théâtre de Drury Lane, je reverrai peut-être M. Wilde. J'ai quelque chose à lui demander : je voudrais connaître son ami, M. Miles, pour qu'il me fasse un dessin de Gaudion. Si, en échange, ce M. Miles veut voir mes genoux, je les lui montrerai. Ce serait tellement plus commode, un dessin, quand je demande aux gens s'ils n'ont pas aperçu Gaudion.*

– 4 –

En rapportant le syrrhapte paradoxal à Mme Forbes, laquelle lui avait aussitôt confié un faucon hobereau déjà naturalisé mais dont une aile était brisée, Sarah avait fait un détour par le cimetière de Highgate. De loin, elle avait agité le sac d'où dépassait la tête du faucon. Il neigeait, et les flocons s'étaient amassés sur l'oiseau. Le gardien le prit pour une statuette en marbre blanc représentant le dieu Horus – les familles assez fortunées pour entretenir un mausolée dans Egyptian Avenue étaient de plus en plus nombreuses à commander ce genre de sculptures.

– Ça va, dit-il en ouvrant la grille, vous savez où trouver Dunglewood ?

Ses outils de graveur posés à côté de lui, le jeune homme dessinait le tracé d'une future inscription en lettres gothiques sur une pierre tombale encore vierge. Entre deux traits, il mordait de bon appétit dans un quignon de pain, chassant au fur et à mesure les miettes qui retombaient sur son maigre habit vert. Il parut joyeux en reconnaissant Sarah :

– Êtes-vous entrée en curieuse, ou bien est-ce moi que vous cherchiez ? J'espérais bien vous revoir un de ces jours, mais...

– Je vous cherchais, murmura-t-elle en souriant.

– Avez-vous trouvé vos oignons, finalement ?

– Non.

– Pauvre Mme Forbes ! Il semble bien qu'elle soit tombée sur la servante la moins compétente de toute la ville. Bon, ajouta-t-il en faisant palpiter ses narines, on dirait qu'à défaut d'oignons elle s'est rabattue sur l'ail.

– Je n'ai jamais travaillé chez Mme Forbes, et c'est moi qui sens l'ail, avoua Sarah. Hier soir, chez M. Pook, nous avons eu un souper marseillais.

Elle lui raconta M. Pook, l'atelier de taxidermie, les repas préparés par les cuisiniers des bateaux.

– Mais M. Pook ne me laisse pas une heure de liberté. Quand je ne suis pas en livraison, il me garde chez lui pour l'aider dans ses préparations. Avec l'hiver, ses rhumatismes l'ont repris. Il n'a plus les doigts assez agiles pour effectuer certaines manipulations qui demandent de la dextérité. Alors c'est moi qui tiens le scalpel. Je n'aime pas ça. Si vous saviez comme ces pauvres oiseaux sentent mauvais quand on les dépouille.

– Je commence à comprendre votre passion des oignons, fit Dunglewood en riant. C'est pour manger un de vos oiseaux de temps en temps, en le faisant mijoter.

– Taisez-vous, dit-elle, c'est une idée horrible.

Alors elle lui expliqua tout, en commençant par son histoire avec Gaudion, en finissant par celle de lady Jane et de ses cinquante-deux capitaines. Elle n'avait pas besoin de chercher des mots extraordinaires : le silence de Highgate, l'environnement funèbre et la neige donnaient à son récit une vérité étrange ; Dunglewood laissa son regard errer sur les bouquets d'ifs et les sépulcres, et il n'était pas loin d'y voir en effet les formes de navires serrés par la banquise.

– ... et si vous voulez bien, vous aussi, me servir de capitaine, je vous donnerai un peu d'argent.

Le graveur s'ébroua, ramena son regard sur la jeune fille qui grelottait à côté de lui :

– De l'argent ? Vous en avez donc ?

– Je reçois des pourboires. Je les garderai pour vous, sans y toucher.

Lors de leur première rencontre dans l'omnibus, il avait aussitôt décidé de faire l'amour avec elle. La vie était ainsi (mal) faite que Nicholas Dunglewood n'avait encore jamais connu de femme vraiment blonde, et il estimait, encouragé en cela par ses amis Peter et Harris, que ça ne pouvait pas continuer ainsi. Il s'était donc vu emmenant Sarah au music-hall (il choisirait une de ces stupides opérettes sentimentales qui remplissaient les salles de Covent Garden), puis l'invitant à souper dans un endroit bruyant et enfumé pour achever de l'étourdir, et surtout la faisant boire sans qu'elle s'en rende compte (il suffirait pour ça de commander des liqueurs sucrées, toutes les filles qu'il connaissait en raffolaient), et ensuite l'entraînant dans son logis. Le vieil escalier empestait l'urine et le chou, il y avait toujours un ou deux rats embusqués dans le couloir tortueux, mais sa promeneuse d'oiseaux ne s'apercevrait de rien. Les femmes amoureuses se fichent pas mal de ces choses-là, et Sarah serait amoureuse puisqu'elle serait ivre.

Mais maintenant, après l'avoir entendue lui raconter de sa voix morte, les lèvres bleuies par le froid, l'interminable fidélité de cette lady Jane à laquelle elle s'identifiait, il la considérait avec une vague répulsion : peut-être une vraie blonde, pensa-t-il, mais sûrement une vraie folle – sois donc prudent, Nick Dunglewood, ne va pas sacrifier ta paisible existence au plaisir douteux de friser entre tes doigts quelques poils pubiens d'une couleur que tu crois ne pas connaître ; regarde ses cheveux, c'est exactement pareil en bas de son ventre, Harris te l'a dit mille fois, et Peter aussi.

Mais puisque Sarah ne serait jamais sa maîtresse, alors autant saisir le lot de consolation qu'elle lui proposait – quelques livres sterling seraient bonnes à prendre aux approches de Noël.

Il lui sourit :

– Voilà une affaire qui pourrait m'intéresser. Admettons que je le retrouve, votre marchand français, qu'est-ce que je devrai lui dire ?

– Que Sarah McNeill est à Londres, qu'elle est prête à repartir avec lui. Qu'il vous donne une adresse, j'y serai dans l'heure qui suit. Je commence à pas mal me débrouiller avec les omnibus, ajouta-t-elle en lui rendant son sourire.

– Où et quand pourrai-je vous faire mes rapports ?

– Je vous verrai ici.

– Même si les gens meurent plus volontiers en hiver qu'en été, je n'y suis pas tous les jours.

– Je reviendrai autant de fois qu'il faudra. En plus de Mme Forbes, nous avons de nombreux clients dans Highgate et Hampstead.

Entre deux épitaphes, Dunglewood commença donc par écumer les marchés de Londres en quête d'oignons français et de leurs fournisseurs. Mais ce fut pour apprendre que les *Johnnies* fréquentaient surtout les villes du sud-est de l'Angleterre, plus facilement accessibles depuis Roscoff, et que de toute façon, en cette saison, la plupart d'entre eux étaient déjà rentrés au pays depuis longtemps. Vite convaincu que Gaudion n'était probablement jamais venu à Londres et que, s'il y était venu, il en était à présent reparti, Dunglewood hésita toutefois à informer Sarah de l'échec de sa mission.

Car, de son côté, la jeune fille tenait scrupuleusement sa promesse : à chacune de leurs rencontres au cimetière de Highgate, elle remettait à Dunglewood de quoi s'offrir un ou deux bons repas généreusement arrosés de bière forte et crémeuse. L'approche des fêtes et le temps épouvantable qui régnait sur l'Angleterre en ce début de l'hiver 1881 incitaient en effet les clients de M. Pook à la générosité ; ils invitaient Sarah à prendre un peu de thé et un biscuit, à s'approcher du feu pour se réchauffer avant de repartir patauger dans la neige fondue et affronter le vent glacé – et ce n'était pas comme avec les quaipeaux, il s'agissait là de vraies flambées qui dévoraient de vraies bûches en produisant des flammes claires et odorantes. Sarah devait se faire violence pour résister à la tentation de s'attarder. « Merci, disait-elle, mais il paraît que beaucoup d'omnibus sont restés remisés, et ça n'empêche que je dois être à Mayfair dans une demi-heure. Mais si Votre Grâce me donne une pièce pour ma peine, je m'arrêterai après ma tournée pour boire un grog à sa santé. » La pièce, qui était parfois d'argent, passait ainsi du gousset de Sa Grâce dans le corsage de Sarah, et de là dans la poche de Dunglewood. Ce dernier ne voyait donc pas pourquoi, au nom d'une conviction qui après tout n'était pas une preuve, il se serait privé bêtement d'une source de petits revenus aussi régulière. La malhonnêteté – la pire de toutes, se persuadait-il – ne serait-elle pas de jurer à Sarah qu'il n'existait plus aucune chance de tomber sur Gaudion au hasard d'une rue ? D'ailleurs, les fameux capitaines de lady Jane croyaient-ils vraiment à la possibilité de retrouver les traces de John Franklin, de le secourir et de le ramener vivant ? Allons donc ! pensait Dunglewood en se balançant sur sa chaise du Chevalier et les Iris, un établissement de Greenwich qui avait désormais ses faveurs.

Et puis il devait reconnaître qu'il prenait de plus en plus de plaisir à ses rencontres avec Sarah. Pour leurs rendez-vous, il avait choisi un caveau de famille qui avait la particularité, à vrai dire inexplicable, de posséder deux verrous, dont un qui se manœuvrait de l'intérieur. Ils pouvaient ainsi s'y enfermer, sans crainte d'être dérangés. Ils n'avaient jamais fait qu'y bavarder, à distance l'un de l'autre, assis chacun sur un gisant de marbre. Mais Dunglewood ne désespérait pas que Sarah soit un jour trop fatiguée pour résister à l'atmosphère lénifiante du caveau, et ne finisse par s'endormir un moment. Alors, avec la délicatesse extrême qu'il mettait dans ses gestes de graveur, il soulèverait sa robe, son jupon si elle en avait un, et il verrait enfin luire dans la pénombre cette mousse dorée, si émouvante d'après Harris et Peter, qui différenciait les blondes des brunes.

Ayant fait taire ses scrupules, Dunglewood choisit donc de continuer le jeu en alimentant la jeune fille en fausses nouvelles.

Ainsi, pas plus tard que mardi dernier, juste comme les

douze coups de midi sonnaient au clocher de St. Paul et que les marchands de Covent Garden commençaient à déménager leurs panières de légumes et à rempiler leurs tréteaux, il lui avait semblé apercevoir, derrière la Grande Halle, une silhouette qui pouvait être celle de Gaudion.

– Eh bien, était-ce lui ? demanda Sarah, dont la respiration s'était presque arrêtée.

– Si vous avez mis votre joli museau dehors ce jour-là, dit Dunglewood, rappelez-vous : pas de neige, pas de vent non plus, mais ce maudit fog, si épais que je ne pouvais être sûr de rien. Pour en avoir le cœur net, j'ai aussitôt couru après notre silhouette. Je la vois qui se faufile sous le portique de St. Paul. C'est bien notre homme, me dis-je, car, d'après ce que j'ai appris des Bretons, ils raffolent des églises même quand elles ne sont pas très catholiques. Je vais pour traverser la place. Un fiacre surgit du brouillard, qui manque de me renverser. Je suis sauf et j'ai vraiment autre chose à faire que de m'en prendre au cocher, mais voilà cet imbécile qui ameute la populace en braillant que j'ai cherché à me jeter sous ses roues. Quand ma bonne foi est enfin reconnue, il est trop tard, Gaudion a disparu.

– Gaudion, vous dites ? C'est donc que vous croyez... ?

– Sans ce damné brouillard qui nous fait parfois prendre nos rêves pour la réalité, je serais même parfaitement convaincu que c'était lui.

– Parce que l'homme était grand ?

– Très grand.

– Les cheveux ?

– Comme vous me les avez décrits : longs, sombres et retombant jusque sur les épaules.

– Et ses mains, vous avez pu voir ses mains ? Personne n'a

des mains comme Gaudion. En voyant ses mains, vous pouviez savoir si c'était lui.

Il hésita. Sarah, dont la bouche s'était mise à trembler, semblait au bord des larmes. Le plus cruel, réfléchit Dunglewood, serait évidemment de prétendre avoir reconnu ses mains et de l'avoir pourtant laissé filer.

– Non, avoua-t-il enfin, je n'ai pas vu ses mains. Mais attendez, je vous ai gardé le meilleur pour la fin. Figurez-vous que deux jours plus tard, alors que j'enquêtais pour votre compte à Billingsgate Market...

La première déception l'avait rendue méfiante :

– Billingsgate ? Pourquoi aller perdre votre temps à Billingsgate ? C'est un marché aux poissons ! J'y suis passée une fois en allant porter un héron dans Fenchurch Street.

– Sans doute, rétorqua Dunglewood. Et alors ? N'avez-vous jamais mangé de poisson rissolé aux oignons ? On peut imaginer que Gaudion, ne trouvant plus à se défaire du reste de sa marchandise sur les marchés traditionnels...

– Et vous l'avez vu à Billingsgate ? coupa-t-elle.

– Peut-être pas aussi bien que je vous vois, mais tout de même d'assez près pour supposer que c'était lui. A coup sûr, ou peu s'en faut.

De nouveau, Sarah donna l'impression de ne plus savoir respirer. Comme elle est crédule et naïve, songea Dunglewood avec une pointe de regret, et comme j'aurais pu facilement la convaincre de me faire les choses les plus folles si j'avais été son amant !

– Avait-il un bâton ? demanda-t-elle.

– Un long bâton, quasiment une perche pourrait-on dire, qu'il tenait en équilibre sur son épaule gauche. Et au bout de la perche...

– … un chapelet d'oignons ?

– Non, des morceaux de raphia. Mais qui pouvaient tout aussi bien avoir attaché des oignons.

– Cette fois, vous lui avez parlé ?

– Hélas ! mademoiselle McNeill, il ne marchait pas, il courait.

– Vous pouviez courir aussi.

– Regardez la longueur de mes jambes, et rappelez-vous les siennes. Et puis, des entrailles de poisson, tout un tas de viscères gluants, jonchaient le pavé – j'ai glissé sur cette saleté et…

– … et le temps que vous vous releviez, conclut-elle, Gaudion était déjà loin.

– Ce qu'il y a d'épatant avec vous, remarqua Dunglewood, c'est que vous voyez les choses comme si vous y étiez.

Elle ouvrit la porte du caveau. Brutalement agressée par la réverbération de la neige sur laquelle brillait le soleil, elle dut fermer les yeux. Alors les larmes, trop longtemps retenues, perlèrent sous ses cils, gonflèrent et roulèrent sur ses joues. Elle ne les essuya pas. Aussi courageuse qu'elle ait été, lady Jane avait bien dû pleurer quelquefois, elle aussi, en prenant prétexte d'une migraine.

– Un éblouissement, dit Sarah.

– Ah ! s'écria Dunglewood en lui tendant son mouchoir, la délicieuse fragilité des yeux clairs !

– Qu'allons-nous faire, maintenant ?

– Nous obstiner, dit Dunglewood, poursuivre nos recherches. Mais, à mon avis, il ne sert plus à rien de faire les marchés. D'ailleurs, avec l'hiver, la plupart des maraîchers rangent leurs éventaires. Je songe plutôt à explorer les docks.

A défaut d'un étalage d'oignons français, je vous dénicherai peut-être la goélette qui les a transportés.

Mais après quelques semaines, la quête de la *Dame-de-Penhir* s'étant avérée aussi vaine que les précédentes, Nicholas Dunglewood eut une autre idée :

– D'après des matelots à qui j'ai offert une tournée dans une taverne de Southwark, les conditions de navigation en Manche sont devenues sévères dès le début de l'automne. Du coup, certains *Johnnies* auraient renoncé à reprendre la mer et seraient restés coincés là-bas, en Cornouailles.

– Vous voulez dire qu'ils sont en hivernage, quelque chose comme ça ?

N'était-ce pas précisément ce à quoi avaient dû se résoudre John Franklin et les équipages de l'*Erebus* et du *Terror* ? Ce rapprochement émut Sarah et lui apparut comme un heureux présage.

– Gaudion est-il prudent ? demanda Dunglewood.

Elle sourit :

– Prudent, je ne sais pas. Mais il n'est pas assez bon marin pour affronter une mer déchaînée.

– Donc, il n'aura pas pris le risque de franchir la Manche. Il y a de fortes chances qu'il soit à Polperro, à Falmouth ou dans un de ces coins-là, en train de calfater. Ce serait assez facile à vérifier. En tout cas, je me tiens à vos ordres. Le seul problème…

– Je sais, devina-t-elle, il vous faut de l'argent.

– Pas seulement pour aller là-bas. Mon travail ne m'est pas payé au mois, mais à la ligne. Du coup, un chômage de quinze jours représenterait pour moi un grave manque à gagner.

Elle s'éloigna dans l'allée des catacombes, s'arrêtant souvent pour tapoter ses pieds contre la margelle des tombes afin de faire tomber la neige qui engluait ses souliers. Dunglewood gambadait autour d'elle, soufflant alternativement le chaud et le froid, l'espoir et la résignation :

– En Cornouailles, là-bas, ce n'est pas comme à Londres, un étranger ne passe pas inaperçu. Et les bateaux sont mouillés dans des baies, bien alignés et tout ça, rien à voir avec nos docks où une chatte ne retrouverait pas ses petits. J'aurai tôt fait de le repérer, votre Gaudion. Voulez-vous parier qu'il ne me faudra pas plus de deux ou trois jours ? Mais évidemment, vous pouvez renoncer à lui. Du moins pour cette année-ci. L'été prochain, vous reprendrez vos recherches. Et peut-être aurez-vous plus de chance. Sauf s'il abandonne le commerce des oignons. Ou s'il s'est marié. S'il est aussi bel homme que vous le dites, et seul maître sur sa terre, les occasions ne doivent pas lui manquer. Les femmes françaises sont tellement plus délurées que les nôtres. Oh ! je ne dis pas ça pour vous décourager.

– Vous ne me découragez pas. J'aurai l'argent.

Il s'arrêta près d'un mausolée, déballa ses outils. Sur la pierre était gravé le commencement d'une citation :

La fin de la vie n'est pas l'action mais la contemplation,
pas faire mais

– Au travail, dit-il. Encore un mot, la signature du petit malin qui a trouvé la formule, et c'est achevé.

– Quel est ce mot qui manque ? demanda-t-elle.

– Devinez.

– *Être* ?

– Bravo. Vous le saviez ?

– Non.

Il dévisagea Sarah, s'étonnant une fois de plus de trouver en elle ce mélange de candeur et de lucidité. Elle quitta le cimetière en balançant son sac d'où dépassait aujourd'hui le long cou d'une bernache du Canada. Contrairement aux oiseaux qu'elle promenait dans les omnibus, Sarah échappait à toute tentative de classification. Ni femme ni enfant, elle était juste une petite chose désespérément fidèle, presque muette et qui pourtant parlait d'amour sans arrêt, et qui était capable, sans même prendre le temps de réfléchir, de compléter une phrase de Platon.

Dunglewood empoigna marteau et ciseau, appuya ce dernier sur la pierre et frappa avec rage, au risque de déraper et de devoir tout poncer avant de recommencer. Il se donna une heure pour graver *être*, une autre heure pour graver *Platon* juste en dessous.

Il avait d'abord prévu de dépenser à Londres, en quelques fêtes avec Harris et Peter, l'argent que Sarah lui donnerait pour le voyage en Cornouailles. Mais maintenant, il ne savait plus. Peut-être bien qu'il irait là-bas, après tout. Si l'homme aux grandes mains s'y trouvait – oh, très probablement affalé dans un bar, à boire la vente de ses oignons, et passant ses journées à maudire la mer blanchie par la tempête –, il verrait de près à quoi il ressemblait. Quand il l'aurait bien regardé, il lui dirait : « Venez avec moi, il y a à Londres quelqu'un qui vous cherche. Le train part dans une heure, j'ai acheté un billet pour vous. » L'autre lui répondrait sûrement d'aller se faire foutre – dans l'idée de Dunglewood, un marchand d'oignons, français de surcroît, ne pouvait être qu'un individu particulièrement grossier. Mais à cause de Sarah et de tout le mal qu'ils se seraient donné, elle et lui, pour retrouver Gaudion, Dunglewood se sentirait obligé d'insister. Ils se battraient dans le bar, mais on les mettrait dehors, alors ils se battraient sur la jetée vermoulue et, pour finir, ils se battraient sur la plage. Les grandes mains seraient les plus fortes. Nick Dunglewood roulerait dans le sable et Gaudion lui donnerait encore deux ou trois coups de pied dans le ventre et dans les côtes. De retour à Londres, Dunglewood se rendrait chaque jour au caveau. Il attendrait Sarah. Quand elle viendrait enfin, il lui dirait : « Voilà, j'ai trouvé Gaudion, mais il n'a pas voulu me suivre. » Elle serait toute pâle. Il la prendrait dans ses bras. Elle lèverait son visage vers lui – elle regardait toujours les gens bien en face quand elle voulait leur parler, elle pensait probablement qu'on lisait sur ses lèvres ce que sa voix ne réussissait pas à exprimer. Mais il n'attendrait pas qu'elle parle, il l'embrasserait.

– 5 –

– Deux livres de savon, une d'acide arsénieux, cinq de blanc de Meudon, une demi-livre de carbonate de potasse, deux onces de camphre du Japon – est-ce qu'il ne manque pas quelques shillings à votre compte, mademoiselle McNeill ? s'étonna M. Pook en éparpillant sur la table la monnaie que lui rapportait Sarah après être allée acheter les ingrédients nécessaires à la fabrication du savon arsenical pour la conservation des oiseaux.

– C'est le camphre, expliqua-t-elle, il a beaucoup augmenté.

– A cause du mauvais temps, je suppose, dit M. Pook sans insister. Les bateaux nous arrivent avec des retards considérables, des cargaisons souvent avariées, et les prix flambent.

Depuis plusieurs semaines, Sarah le volait, penny après penny, à si petites doses qu'il n'y avait aucun risque pour qu'il s'en aperçoive. Mais, cette fois, elle avait imprudemment subtilisé près de quinze shillings d'un coup. Elle n'en pouvait plus d'étaler son trop maigre butin sur les gisants du caveau de Highgate, et d'entendre Dunglewood soupirer :

– C'est encore insuffisant, j'en ai peur. Je veux bien être frugal et me priver de bière, mais il va tout de même falloir que je me loge. Difficile d'imaginer dormir à la belle étoile, là-bas en Cornouailles. En tout cas, pas en cette saison.

– Combien vous faut-il encore ?

– Je ne sais pas exactement. Tout ce que vous pourrez. Voyons, pourquoi ne pas demander à votre cher M. Pook de vous avancer un ou deux mois de salaire ?

– Je n'ai pas de salaire, murmura-t-elle. Il m'héberge, il me nourrit, il paye mes omnibus. Cet été, il m'emmènera avec lui dans des hôtels très beaux.

– Cet été, dit habilement Dunglewood, j'espère que vous serez avec Gaudion. Nous sommes près de toucher au but, vous savez.

Même les vaguelettes qui frissonnaient à la surface de la Tamise semblaient figées par le froid. Des morceaux de glace se détachaient parfois des vergues des navires amarrés le long des docks, et tombaient sur les ponts dans un fracas de vaisselle brisée. Seules les fumées montant des fabriques situées de l'autre côté du fleuve donnaient une note de souplesse à ce monde de cristal, terne et sale, dans lequel palpitaient les faibles lumières du Wapping. Comme tous les soirs, Sarah reconnut la silhouette de Sadhana adossée sous l'auvent. D'habitude, Sadhana s'effaçait d'elle-même, sans un mot, pour laisser Sarah passer et ouvrir la porte. Puis elle reprenait sa posture, les mains ouvertes pour montrer combien ses paumes étaient claires, les jambes croisées, le genou pointé pour donner du gonflant à sa robe, la tête légèrement inclinée sur le côté. Cette fois, Sarah s'arrêta près de l'Indienne. Celle-ci portait la même toilette, légère et bleue, qu'aux jours chauds. Ses bras nus étaient juste recouverts par un pan de mousseline incrustée de fines broderies dorées – des fleurs aux corolles très évasées d'où jaillissaient des pistils étonnamment longs.

– Vous devez avoir très froid, lui dit Sarah.

– Un peu, admit Sadhana.

Leurs deux haleines produisaient des buées blanches qui se confondaient un instant, avant de s'envoler en s'effaçant.

– Moi, j'ai tout le temps froid, dit Sarah. C'est dans notre famille, on n'y peut rien. Cette nuit, vous ne devriez pas rester dehors. Dans l'omnibus, les gens disaient qu'il allait recommencer à neiger. Et les quais ont l'air vraiment désert. Les marins vont rester dans le ventre des bateaux, il y fait bon. Est-ce qu'il peut arriver que vous attendiez toute une nuit sans que personne vous aborde ?

– Quelquefois.

– Vous n'avez pas une robe plus chaude ?

– Si. Mais elle n'est pas jolie comme celle-là.

– M. Pook m'a dit de ne pas vous faire peur, de ne pas

vous chasser. Il ne m'a pas défendu de vous faire entrer dans la maison. De toute façon, M. Pook n'est pas là ce soir. Il est au zoo, où on donne une fête à cause d'un oiseau très rare qui a réussi à couver son œuf jusqu'au bout, et un poussin bien vivant est sorti de cet œuf. Alors, est-ce que vous ne voulez pas entrer dans la maison ?

– Non, dit Sadhana. Non, merci beaucoup, mademoiselle.

– Mais je suis sûre que M. Pook serait d'accord, insista Sarah.

– Non, moi je crois qu'il ne voudrait pas.

– Pourquoi ?

Sadhana se contenta d'un geste fataliste.

– Pourquoi ne retournez-vous pas dans votre pays ? demanda encore Sarah.

– C'est trop loin, je n'ai pas de quoi payer.

– Je cherche de l'argent, moi aussi, dit Sarah après un silence. Moins que vous, sûrement. Mais enfin, il m'en faudrait un petit peu.

– Juste un petit peu, dit Sadhana, c'est facile. M. Pook vous envoie dans de belles maisons, n'est-ce pas ? Quand vous arrivez avec vos oiseaux, est-ce qu'on ne vous fait pas attendre dans le vestibule ?

– Si, le temps d'aller mettre en place l'oiseau tout neuf, ou d'aller en chercher un autre, un vieux qu'il faut réempailler.

– Tous les vestibules ont des portes, sourit Sadhana. Une porte donne sur la rue, celle par où vous êtes entrée – mais les autres portes ? L'argent que vous cherchez est derrière ces autres portes. Oh ! c'est tellement facile, mademoiselle, ajouta-t-elle avec une pointe de commisération, comme si elle avait affaire à une idiote. Vous ouvrez n'importe quelle porte, et c'est là, juste devant vous, ça vous crève les yeux.

– Je ne comprends pas, dit Sarah.

– Écoutez, dit Sadhana, il y a deux hypothèses, deux seulement. Ou bien la pièce dont vous ouvrez la porte est occupée – généralement par une vieille personne, qui somnole plus ou moins près du feu, mais ne vous y fiez pas trop, ces vieux ont la peau si fine qu'ils sont capables de voir à travers leurs paupières fermées ; en tout cas, si la vieille personne ouvre les yeux, les pose sur vous et vous demande ce que vous faites là, alors vous vous excusez en disant que vous cherchiez les commodités, ou quelque chose comme ça, et vous filez. Ou bien la pièce est vide, et vous n'avez qu'à vous servir. Le mieux, ce sont les petits objets en argent. Les passoires à thé, les boîtes à pilules, et surtout les salières. Si c'est dans une vitrine, vous ouvrez la vitrine. Aucune précaution particulière à prendre, les portes des vitrines ne grincent jamais. La plupart du temps, la clé est dessus.

– Voler ? chuchota Sarah.

– Voler, mademoiselle, dit Sadhana. Qu'est-ce que vous croyez qu'ils en font, de leurs salières en argent ? Mais rien du tout, ils les collectionnent ! Toutes celles que j'ai prises étaient vides. Soyez sûre qu'ils en ont d'autres, pleines de sel, pour mettre sur la table. Vous ne leur prenez rien d'essentiel. Mais n'emportez qu'un seul objet par maison. C'est plus facile à dissimuler, ça tient dans un mouchoir, et puis les gens n'ont pas de soupçons. Ils s'imaginent que la domestique chargée de l'argenterie a fait tomber la salière en l'emportant pour la nettoyer, en même temps que des dizaines d'autres petites choses, et que la salière a roulé sous un meuble.

– Ils ne la cherchent pas ? s'étonna Sarah.

Chez elle, les gens pouvaient battre la lande pour retrouver une simple cuillère en bois. S'ils ne la trouvaient pas, ils appelaient des voisins à la rescousse. La nuit n'interrompait pas les recherches. Le pétrole que brûlaient les lampes tempêtes finissait sans doute par coûter beaucoup plus cher que cette cuillère en bois après laquelle on courait, mais pour rien au monde on n'aurait accepté aussi facilement la disparition d'un objet.

– A Londres, dit Sadhana, ils s'en fichent pas mal.

Quand elle était au service de M. Pook, expliqua-t-elle, c'était à l'Ange, près du marché de Bermondsey, qu'elle allait négocier ses larcins. Là était son erreur, car cette taverne était un ancien repaire de bandits, et la police avait gardé l'habitude d'y exercer une surveillance discrète, l'utilisant comme terrain d'entraînement pour les inspecteurs débutants. Un matin d'octobre, l'un d'eux avait mis fin au petit commerce de Sadhana.

– On m'a prise et punie, dit-elle, bien punie. M. Pook m'a payé un avocat, et figurez-vous qu'il a tenu à venir assister à mon procès. C'était si réconfortant de le voir dans la salle. Il s'était habillé comme s'il se rendait à un mariage, avec une très jolie fleur à la boutonnière. Il avait posé à côté de lui deux sacs dont chacun contenait un oiseau – des grèbes huppés, je crois me rappeler. Quand je tournais la tête vers lui, il me les désignait comme pour dire : Bon, je fais les livraisons à ta place, mais je compte bien que tu me reviendras bientôt. Au moment où le juge prononça la condamnation, M. Pook remit ostensiblement son chapeau sur sa tête. Ceux qui étaient assis à côté de lui le poussaient du coude : « Votre chapeau, monsieur. Il faut vous découvrir devant le tribunal. – Je vous présente mille excuses, leur répondait-il, mais de quel tribunal parlez-vous ? Où voyez-vous un tribunal ? Moi, je ne reconnais pas pour tribunal des hommes qui manifestent autant de sévérité contre une si pauvre fille. » Finalement, on a dû le faire sortir de force en le prenant sous les épaules. Tout le monde riait. Les pieds de M. Pook traînaient sur le parquet. Dans l'aventure, il avait perdu l'un de ses brodequins jaunes.

– Et vous ?

– Cinq ans de prison, dit Sadhana. C'est quand je suis entrée au pénitencier de Millbank qu'ils ont vu que j'étais malade. Ils ne me l'ont pas dit tout de suite, ils ont attendu le dernier jour. De toute façon, ça n'aurait servi à rien. Ce n'est pas une maladie anglaise, c'est un mal de chez moi, de là-bas. A l'infirmerie, ils n'avaient pas de quoi soigner ça. Mais ils ont dû en parler à M. Pook parce que ses visites se sont espacées. Et, quand il venait, il se tenait loin du grillage, un mouchoir devant sa bouche et son nez. A ma sortie, je suis allée le trouver, je comptais bien qu'il me reprendrait à son service, mais il n'a pas voulu. Ma maladie lui a fait peur. Elle lui interdit de m'embrasser. Il aimait tellement m'embrasser. Et ça, il le faisait très bien.

– J'aimerais apprendre à le faire très bien, moi aussi, dit pensivement Sarah. Je suis comme vous, je connais quelqu'un qui aime m'embrasser, mais je crois que je ne sais pas lui rendre la pareille.

– Si je n'étais pas malade, dit Sadhana en se blottissant contre elle (sa robe bleue était à présent imbibée de neige fondue, et Sadhana grelottait), je vous montrerais. Bien que vous soyez une femme, ça ne me gênerait pas. Et vous, mademoiselle, est-ce que ça vous gênerait ?

Sarah regarda la bouche épaisse de l'Indienne qui palpitait dans l'ombre, tout près de son visage. A cause des gerçures, le rouge ne tenait pas sur ses lèvres dont la muqueuse retrouvait sa couleur violette naturelle ; la bouche de Sadhana faisait penser à celle d'un bébé, barbouillée de confiture de prunes. Mais ses dents étaient larges comme des dents d'homme, d'une blancheur éblouissante. Quand elle souriait, les lumières du Wapping s'y reflétaient ; les brillances du fleuve et de la glace, les feux des bateaux semblaient incrustés sur sa dentition comme les dessins que les matelots gravent sur les dents des cachalots. Son souffle sentait l'eau-de-vie.

Plus tard, réfugiée dans sa chambre, Sarah écrivit sur son carnet des tentations, juste après les lignes consacrées à M. Wilde : *Sadhana. Une prostituée sur les docks. On se tenait toutes les deux bien enlacées, tellement il faisait froid, comme deux petites sœurs sans maison, c'était un soir de neige, pendant ce temps M. Pook faisait la fête au zoo. A un moment, comme elle disait que ça ne la gênerait pas de m'embrasser, j'ai enfoncé mes ongles dans le haut de son bras. Elle n'a pas réagi. Je me souviens d'avoir lu dans le* Lancet *qu'un des signes de la lèpre était cette insensibilité profonde de certaines parties du corps – même une brûlure au fer rouge ne vous fait pas tressaillir. Bien que sachant tout ça, j'aurais pu accepter de l'embrasser, c'est même avec joie que je l'aurais embrassée puisque c'était un moyen d'apprendre ce que je ne sais pas, ou si mal – il faut se regarder dans un miroir, pour remettre droit le chapeau qu'on porte de travers. Bien sûr, il y avait un risque ! Mais la lèpre met du temps à se déclarer, des années je crois (le* Lancet, *toujours). Je pensais : tu seras peut-être morte avant, d'autre chose – les rues de Londres sont si périlleuses en hiver, les gens glissent, ils tombent, et les roues des fiacres leur passent dessus, une fois je me suis trouvée dans un omnibus qui, comme ça, avait roulé sur quelqu'un. L'écrasé était coupé en deux au niveau de l'abdomen, comme une fourmi. Là-dessus, Sadhana m'a dit : Je ne sais pas exactement l'âge que j'ai (dans son village, personne ne relève la date à laquelle naissent les petites filles, ça ne servirait à rien, elles meurent si vite, ou bien on les vend, des hommes viennent les chercher dans des carrioles rouges tirées par des buffles, et recouvertes de longues feuilles de bananier, ils donnent un nouveau nom aux petites filles qu'ils emmènent, ils font recoudre leur hymen au fur et à mesure qu'on le leur déchire), mais vous, mademoiselle, quel âge avez-vous ? J'ai dit : Vingt ans, maintenant. Elle m'a dit : Moi, je crois que j'ai dans les trente-cinq ou quarante, qu'est-ce que vous en pensez ? J'ai haussé les épaules : Ces choses-là, dans la nuit, c'est difficile à dire – et je n'ai jamais vu Sadhana que la nuit. C'est à ce moment-là qu'elle a failli m'embrasser, et elle aurait pu le faire car j'étais bien trop frigorifiée et fatiguée pour la repousser. Alors un paquet de neige a glissé de l'auvent, il est tombé sur la robe bleue de Sadhana, juste dans l'échancrure entre ses seins. Elle a crié : Oh ! non, il ne manquait plus que ça… Je me suis dépêchée de rentrer dans la maison pour y prendre un linge afin d'essuyer Sadhana. Quand je suis ressortie avec le linge, Sadhana s'en allait avec un homme. Ils ont disparu au bout du wharf, dans la neige qui recommençait à tomber. Il m'a semblé que l'homme qui s'éloignait avec Sadhana pouvait être M. Pook – c'était sa silhouette, et c'était aussi très exactement l'heure à laquelle il m'avait dit qu'il rentrerait de la fête du zoo, or M. Pook est quelqu'un de ponctuel. Mais s'il a tellement peur du mal de Sadhana, pourquoi s'en irait-il avec elle en la tenant par la taille ? A moins que l'envie de l'embrasser, elle et personne d'autre, ne lui soit revenue, plus forte que tout ? J'ai la même envie d'être embrassée par Gaudion.* Elle lécha la paume de sa main gauche et la frotta, tiède et humide, sur ses lèvres entrouvertes, puis elle la plaqua sur son visage comme si cette main était la grande bouche de Gaudion.

– 6 –

Nicholas Dunglewood regardait les salières en argent alignées sur la pierre tombale. Sarah avait seulement dit, en les sortant une à une du sac aux oiseaux :

– Voilà, il y en a quatorze. Est-ce que si l'une d'elles appartient à un poète, elle a plus de valeur que les autres ?

Dunglewood lui expliqua que l'origine des salières ne pourrait en aucun cas être prise en considération : dire que cette salière venait de chez Oscar Wilde, c'était reconnaître qu'on l'y avait dérobée, et les usuriers prêtaient toujours moins sur des objets qu'ils savaient avoir été volés. Et puis, ajouta-t-il, Oscar Wilde n'était pas un auteur assez célèbre pour qu'un receleur en tienne compte.

– Vous l'auriez chipée chez le prince de Galles, admit Dunglewood, là, je ne dis pas.

– Mais justement, insista Sarah, le prince de Galles s'en est peut-être servi, de cette salière. Il a été invité à une séance de télépathie chez M. Wilde. C'était en juin de l'année dernière.

– Sauf que je ne suis pas sûr qu'on utilise des salières pour ce genre d'expérience, fit Dunglewood, dubitatif. A mon avis, si Wilde a reçu le prince de Galles, il lui aura offert des petits gâteaux et du sherry. On ne met pas de sel sur les gâteaux ni dans le sherry, ma chère. La seule chose qui nous intéresse dans ces salières, c'est leur poids d'argent. Mais vous avez rudement bien travaillé. Je ne vous aurais pas crue capable de ça, dites donc, la première fois que je vous ai vue dans l'omnibus, vos mains sagement posées sur vos genoux.

– Alors, vous ne pensez pas que c'est mal ?

Il revit toutes les petites économies qu'elle lui avait déjà données, et qu'il s'était empressé de brûler en plaisirs éphémères. Quand elle aura épuisé tous les moyens de me procurer de l'argent, se dit-il, je lui raconterai que Gaudion est mort. Je ferai pour elle ce que le dernier capitaine a fait pour lady Jane : dans une boîte en fer-blanc, je mettrai une vieille pipe, un oignon ou deux, et je prendrai mon fameux air navré, celui que je réserve aux familles endeuillées pour leur proposer mes services : « Eh bien voilà, ma chère enfant, c'est tout ce que la mer nous a rendu, c'est tout ce qui reste de lui. » Je la consolerai et, pour lui changer les idées, je l'emmènerai canoter sur la Tamise, à bord de la barque du père de Harris. Je ferai exprès de mal m'y prendre, nous heurterons la berge, elle basculera en arrière, ses jupons s'ouvriront comme une corolle, et je verrai sa blondeur, encore plus mousseuse et dorée sous le soleil.

Il eut un rire gourmand, et elle son rire silencieux. Elle était heureuse et soulagée. Elle avait craint qu'il ne la traite de voleuse, elle se tenait tout près de la porte du caveau, prête à s'enfuir s'il élevait la voix. Elle demanda :

– Vous croyez que vous en tirerez assez pour aller en Cornouailles ?

Dunglewood souffla son haleine sur les salières, dont le

métal se troubla et se couvrit d'une buée blanche : il y avait là de quoi vivre une année en Cornouailles, avec Harris et Peter, sans se priver de rien – et un mois entier à Londres.

– Le plus délicat reste à faire, dit-il en se composant un visage tourmenté. Trouver quelqu'un qui nous prête de l'argent là-dessus, quelqu'un de discret. Quatorze salières à la fois, ça aiguise la curiosité : pourquoi des salières et rien que des salières ? Imaginez qu'on remonte jusqu'à vous, jeune fille. On vous enverrait tout droit à Millbank. Sale coin que Millbank. On vous y obligera à coudre des chaussures et des sacs postaux. Ou à cultiver des choux dans les fossés du pénitencier.

– Si vous préférez autre chose que des salières, dit Sarah, ce n'est pas plus difficile, j'arrive avec mon oiseau dans son sac, on me fait attendre dans le vestibule, dès que je suis seule j'ouvre une porte et...

– Ça va, dit Dunglewood, ça va comme ça. Moins j'en saurai, mieux je me porterai. Et maintenant, vous feriez aussi bien de ficher le camp d'ici. C'est moi qui prends tous les risques, ajouta-t-il en raflant les salières et en les faisant disparaître dans la boîte contenant ses outils de graveur. Ce matin, il y avait deux policemen dans l'omnibus, un sur l'impériale et l'autre en bas, à cause des cambriolages dans Highgate, une véritable épidémie de cambriolages, cet hiver.

Elle s'éloigna à travers les allées du cimetière, anxieuse à l'idée du danger qu'allait courir pour elle ce garçon si serviable. Il lui avait demandé un mois de patience – quinze jours pour faire le tour des officines de prêt sur gages, deux jours pour descendre en Cornouailles (une journée de chemin de fer jusqu'à Southampton, une autre de diligence jusqu'à Polperro), un jour pour se reposer du voyage, onze pour trouver Gaudion, puis un jour plein et entier (avec la nuit qui allait avec, car il faudrait sûrement faire boire le *Johnny* toute la nuit, l'alcool agissant moins vite sur les géants que sur les individus normaux) pour le convaincre de tout abandonner et de remonter sur Londres, et enfin deux autres jours consacrés au périple de retour. On serait alors en mars.

– Le coucou chantera dans les arbres, avait promis Dunglewood.

Le coucou chantait dans les futaies de Hampstead et de Highgate, et Dunglewood était de retour. Le visage bouffi, les yeux rougis par tout l'alcool que Harris, Peter et lui avaient ingurgité dans les tavernes de Londres sur le dos des quatorze salières en argent.

– Ma chère, annonça-t-il, Gaudion est en France.

A la dernière minute, ses amis l'avaient convaincu de ne pas faire mourir le marchand d'oignons, de renoncer à l'astuce morbide de la vieille pipe dans sa boîte en fer-blanc : la petite fille ne méritait pas une telle douleur, avait dit Peter en portant un dernier toast à Sarah, et Harris avait renchéri que si l'on s'était aussi bien amusés, c'était tout de même grâce à elle.

– Mais la mer, souffla-t-elle, je croyais que la mer...

– Réputée impraticable, je sais. Mais il s'y est risqué quand même. Il est digne de votre amour, le bougre !

– Et ses oignons ?

– Tous vendus. Après quoi, la goélette était si légère qu'ils ont dû la lester avec des pierres. Ils ont mis à la voile le deuxième dimanche de février. Et moi, le samedi soir juste avant, j'y étais.

Il raconta la nuit précédant l'appareillage, les hommes

formant la chaîne pour transporter la caillasse à bord. Il inventa une vision qui lui semblait magnifique, et qui devrait plaire à Sarah : les femmes et les enfants de Polperro, rangés le long de la digue, brandissant des torches pour éclairer le chemin des charrieurs de pierres qui marchaient courbés sous la charge, le bonnet enfoncé jusqu'aux yeux.

– Et Gaudion ?

– Gaudion allait et venait, dirigeant la manœuvre, partout à la fois, tête nue malgré le vent glacé, le crachin, les embruns. Un seigneur. Sa grande ombre, rendue encore plus immense par l'effet des torches que les femmes…

– Toutes ces femmes, elles ne le regardaient pas trop, au moins ?

Nick Dunglewood rit :

– Oh ! bien sûr que si, ma jalouse, à s'en brûler les yeux ! Mais lui, son indifférence était splendide. Comme s'il ne les voyait pas. Deux ou trois, ma foi, étaient pourtant fort jolies – enfin, comme peuvent l'être les filles de là-bas.

Gaudion ne pensait qu'à moi, se dit Sarah. Elle était impatiente d'en apprendre davantage, et en même temps elle savourait chaque mot, chaque intonation du récit de Dunglewood.

– J'ai voulu savoir, dit celui-ci en prenant un ton grave, si, tout le temps qu'avait duré l'hivernage, votre Gaudion n'avait pas été tenté par l'une ou l'autre. Je me souviens de leurs noms : Ellen, Alice et Carey. Pas un demi-siècle à elles trois.

– Ça fait seize ans chacune, un tout petit peu plus de seize ans, évalua rapidement Sarah en comptant sur ses doigts.

Ce calcul la rassura : à cet âge-là, les fillettes ne devaient pas savoir recevoir les baisers d'un homme beaucoup mieux qu'elle.

– Trois sœurs, reprit Dunglewood, qui habitaient une de ces rudes maisons grises qui…

– Grises ? le coupa-t-elle. Je croyais que les maisons de Polperro étaient blanches, vous m'avez toujours dit qu'elles étaient blanches.

– Je vous ai dit ça, moi ? Elles sont, mettons, d'un gris tirant sur le blanc. Et puis, c'était la nuit. Êtes-vous satisfaite ? Nous n'en sortirons pas, mon cœur, si vous m'interrompez tout le temps. Donc, voilà trois jolies demoiselles qui, malgré leur fumet – les filles d'un pêcheur, du matin au soir les bras dans la saumure et les entrailles –, auraient pu séduire notre homme.

Le détail était habile, il sonnait juste : Sarah elle-même ne portait-elle pas une robe souillée, la nuit d'été où Gaudion l'avait prise dans ses bras ?

– Et lui, il vous a dit que non, qu'il ne les avait même pas regardées ?

Elle en riait par avance, joyeuse. Elle croyait entendre les trois chipies dans leur lit, la tête sous le crucifix mais les mains entre les cuisses, dresser la liste des mignardises à faire pour attirer le regard de Gaudion.

– Oh, il ne m'en a pas tant dit…

Elle s'affola – non, ça n'allait pas recommencer comme les autres fois, il n'oserait tout de même pas lui refaire le coup des marchés de Covent Garden et de Billingsgate, il n'allait pas prétendre à nouveau avoir glissé sur des foies de poisson ou s'être fait prendre à partie par un cocher de fiacre ; pour quatorze salières en argent, elle estimait avoir droit à quelques mots, à un message de Gaudion.

– Mais vous lui avez parlé ? N'est-ce pas, Nick, que vous lui avez parlé ?

– Dans l'agitation où il était ? Quand il cessait de s'agiter, c'était pour regarder la mer. Il la défiait. Un homme qui défie la mer ne vous écoute pas, ma chère, il n'a rien à entendre de vous, rien à vous dire. Mauvais marin, lui, marin peureux ? Un hiver en Cornouailles nous l'a bien transformé. Vous allez retrouver un homme nouveau.

Elle baissa les yeux. Sous un cil, une première larme – qui serait suivie de bien d'autres, pensa Nicholas Dunglewood. Mais il était écrit que le jeu finirait un jour, et voilà qu'on y était. Le graveur n'espérait plus grand-chose de Sarah McNeill. Il avait pressé jusqu'à plus soif la pulpe du petit fruit. Sa blondeur même n'avait plus autant d'attrait pour lui : entre le 2 février et ce 13 mars, jour de leurs retrouvailles dans le caveau de Highgate, il avait, sur l'argent des salières, baisé son content de filles blondes. Il savait maintenant qu'elles étaient comme les autres. Même leur fameux parfum naturel dont s'enthousiasmaient Peter et Harris était très surévalué. D'ailleurs, sa dernière blonde s'était révélée être une brune, et Dunglewood n'avait pas perçu la moindre différence.

– Où est-il ? demanda Sarah, très pâle.

A cet instant, et pour la dernière fois, le pouvoir que Nicholas Dunglewood avait sur elle fut infini. Il lui aurait dit : « Vladivostok, ma chère ! », et la voilà qui serait partie pour Vladivostok. Mais, par chance pour Sarah, il n'avait seulement jamais entendu prononcer le nom de Vladivostok. L'autre nuit, au pub du Chevalier et les Iris, comme ils buvaient avec un peu de nostalgie ce qui leur restait des larcins de Sarah, il avait demandé à Harris et Peter où ils iraient s'ils devaient s'exiler, et Harris avait dit : « Mon vieux, je ne sais pas ce que ferait Peter, mais quant à moi j'irais volontiers tirer l'abricot ("tirer l'abricot" était une des expressions favorites de Harris, elle ne voulait à la fois rien dire et tout dire, elle était synonyme de munificence et de plaisirs infinis, sexuels, éthyliques et financiers) dans une de ces jeunes bourgades, une de ces villes tellement sinistres et rigolotes, tu sais bien, sur ces côtes françaises en face de nous, ces rivages plats où courent, sous un ciel gris, des calèches bleu marine à filets dorés, pleines de jeunes princes russes et de danseuses parisiennes. » Tout le monde s'accordait à prédire que Harris finirait pendu mais il avait, en attendant, de réels bonheurs d'expression. On l'aurait écouté parler des nuits entières. Peter avait dit qu'il voyait tout à fait ce à quoi Harris faisait allusion, et qu'il irait volontiers là-bas lui aussi.

Dunglewood choisit donc d'envoyer Sarah dans une de ces villes qui faisaient rêver Harris et Peter. Ce fut de sa part une décision exempte de toute espèce de cruauté ou d'ironie, qui lui fut dictée par le seul plaisir de jouer enfin avec le destin de quelqu'un de bien vivant et de bien chaud : il compensait ainsi les années passées accroupi sur les morts de Highgate, à leur graver des sentences définitives ; quand il se relevait de dessus les tumulus de terre fraîche où il s'était tenu agenouillé pendant des heures, dans un silence à peine troublé par la pelle d'un fossoyeur qui creusait un nouveau trou, ou par le piétinement d'un cortège derrière un corbillard, quand il se redressait, les reins moulus, et qu'il contemplait l'alignement rigide des tombeaux et des arbres, il n'en pouvait plus, il se sentait écœuré par tout ce qu'il y avait ici d'immuable. S'il exceptait les visites de Sarah, le seul événement un peu distrayant qui s'était produit au cours des dix-huit derniers mois dans le cimetière de Highgate avait été la mort de l'épouse du gardien. On avait fait parcourir à sa dépouille une distance de trois cents pieds – celle qui séparait la maison d'angle où elle vivait, parmi les buis à l'odeur amère, de la tombe de terre noire où on l'avait enfouie. Trois cents pieds, songeait Dunglewood, et moi, si je veux, je peux envoyer cette fille à trois cents kilomètres. Alors, il n'hésita pas :

– Il est sur la côte normande, Sarah. Où exactement, ça je ne sais pas. Toujours est-il que Gaudion et ses hommes sont partis s'établir là-bas – pour pêcher la crevette, précisa-t-il, pris d'une soudaine inspiration.

– Pêcher la crevette ? chuchota-t-elle. Mais qu'est-ce que vous me chantez là, Nick Dunglewood ? Et les oignons, les délicieux oignons ? Gaudion en a planté tout un champ, un champ à perte de vue, qui descend jusqu'à la mer, et il a promis de m'apprendre à les soigner. On voit que vous ne le connaissez pas. Que vous ne lui avez même jamais parlé, ajouta-t-elle avec amertume. Les oignons nous feront vivre, bien vivre, et nous serons riches.

Mon Dieu, Seigneur des étourdis, c'est vrai, il oubliait les oignons ! Vient un moment où les mensonges étendent de telles ramifications qu'on s'y prend les pieds comme dans un bois où les broussailles vous font trébucher. Il était temps d'en finir, pensa-t-il. D'ailleurs – il venait tout juste d'en prendre conscience –, il se sentait de plus en plus incommodé par cette odeur de camphre qui imprégnait la chevelure de Sarah, et par le regard fixe des oiseaux morts qu'elle promenait avec elle.

– Quoi, les oignons ? Ah oui, les oignons. Eh bien, ce sera une saison les oignons, et une saison la crevette. Cet été sera donc l'été de la crevette. Et l'été de vos vingt et un ans, Sarah, ne le manquez pas ! Je serais vous, je me hâterais de prendre mes dispositions pour quitter Londres. Gaudion vous attend là-bas.

Elle essuya ses larmes, elle se leva, empoigna ses sacs.

– Vous avez raison.

Elle sortit du caveau. Dunglewood ne la retint pas. Mais quand il comprit qu'elle s'éloignait à jamais, qu'elle ne se retournerait peut-être même pas, il jaillit à son tour du caveau. Il courut après elle. Dehors, au soleil de mars, son odeur de camphre était déjà un peu moins lancinante, et les oiseaux qu'elle balançait machinalement dans leur sac avaient l'air un peu moins morts.

– Sarah ! cria-t-il. Sarah McNeill, attendez-moi !

Qu'elle s'arrête, pensait-il, qu'elle esquisse le geste de se retourner, et il lui dirait la vérité. Mais elle avait poussé la grille. Le soir même, elle arracha de son cahier des tentations la page qu'elle avait consacrée à Nicholas Dunglewood.

Quelques semaines s'écoulèrent. Autant l'hiver avait été froid et sombre, autant le début du printemps fut exceptionnellement chaud et lumineux. Les entrepôts de Poplar, Millwall et West India Docks, surchauffés comme des fours par le soleil d'avril, se mirent à exhaler d'enivrantes odeurs de tabac frais, de grumes gorgées de sève, de fruits mûrs et d'épices, tandis que, des caves creusées sous les quais, montaient des effluves de tonnellerie, de vinaigre et de brandy. Le fog s'installait au crépuscule, mais il ne tenait pas plus de quelques heures et, sitôt la lune apparue, ses longues écharpes jaunes fuyaient en s'effilochant au ras du fleuve. Jurant Dieu – ou le diable – que c'étaient leurs invocations qui avaient ainsi mis les brouillards en déroute, des femmes en haillons en profitaient pour soutirer quelques piécettes aux marins les plus crédules. Le mouvement des navires devint incessant. Ceux qui n'appareillaient pas encore hissaient toute leur toile pour la faire sécher. Sans autre motif que de permettre aux gabiers engourdis par l'hiver de renouer avec le chemin des vergues, d'autres vaisseaux changeaient de poste de mouillage, et leurs capitaines invitaient à bord, pour une manœuvre courte mais qui se voulait exemplaire, les personnalités en visite à Londres – on allait en fiacre les chercher dans leurs hôtels ou dans leurs ambassades, on les embarquait au son d'une fanfare militaire sur des chaloupes blanches à la poupe desquelles flottaient mollement, leurs franges balayant l'eau, d'immenses drapeaux inconnus brodés d'éléphants, d'ananas, de palmiers avec des sabres courbes entrecroisés. Sur certains bateaux en partance, les dockers chargeaient des pianos droits, des sofas, des trousseaux entiers de linge brodé. La jeune épouse du capitaine, qui serait du voyage de Jaffna ou de Valparaiso, surveillait l'embarquement en faisant tournoyer nerveusement son ombrelle. Les dockers riaient : printemps précoce ou non, la jeune dame, après quelques heures de haute mer, ne serait plus qu'un paquet de chiffon affalé dans un coin de la chambre, giflée à chaque soubresaut du navire par la flaque de son propre vomi.

La ville fut prise d'une folie de nature et d'espace, on rouvrit les vérandas et les salons d'été, et les clients de M. Pook lui réclamèrent de plus en plus d'oiseaux pour les décorer ; le vieil homme dut travailler parfois jusqu'aux premières lueurs de l'aube.

Sarah l'aidait autant qu'elle pouvait. Il lui était bien égal de n'avoir à dormir que trois ou quatre heures par nuit, puisqu'elle serait bientôt en France, dans les bras de Gaudion. Il poserait ses grandes mains sur ses yeux en lui disant : « Et maintenant, petite, dormez, je vais faire la nuit pour vous. » Quelle importance que ces mains sentent l'oignon ou la crevette ? Sous l'une ou l'autre odeur, elle retrouverait celle de la peau de Gaudion. Dans sa mémoire, cette peau sentait le pain.

M. Pook se chargeait du dépouillage, il remplissait les becs avec du coton, pratiquait les incisions, saupoudrait les plaies de plâtre sec pour absorber les liquides qui s'en écoulaient, décollait les peaux à l'aide du manche de son scalpel, les nettoyait au fur et à mesure en grattant minutieusement les restes de chair et de graisse, les frottait de poudre d'alun, badigeonnait les os de savon arsenical, terminait le dégraissage avec de l'essence de térébenthine. Pendant ce temps, en fonction de la taille de l'oiseau, Sarah sélectionnait les tiges de fer qui composeraient l'armature métallique, elle les coupait, en affinait les pointes à la lime ; puis, en commençant par le dessous des ailes et le dos, en continuant par la poitrine, le ventre et les flancs, elle insérait dans le corps de l'oiseau les morceaux d'étoupe destinés à remplacer la chair qui avait été ôtée lors du dépouillage et à rendre au corps flasque son volume naturel. C'est elle encore qui, à l'aide d'une pince, soulevait et lissait les plumes pour leur restituer une apparence de vie.

Elle passait toute la journée à ses livraisons. A cause de la chaleur, elle préférait voyager sur l'impériale des omnibus, toujours plus aérée. Mais c'était aussi là que montaient les garçons les plus délurés, qui profitaient de la cohue pour poser sur elle leurs mains moites. Obligée de veiller sur ses oiseaux, dont les longs cous fragiles ou les ailes étendues risquaient de se briser, elle ne pouvait pas toujours se dérober à ces pressions furtives. Alors, dès qu'elle regagnait le Wapping, elle allait jusqu'au bout du wharf, là où une échelle de fer descendait dans la rivière. Sadhana lui avait enseigné la façon dont les pèlerins du Gange pratiquaient les ablutions sacrées ; elle lui avait assuré que, même lorsqu'ils ont l'air d'être sales, les grands fleuves purifient ceux qui s'y plongent. Pour se laver des mains qui l'avaient palpée, Sarah s'enfonçait jusqu'aux épaules dans la Tamise. Elle découvrait avec plaisir la mollesse de l'eau douce, la façon lente et fraîche dont elle gainait son corps, un peu comme une huile. Un soir qu'elle se baignait ainsi, le menton au ras de l'eau, Sarah demanda à Sadhana, qui connaissait tous les trafics, comment passer en France. L'Indienne promit de s'informer. Quelques jours plus tard, elle dit à Sarah qu'une robe lui suffirait, à condition qu'elle soit splendide :

– Bien habillée, les commissaires vous laisseront monter sur n'importe quel bateau. Pour faire illusion, chargez-vous aussi d'une ou deux malles. Vous n'en avez pas ? On en trouve près des poubelles des grands hôtels. Vous n'avez rien à mettre dedans ? Ne vous tracassez pas pour ça, bourrez-les de terre – la terre ou le sable sont préférables aux cailloux, qui risquent de vous trahir par le bruit qu'ils font en se choquant. Une fois à bord, vous vous débrouillerez toujours. De toute façon, il est rare qu'on contrôle les billets d'une lady.

– Même avec une belle robe splendide, dit Sarah, je n'aurai jamais l'air d'une lady. Et puis, je n'ai pas de belle robe splendide.

A cause de la végétation qui s'était mise à pousser avec frénésie – les clématites, notamment, déguisaient les maisons de façon trompeuse –, il arrivait à Sarah de ne plus s'y retrouver dans le dédale des rues. A deux reprises, elle passa à côté de Forbes House sans reconnaître la maison – les clématites, toujours elles. Heureusement, Mme Forbes veillait et l'avait aperçue depuis le balcon qui ceinturait l'étage :

– Hello, la Promeneuse d'oiseaux, c'est ici qu'on vous attend ! Voyons, de quoi s'agit-il, aujourd'hui ?

– Un garrot à œil d'or, madame.

Sarah entrouvrit son sac, montra l'oiseau – une femelle aux flancs d'une blancheur parfaite, avec une tache de neige sur chaque joue, frappée comme au poinçon entre son bec et son œil d'un jaune éclatant.

Mme Forbes la pressa d'entrer. Comme les autres fois, elle s'empara de l'oiseau et disparut dans les profondeurs de la maison, laissant Sarah seule dans le vestibule. C'était un hall en demi-lune, parqueté, vaste et sonore, sur les murs duquel s'alignaient des trophées de chasse. Épuisée par le manque de sommeil et le long trajet en omnibus, Sarah chercha où s'asseoir. Mais les fauteuils de peluche rouge étaient interdits aux visiteurs par des chaînes gainées de velours. Une pancarte calligraphiée rappelait aux fournisseurs que, Forbes House ne possédant pas d'entrée de service (sans doute par suite d'une aberration de son architecte), ils étaient tout juste tolérés dans le passage obligé que constituait le hall, et qu'ils devaient s'y abstenir de fumer, de cracher sur le parquet, de se peigner les cheveux et de marquer de leurs doigts sales la rampe de l'escalier.

Cet escalier était flanqué de trois portes. Lors d'une de ses précédentes livraisons, Sarah en avait déjà poussé une, découvrant une pièce lambrissée de bois clair où s'alignaient des vitrines contenant des collections de menus objets en argent, en écaille et en jade. C'était là qu'elle avait dérobé sa première salière, faite d'un petit flacon de verre bleu enchâssé dans une sorte de cage en argent. Personne ne l'avait jamais soupçonnée de quoi que ce soit, mais les vitrines étaient maintenant fermées à clé.

Le jour du garrot à œil d'or, Sarah ouvrit une autre porte du vestibule. Celle-ci desservait une chambre qui, sans doute à cause de sa situation au rez-de-chaussée et de ses fenêtres donnant sur la partie la plus sombre de la rue, avait été désaffectée et transformée en lingerie. On avait laissé l'ancien lit à sa place, et sur ce lit étaient étendues des robes de satin moiré, de faille de soie, de taffetas, de reps, de percale et de velours. Chaque toilette était accompagnée de ses accessoires, rabats, corsets, jupons, ceintures, gants et souliers. Une robe de percale jaune anisé attira particulièrement l'attention de Sarah. Elle lui parut plus belle que les autres, mais c'était peut-être parce que cette robe était alors la seule à recevoir le rai de soleil qui se glissait entre les clématites dont les fleurs envahissaient la fenêtre. Toujours est-il qu'elle méritait certainement le qualificatif de belle robe splendide dont avait parlé Sadhana.

Sarah prit la robe jaune anisé et, la maintenant plaquée sur sa poitrine, s'approcha d'une armoire à glace. Dans le miroir, la robe semblait à première vue un peu grande pour elle mais il était difficile de se faire une idée précise de ce qu'elle pouvait donner tant qu'on ne l'avait pas enfilée. Sarah calcula qu'il lui faudrait dix bonnes minutes pour se déshabiller, passer la robe et l'ajuster sur elle. D'autant que les agrafes, les petits boutons de nacre et les rubans étaient disséminés un peu partout dans les plis de l'étoffe, et qu'elle risquait de perdre un temps précieux avant de comprendre comment tout cela devait être arrangé.

Par la porte laissée entrouverte, elle entendit résonner le pas de Mme Forbes qui revenait du salon d'été où elle avait installé le garrot à œil d'or parmi ses congénères, au milieu des fougères en pots qui voulaient figurer l'arborescence des forêts tropicales. Elle roula sur elle-même la robe jaune, luttant contre la raideur de la percale, et réussit à l'enfouir dans son sac à oiseaux. Il ne lui restait plus qu'à espérer que Mme Forbes n'irait pas, selon son habitude, la contraindre à rouvrir ce sac pour y mettre un oiseau à réparer. Elle se dépêcha de préparer une phrase de refus poli : « Oh ! Je suis désolée, madame Forbes, mais en ce moment M. Pook ne peut accepter aucun travail de restauration… »

Avant de sortir de la lingerie, elle posa un regard d'envie sur les gants, les souliers et l'aumônière assortis à la toilette jaune anisé. Mais elle n'avait pas le temps de les arranger convenablement au fond du sac à oiseaux de façon que rien ne fasse de bosses révélatrices. Un souffle de vent agita les clématites, qui palpitèrent contre la vitre. Sarah eut peur. Elle quitta précipitamment la pièce, retenant de justesse la porte qui allait claquer. Mme Forbes lui parlait déjà, depuis les profondeurs de la maison :

– Une fois n'est pas coutume, mon enfant, vous direz à ce diable de Pook que son oiseau est tout à fait réussi. Quant à vous, on vous attend à la cuisine pour vous offrir un verre de citronnade bien fraîche.

– 7 –

Le printemps avait fait long feu. Depuis un mois, il pleuvait sans discontinuer sur le Wapping. Auprès d'un marin indonésien, M. Pook s'était procuré de grandes feuilles de bananier qu'il avait cousues ensemble pour en faire une sorte d'auvent supposé protéger le balcon où ils dînaient.

– Moi aussi, je partirai, dit-il à Sarah. Quand Sadhana aura perdu les doigts de sa main droite, je la ramènerai dans son pays. Ne voulez-vous pas attendre près de moi que cela arrive ?

– La main de Sadhana est encore très belle, murmura Sarah.

– Parce que vous ne la voyez pas en plein jour, dit M. Pook, parce que vous ne prenez pas sa pauvre main pour la poser sur vous. Le pouce tombera en automne. Ne voulez-vous pas attendre jusqu'à l'automne ? répéta-t-il. D'ici là, il y aura l'été, et nous voyagerons tous les deux. Vous voulez aller en France ? Je vous y conduirai.

Une fois encore, il évoqua les grands hôtels où ils descendraient, la magie des ascenseurs, les portiers qui lanceraient exprès pour elle le cylindre des portes tournantes. Sous la violence de l'averse, une feuille de bananier s'était désunie, laissant ruisseler la pluie sur le visage fripé de M. Pook, qui avait l'air d'un homme en larmes.

– Qu'est-ce que je vous ai fait, Sarah, pour que vous ne vouliez pas rester avec moi ? Je n'ai rien exigé de vous d'inconvenant, rien de grossier. Ce n'est pourtant pas l'envie qui m'en a manqué, je puis bien vous l'avouer à présent. Ce que je vis près de vous ne ressemble en rien à ce qui se passait quand Sadhana était là, à votre place. Elle était gentille, elle.

– Je suis gentille, monsieur Pook.

– Mettons alors qu'elle était complaisante. Allons, ne m'obligez pas à être plus précis et à employer certains mots !

Elle baissa les yeux sur son assiette et la repoussa. On leur avait apporté ce soir du poisson à la cingalaise. C'est-à-dire que la préparation était cingalaise, mais le poisson venait de la Tamise, et il dégageait une odeur de vase. Depuis quelque temps, Londres avait cette odeur fade. Peut-être était-ce à cause de la pluie, ou bien cela venait-il, par comparaison, de ce que Sarah s'était efforcée de se rappeler Gaudion, tous les détails de Gaudion, et qu'elle avait brusquement retrouvé, dans un coin de sa mémoire, la senteur de l'homme.

– Ne dites pas ces mots, monsieur Pook. N'y pensez même pas. Vous savez bien que pour moi c'était non.

Il se pencha en avant – et la pluie, cessant de dégouliner sur son visage, crépita sur son crâne :

– Sauf qu'on avait les moyens de vous faire chanter, vous savez ? Vous ne vous êtes pas assez méfiée de la dextérité légendaire du vieux Pook, capable de glisser la main sous un oreiller sans réveiller la petite personne qui y a posé sa jolie tête. Vous avez gardé les salières sous votre oreiller une nuit de trop, je les y ai trouvées une de ces nuits où je suis monté vous regarder dormir.

– Taisez-vous donc, dit-elle avec dégoût.

– Je le jure, Sarah, c'est tout ce que j'ai pris de vous : l'image d'une petite endormie. Vos larcins, je m'en moque.

Quant à ce qu'il avait fait de cette image, il ne le lui dit pas. Mais elle le devina en partie – il en avait fait ce qu'elle-même faisait des souvenirs qu'elle gardait de Gaudion.

– Eh bien soit, dit-il enfin comme s'il acceptait sa défaite, partez. Quelqu'un vous attend, au moins ?

– Oh ! oui, murmura-t-elle, lui, il m'attend.

Dans la feuille de bananier qui s'était détachée, M. Pook enveloppa les restes de poisson et jeta le tout par-dessus le balustre, à l'intention de Sadhana qui s'agitait sous le balcon. Il se reprit à évoquer les hôtels où il avait déjà retenu par télégraphe des chambres pour Sarah et lui – des hôtels en France, précisa-t-il, en Sologne d'abord, et puis sur les bords de la Loire. Il raconta comment il comptait s'y prendre pour observer les grèbes castagneux, les blongios nains dans les grandes roselières, les cygnes tuberculés et les fuligules sur les pièces d'eau des châteaux. Puisqu'elle tenait tant à la France, pourquoi ne voulait-elle donc pas de sa France à lui ?

Mais il disait ces choses comme s'il n'y croyait déjà plus. Sa parole devint embarrassée, confuse, il se mit à balbutier. En fait, certain qu'il allait la perdre, il consacrait toutes ses forces à regarder Sarah pour ne jamais l'oublier. Après elle, il n'engagerait plus de jeunes filles. Sarah McNeill serait la dernière de la longue dynastie de ses promeneuses d'oiseaux.

Il s'était toujours contenté de les admirer dans leur sommeil, de dîner ou de prendre une tasse de thé en leur compagnie sur un coin d'évier, dans son laboratoire. Sauf Sadhana, dont il avait tout de suite su que sa beauté dissimulait les germes d'une terrible pourriture (et M. Pook rachetait ainsi sa faiblesse pour l'Indienne par la quasi-certitude de pourrir à son tour), il ne les avait jamais touchées – pas davantage qu'il ne lui serait venu à l'idée de saisir et d'arrêter un oiseau en plein vol.

Pour lui, l'expression la plus aboutie de la création était la grâce des jeunes filles, les oiseaux n'étant qu'un reflet secondaire de cette grâce. Par grâce, M. Pook n'entendait pas seulement le délié de leur démarche, la finesse de leurs membres – certaines avaient des bras énormes, rougeauds et musculeux, elles marchaient comme des sapeurs à la parade, et elles avaient pourtant la grâce des jeunes filles. La grâce des jeunes filles était en réalité tout autre chose que la grâce telle qu'on l'entendait généralement, elle se nichait dans le parfum vanillé d'une nuque, le bleuté d'une cheville soudain découverte par une robe que le vent soulevait, les plis d'un poignet sous un bracelet de pacotille, dans la brusquerie d'un rire, la palpitation des cils, dans cette façon toujours un peu inquiète qu'elles avaient de respirer, dans leurs imperfections émouvantes – comme ces petits poils qu'elles avaient sur les bras ou les jambes, et qu'elles n'auraient peut-être pas dû avoir. M. Pook appelait ces imperfections les étourderies de Dieu à l'égard des jeunes filles. Pour leurs créatures, Dieu et M. Pook employaient d'ailleurs le même subterfuge : le maquillage. Dieu ne laissait pas s'abîmer la grâce des jeunes filles, il en faisait des femmes avant qu'elles n'aient commencé à se flétrir, et M. Pook se hâtait d'imprégner ses oiseaux naturalisés d'assez de poudre d'alun et de savon arsenical pour qu'on oublie qu'ils n'étaient après tout que des cadavres.

– Très bien, dit-il enfin à Sarah (elle s'endormait la joue sur la table, malgré le tambourin de la pluie sur les feuilles de bananier), alors nous partirons le même jour. Sadhana et moi pour les Indes, et vous pour la France.

Sarah vendit sur le marché de Camden Lock, le long de Regent's Canal, les oiseaux qui faisaient partie de la collection personnelle de M. Pook. Elle n'en tira pas grand-chose, car c'étaient des spécimens de petite taille. Elle négocia aussi ses instruments, ses manuels (dont l'admirable *Mémoire instructif sur la manière d'arranger les Animaux* de Jean-Baptiste Bécœur, qui fut acheté par une nécromancienne), ses planches d'écorchés, et le reliquat de savon arsenical dont il s'était servi pour son dernier chef-d'œuvre – un bruant des neiges. Il pleuvait toujours, le canal roulait des eaux limoneuses, les clématites étaient mortes.

Pendant ce temps, aidé de Sadhana, M. Pook fermait pour toujours la maison du Wapping. Il était occupé à clouer ses volets lorsqu'il remarqua un inspecteur de police qui rôdait dans les parages. Au taxidermiste qui lui demandait ce qu'il cherchait, l'inspecteur répondit qu'il enquêtait sur le vol probable d'une robe de grande valeur, couleur jaune anisé. La personne à qui appartenait cette toilette avait remarqué sa disparition peu de temps après qu'une jeune fille lui eut livré un oiseau empaillé.

– Un oiseau *naturalisé*, rectifia M. Pook.

– Est-ce que cette jeune fille travaillait pour vous ?

– C'est un fait, reconnut tranquillement M. Pook. Mais, à ma connaissance, Elisa n'a jamais rien volé d'autre que des salières en argent.

– Elisa ? releva l'inspecteur en ouvrant son calepin. Elisa comment ?

– Elisa de Cetti, improvisa rapidement M. Pook. Comme la bouscarle du même nom.

– Je vous demande pardon ?

– La bouscarle de Cetti, inspecteur, un oiseau de la famille des passereaux. Il vous intéressera peut-être de noter cette coïncidence pour le moins singulière, à savoir que notre Elisa avait tout à fait les traits de caractère de la bouscarle : dissimulée comme elle, et très craintive.

– Savez-vous où je pourrais trouver cette fille ?

– Certainement oui, dit M. Pook, au pénitencier de Millbank. Elles finissent toutes par y passer un jour ou l'autre.

L'inspecteur referma son carnet et s'éloigna dans le soir qui tombait. Il devrait attendre le lendemain pour consulter les registres de Millbank, en quête d'une Elisa de Cetti qu'il n'était pas près de trouver – d'ailleurs, demain étant un dimanche, les autorités de Millbank le prieraient sans doute de patienter jusqu'au lundi. D'ici là, Sarah McNeill serait loin. M. Pook hocha la tête, assura le marteau dans sa main et, tout en se demandant pourquoi elle avait porté son choix sur une robe jaune anisé – si Sarah avait été une poupée, il l'aurait plutôt habillée en rose –, il se remit à clouer ses volets. Le sentiment de tristesse qui l'étreignait depuis plusieurs jours s'était un peu dissipé grâce à la farce qu'il venait de jouer à cet inspecteur de police. Tout en frappant sur ses clous, il essaya d'imaginer à quoi aurait pu ressembler Elisa de Cetti si elle avait existé. Il décida qu'elle aurait eu une chevelure très longue, d'un roux orangé clair rappelant le plumage de poitrine du traquet tarier, mais qu'elle n'aurait jamais parfaitement réussi à la rassembler en un chignon à peu près sage. Trop de cheveux pour un si petit crâne, et bien trop lourds – encore une étourderie de Dieu à l'égard des jeunes filles, pensa-t-il.

TROISIÈME PARTIE

Normandie, 1882

– 1 –

Une robe en percale n'était peut-être pas une aussi bonne idée que ça, songeait Sarah en constatant que la toilette jaune anisé, après son long voyage, présentait des cassures et des plis incongrus qu'elle dut renoncer à effacer, même en les lissant furieusement du plat de la main – c'était d'ailleurs un mal pour un bien, tant cette main était sale, toute charbonneuse de la suie des bateaux.

Elle avait quitté Londres au crépuscule, à bord du paquebot du Havre. Lorsqu'elle avait gravi la passerelle, l'officier en poste à la coupée avait eu l'air horrifié en voyant une jeune personne aussi élégante obligée de porter elle-même ses bagages, et il s'était empressé de héler un matelot qui s'était emparé des fausses valises de Sarah. Ni le marin ni l'officier n'avaient paru remarquer à quel point ces valises étaient fatiguées, craquelées, et dépareillées jusqu'à être gravées chacune à des initiales différentes. Suivant les conseils de Sadhana, Sarah avait alors fait mine de chercher fébrilement son billet de passage, mais l'officier lui avait souri :

– Il n'y a aucune urgence, mademoiselle, nous verrons cela plus tard, ainsi que votre passeport. Bienvenue à bord, et permettez-moi de vous souhaiter une excellente traversée.

Sarah n'avait plus rencontré cet officier, et personne n'avait demandé à contrôler son billet. Elle était libre d'aller et venir à sa guise sur le bateau. Celui-ci appareilla en même temps que la malle des Indes de la Peninsular & Oriental, à bord de laquelle avaient pris place M. Pook et Sadhana. Pendant un temps, les deux bâtiments descendirent la Tamise en naviguant de conserve, comme deux coureurs qui gagnent à petites foulées la ligne de départ. La nuit tombant, ils rivalisèrent d'illuminations. Puis, sans doute contraint à moins de solennité que le grand navire de la P & O, le bateau du Havre s'ébroua, sa cheminée se mit à cracher des étincelles, ses tôles vibrèrent, il prit de la vitesse et doubla la malle des Indes, à bord de laquelle jouait un orchestre tandis que ses passagers se rassemblaient pour le premier service du souper.

Après s'être installée dans la chambre de deuxième classe située tout à l'avant du navire, Sarah comprit, aux regards admiratifs que les autres femmes posaient sur sa robe jaune anisé, que sa place n'était peut-être pas là. Elle gagna alors le boudoir réservé aux passagères de distinction, garni de miroirs, de tapis, et d'une bibliothèque bien fournie. Pour se donner une contenance et éviter d'avoir à se servir de sa voix morte, elle prit un livre et s'étendit sur un canapé où elle s'endormit aussitôt.

Au petit jour, elle suivit les dames qui se pressaient dans une antichambre où l'on se déshabillait avant d'accéder aux baignoires de la salle de bains. Mais, lorsque son tour vint de se dévêtir, Sarah fit brusquement volte-face, ne supportant pas l'idée de devoir se séparer de sa robe.

– Je crois que j'ai mal au cœur, s'excusa-t-elle.

Et elle courut sur le pont, où elle se pencha au-dessus du bastingage et fit mine de vomir. Un passager compatissant voulut lui soutenir le front, mais elle le repoussa. Entre ses doigts écartés, elle regardait s'approcher les côtes de France.

Pour la première fois, elle douta de lady Jane. Elle ne comprenait pas pourquoi celle-ci, au lieu d'envoyer ses capitaines, n'était pas partie elle-même à la recherche de sir John. Sans doute les mers boréales étaient-elles infiniment plus périlleuses que la Manche, si grise et placide ce matin, où des voiles couraient en si grand nombre qu'on se serait cru sur un de ces bassins où les enfants s'amusent à faire nager des bateaux-jouets ; mais, même s'ils étaient d'une autre nature qu'un naufrage, Sarah n'assumait-elle pas elle aussi de grands risques en voyageant clandestinement, sous la seule protection d'une jolie robe ? Une suspicion de la part d'un des officiers du steamer, une sommation d'avoir à montrer des papiers d'identité qu'elle ne possédait pas, une arrestation, un rapatriement en Angleterre à destination des horribles marécages de Millbank restaient toujours possibles. Elle avait interrogé un marin, qui lui avait confirmé que la cale du petit paquebot était équipée d'une sorte de cellule comportant une barre de fer scellée où l'on enchaînait les chevilles des délinquants.

– Mais je ne garantis pas que nous aurions des bracelets assez étroits pour saisir vos chevilles si fines, mademoiselle, avait conclu l'homme avec galanterie.

Sarah remarqua que le marin n'avait pas fait mention de ses poignets, qu'on devait pourtant pouvoir enchaîner comme des chevilles et qui, autant par suite des travaux auxquels elle avait été astreinte à la ferme d'Alderney que des oiseaux promenés dans les omnibus de Londres, s'étaient assez considérablement épaissis.

Elle gagna la proue du steamer, offrant son visage au vent du large. Des embruns soulevés par la vague d'étrave mouillèrent sa robe, mais ça n'avait plus tellement d'importance à présent. Au fur et à mesure que la bande d'ouate, annonçant l'apparition prochaine de la France, devenait plus dense, passant d'un bleu impalpable à un vert moucheté qui sentait déjà la terre et les arbres – et pourquoi pas les oignons français ? –, la jeune fille éprouvait un mélange d'exaltation et d'assurance qu'elle n'avait encore jamais connu.

Au Havre, les formalités de débarquement se déroulèrent sans incident. Lorsque les autorités françaises demandèrent à voir son passeport, Sarah leur dit qu'elle avait certainement rangé ce document quelque part, mais qu'elle ne se rappelait pas où ; ce serait l'affaire de quelques instants, les rassura-t-elle, le temps qu'elle fouille ses valises. A cause de sa voix morte qui trahissait un immense épuisement, et de sa belle robe fripée, les policiers la prirent pour une de ces jeunes femmes modernes, délurées, qui s'offrent une ou deux nuits de plaisir en Angleterre, et qui rentrent un peu étourdies par les charmes de Londres. L'entente nouvelle entre les deux nations avait relancé la mode des escapades amoureuses, qui favorisaient l'occupation des cabines de luxe, toujours plus difficiles à louer. D'un côté de la Manche comme de l'autre, une certaine discrétion avait été recommandée aux fonctionnaires, et ceux du Havre laissèrent passer Sarah sans insister. Elle se retourna pour leur demander où elle pourrait trouver des pêcheurs de crevettes, et ils lui répondirent que ceux-ci étaient surtout basés sur l'autre rive de l'estuaire, à Honfleur et à Trouville – mais ils lui conseillèrent Trouville, dont le port abritait plus d'une centaine de barques côtières, et qui offrait la ressource de quelques hôtels dont le luxe leur semblait mieux approprié à une jeune femme aussi élégante.

Par le petit vapeur noir de la Compagnie normande de navigation, Sarah gagna donc Trouville. Si Gaudion ne s'y trouvait pas, peut-être y apprendrait-elle si la *Dame-de-Penhir* avait jamais relâché sur cette côte et, si oui, pour quel port la goélette avait ensuite mis à la voile. Comme John Franklin, Gaudion avait l'avantage de ne pas passer inaperçu.

Aussitôt débarquée, Sarah songea à se débarrasser de ses faux bagages. Pressée par une foule bruyante – marchandes de poisson dont les panières ruisselantes lui aspergeaient les jambes comme des goupillons, excursionnistes en quête d'un fiacre pour les ramener à leur pension de famille ou à leur location, étrangères aux voix pointues –, elle descendit le quai de Joinville jusqu'au pont sur la Touques où, s'adossant au parapet, le visage dans le soleil comme une femme épanouie de bonheur, elle poussa discrètement du pied ses valises dans la rivière. La marée était haute et la Touques, rugissante et gonflée d'eau de mer, les avala aussitôt. Si on les retrouvait au jusant, elles ne seraient plus que deux dépouilles anonymes, gluantes et gorgées de vase.

Attirée par le foisonnement des petites mâtures qui dépassaient de la digue, elle rebroussa chemin et remonta le quai Tostain. Des pêcheurs travaillaient sur leurs barques. Elle les interrogea, mais aucun d'eux n'avait jamais vu de goélette ressemblant à la *Dame-de-Penhir* :

– On n'a pas des bateaux comme ça chez nous, madame.

C'était la première fois qu'on lui disait madame, en détachant chaque syllabe, et cela l'intimida. Wilma elle-même n'avait jamais été appelée madame par personne, le terme le plus respectueux dont on avait usé à son égard était *mistress* – un titre qui sentait la soupe tenue au chaud, le gouvernement des fermes et des troupeaux. Sarah n'osa pas continuer à poser des questions. Dans son esprit, une personne à qui l'on donnait du madame en ôtant sa casquette était supposée savoir où elle allait.

Or, elle n'en savait rien. Elle était à Trouville, Trouville était en France, c'était là toute sa connaissance ; la mer qui baignait ce rivage – une côte basse et longue, sablonneuse, aux senteurs de coquillages – était-elle celle que connaissait Gaudion ? N'ayant pas pris la précaution de consulter une carte, Sarah se faisait du littoral français une idée pour le moins imprécise.

De toute façon, elle était lasse, elle avait faim et sommeil. L'après-midi s'avançait, dans trois ou quatre heures il ferait nuit. Elle remit au lendemain sa recherche de Gaudion – lady Jane elle-même ne s'était pas seulement montrée la plus fidèle des femmes, elle avait aussi fait preuve d'une infinie patience.

Acceptant l'idée de ne pas manger ce soir, Sarah décida de consacrer tous ses efforts à trouver un endroit pour dormir – quelque chose de propre, surtout, où elle ne risquerait pas d'abîmer sa robe. Elle traversa le terre-plein de la Cahotte, tourna à droite vers la promenade des planches, et aperçut les drapeaux qui flottaient au-dessus des innombrables petits édicules éparpillés sur le sable – cabines de déshabillage fixes ou montées sur roues, tentes-boudoirs à larges rayures blanches et bleues, abris-fauteuils en osier tressé. Les baigneurs quittaient la plage par petits groupes agités, frileux, revenant sur leurs pas pour ramasser un objet oublié, puis ils s'en allaient en traînant ou en portant sur leur dos, comme des tortues, les chaises de cuisine et les châles qu'ils avaient empruntés à leur logeuse.

Sarah s'adossa contre un mât blanc au sommet duquel claquait un drapeau brésilien. Elle décida d'attendre que la plage soit vide, après quoi elle irait se blottir dans une des tentes, plus faciles à ouvrir que les cabines en bois, qui étaient munies de cadenas. Elle n'était pas pressée, et elle éprouvait même, à attendre son gîte, une sorte de contentement. Après les remugles du Wapping, les puanteurs poisseuses des omnibus de Londres, elle retrouvait, sur cette longue allée de planches rabotées par le sable qui courait au vent du soir, les senteurs d'iode des États d'Alderney. Elle étudia le paysage de la plage et choisit d'occuper la tente la plus proche de la mer afin d'entendre toute la nuit le bruissement des vagues. En passant près d'elle, les gens la dévisageaient, se retournaient et chuchotaient en riant tout bas, une main devant la bouche – ils la prenaient pour une de ces fausses baigneuses, une de ces « belles petites » comme on disait sur la plage, qui, sous prétexte de nage solitaire au coucher du soleil, attendaient en fait un homme marié qui n'avait pas de quoi payer deux appartements, un pour sa famille et l'autre pour sa jeune maîtresse. Quand la nuit était douce, les tentes abritaient quelques-unes de ces amours clandestines dont on retrouvait les traces au matin, sous la forme d'un mouchoir ou d'un bas oubliés, d'un poudrier vide, d'une bouteille de vin mousseux mal enfouie. Et le sable, quelquefois, gardait l'empreinte émouvante d'une main qui s'y était crispée, enfoncée, et qui l'avait griffé.

Huit heures sonnèrent au clocher de Notre-Dame des Victoires. La lumière du jour palpita, rosit, s'étala et disparut d'un coup dans la mer comme si les vagues l'avaient absorbée, et les villas s'allumèrent les unes après les autres. On entendit des rires de femmes, le tintement des verres qu'on entrechoquait et le bruit sec, dans l'ombre des jardins, des baguettes dont les enfants frappaient leurs cerceaux. En se retirant, la mer avait laissé sur la plage des flaques luisantes où palpitaient des poissons pris au piège.

Sarah se dirigeait vers une tente lorsqu'elle aperçut, sur les planches, une fille cheveux au vent qui promenait des chiens. Elle en tenait une dizaine au bout d'une longe qui se séparait ensuite en autant de laisses qu'il y avait d'animaux. L'un des chiens se mit à aboyer furieusement après Sarah. Par mimétisme, les autres aboyèrent à leur tour. La fille aux cheveux défaits cria :

– Taisez-vous, mais taisez-vous donc, sales bêtes !

Les chiens tiraient tous en direction de Sarah, et la fille qui les promenait avait visiblement du mal à les retenir.

– Je vous en prie, mademoiselle, cria-t-elle encore, cette fois à l'intention de Sarah, éloignez-vous !

Mais ces chiens n'intimidaient pas Sarah, ils ne pouvaient pas être plus sauvages que ceux que Toby dressait pour ses troupeaux. Elle s'approcha de la fille, et les chiens s'aplatirent en jappant doucement et en remuant la queue.

– Eh bien voilà, dit Sarah, ils voulaient seulement savoir qui j'étais. Maintenant qu'ils le savent, ils vont se tenir tranquilles. Est-ce qu'ils sont à vous ?

– Tous ces chiens, vous voulez dire ? Oh ! Dieu merci, non. Je travaille pour l'hôtel des Roches Noires, expliqua la fille en désignant, tout au bout de la plage, un bâtiment si brillamment éclairé que ses lumières se reflétaient au loin sur le sable mouillé, presque à la lisière de la mer. Je promène ces chiens quatre fois par jour, c'est juste mon travail.

– Moi, dit Sarah, je promenais des oiseaux.

– Des oiseaux ? s'exclama la fille. Comment ça, des oiseaux ? Chacun au bout d'une ficelle, comme un cerf-volant ou un ballon ?

Elle rit.

– Je les promenais dans des sacs, dit Sarah. Ils étaient morts, vous comprenez.

La fille ne l'écoutait plus. Prenant soudain conscience de l'état de sa coiffure, elle essayait de lui rendre un aspect à peu près présentable. Mais au fur et à mesure qu'elle rassemblait ses cheveux, le vent les dérangeait. Et quand le vent lui laissait un instant de répit, elle était obligée de se dandiner de façon grotesque à cause de la grappe de chiens qui s'agitaient au bout de la laisse principale.

– Je ferais bien la même chose que vous, murmura Sarah. Promener des chiens, je veux dire.

– Si ce n'est que ça, dit la fille en renonçant à se recoiffer, je vous cède la place. Mais je vous préviens, la saison des baigneuses est finie, et c'est rudement dommage parce que les chiens des baigneuses sont petits, affectueux, et qu'ils ne sentent pas mauvais. C'est même mieux que ça : à force d'être tripotés, ils sentent comme leur maîtresse – les parfums à la mode cet été sont tous à base de réséda, et moi, le réséda me rend folle. Tandis que les clients qui vont rappliquer maintenant viennent pour les courses de chevaux, et chacun amènera avec lui au moins trois ou quatre chiens, des bêtes de races différentes, mais de préférence dans le registre monstrueux, ce qui fait que ça va tirer dans tous les sens et qu'on n'arrivera plus à tenir la meute. L'employée qui était là avant moi a été traînée sur les planches pendant plus de cinquante mètres. Je ne vous dis pas dans quel état on l'a relevée.

Sarah se rappela avoir lu, dans les articles consacrés à lady Jane, des histoires de traîneaux à chiens qui couraient sur la banquise. Là-bas aussi, les chiens étaient impitoyables.

Pour bavarder plus à son aise, la fille avait noué l'extrémité de la longe au mât blanc contre lequel, l'instant d'avant, Sarah se tenait encore adossée. Cette fille dit s'appeler Gabrielle Gousselin. Originaire du Havre, elle était employée à l'accueil des voyageurs arrivant d'Amérique sur les paquebots de la Compagnie générale transatlantique, jusqu'au jour où une passagère lui avait fait miroiter la fortune, ou quasiment, si elle consentait à la suivre à Trouville pour s'occuper de ses chiens durant la saison des bains – Mme Colper-Hayth avait deux dogues, ils étaient noir et feu, plutôt effrayants, mais si gentils quand on savait comment s'y prendre avec eux. Gabrielle était allée les voir dans le chenil du paquebot où les molosses, sans doute exaspérés par l'enfermement d'une interminable traversée, avaient commencé par se jeter sur elle et l'avaient mordue ; mais tout aussitôt, ils s'étaient mis à lécher doucement les plaies qu'ils venaient de lui infliger.

– C'est bien la première fois qu'on me demandait pardon comme ça, après m'avoir fait du mal, dit Gabrielle.

Touchée par le remords des chiens, elle avait accepté la proposition de Mme Colper-Hayth et s'était retrouvée dans cet immense palace que Sarah pouvait voir scintiller là-bas. Elle avait eu beaucoup de satisfaction à promener les grands chiens américains : ils provoquaient à la fois l'admiration et la réserve des hommes. Et puis, peu à peu, d'autres clientes des Roches Noires avaient fait appel à ses services, et, quand la voyageuse était repartie pour le Maine, Gabrielle était restée attachée à l'hôtel.

– Mais maintenant, ils ne veulent plus de moi. Un chien est mort lors d'une promenade et ils disent que c'est de ma faute, que je l'ai laissé trop longtemps au soleil pour aller bavarder avec une amie. C'est faux, il n'y avait pas de soleil ce jour-là, et je n'ai pas d'amie.

Elles remontèrent le chemin des planches jusqu'aux Roches Noires. Isolé tout au bout de la plage, bâti dans le prolongement du lugubre récif qui lui donnait son nom, l'hôtel, avec son toit à la Mansart, ses deux avant-corps et ses quatre étages abritant deux cents chambres, son escalier à deux volées descendant sur la promenade de la plage, ses balustres, ses bas-reliefs et ses colonnes en stuc, faisait songer à ces châteaux anciens dont on ne sait s'il faut les admirer pour leur grâce ou leur austérité. Ce soir, aux Roches Noires, la grâce l'emportait : sur l'aile gauche, la salle à manger ruisselait de la lumière dorée des chandeliers posés sur chaque table ; à travers les vastes baies, toutes les serveuses qu'on voyait s'empresser auprès des clients étaient blondes.

– Ne vous laissez pas avoir, dit Gabrielle Gousselin, elles ont l'air blondes à cause de l'excès de chandelles. Là-dedans, ils allument tout ce qui veut bien brûler, pour impressionner ceux de l'Hôtel de Paris, et surtout ceux des nouveaux palaces de Deauville, en face, de l'autre côté de la Touques. C'est la guerre, entre Trouville et Deauville. A propos de guerre, ajouta-t-elle en secouant la laisse collective, méfiez-vous des caniches.

– Ils mordent ?

– Non, mais ils se roulent dans le sable et ils attrapent des puces de mer. C'est des bestioles inoffensives, ça n'a jamais piqué personne, mais comme on n'a rien trouvé de mieux que d'appeler ça des puces, à chaque fois qu'on en repère une sur le dos d'un chien, ça fait toute une histoire avec les patrons.

Elles entrèrent dans le hall. Dans aucune des demeures londoniennes où elle avait livré ses oiseaux, Sarah n'avait vu une pièce aussi somptueuse ni surtout aussi vaste – la ferme des Hauts-de-Clonque y aurait tenu plusieurs fois à l'aise, et la fumée des quaipeaux que crachait sa cheminée se serait dissipée avant seulement d'effleurer les caissons du plafond. Elle eut l'impression de s'avancer dans une sorte de temple antique et elle chercha, pour se rassurer, la main de la fille aux chiens. Même si elle avait eu une voix comme tout le monde, elle se serait sentie tout à coup obligée de chuchoter.

Poursuivie par un employé armé d'une tête-de-loup, une chauve-souris voletait, affolée, entre les colonnes corinthiennes. Des clients observaient la chasse et tenaient des paris ; la chauve-souris était cotée à vingt-cinq contre un.

– Ils s'entraînent pour les courses, dit Gabrielle. Ils peuvent parier sur n'importe quoi, vous savez. Même sur vous – par exemple, le temps que vous allez mettre à traverser le hall, ou le nombre de lacets de votre corset.

– Comment ils pourraient les compter, les lacets de mon corset ?

– En vous invitant à prendre l'ascenseur avec eux. En principe, l'ascenseur est interdit au personnel, mais si un client veut que vous montiez avec lui, vous ne pouvez pas refuser. Une fois là-dedans, le client se plaint qu'on soit tous serrés comme des sardines, et il en profite pour vous passer la main dans le dos et compter vos lacets.

– Sauf que moi, dit Sarah, je n'ai pas de corset.

– Vous êtes fine comme ça, naturellement, sans vous serrer la taille ?

– Je suis maigre, précisa Sarah.

– C'est à cause de votre maladie ?

– Quelle maladie ?

– Votre maladie de gorge, dit Gabrielle.

– C'est ça, dit Sarah, j'ai une gorge qui ne laisse rien passer, je ne peux pas avaler, et je maigris jour après jour. C'est pratique, de ne pas pouvoir manger. On finit par oublier que ça existe.

En fait, elle mourait de faim. Après les senteurs apéritives de l'iode sur la plage, la vue des petites limandes s'asphyxiant sur le sable et des crabes fuyant dans les flaques d'eau, les riches odeurs de cuisine qui envahissaient le hall des Roches Noires la mettaient au supplice, mais elle ne l'aurait avoué pour rien au monde : tant qu'elle n'avait rien appris de définitif à propos de sir John, lady Jane s'était à peine nourrie – elle n'absorbait que la stricte quantité d'aliments nécessaire à sa survie ; d'après les journaux, même quand elle présidait un banquet de charité organisé pour réunir les fonds d'une de ses futures expéditions, elle se contentait de picorer.

Sarah s'arrêta un instant pour admirer la cabine de l'ascenseur, immobile dans sa cage grillagée, bien assis sur ses ressorts noirs et luisants de graisse. Le liftier, un petit garçon d'une douzaine d'années, s'était endormi, recroquevillé sur le strapontin de moleskine rouge. En voyant l'ascenseur, Sarah pensa à M. Pook. Elle se demanda où ils pouvaient bien être, Sadhana et lui, et si, sur la malle des Indes,

M. Pook laissait la lépreuse errer sur les ponts quand il faisait nuit, pour séduire des voyageurs et les attirer dans sa cabine. Elle était sûre que oui : privé de ses oiseaux, M. Pook avait bien dû trouver un autre moyen de laisser la mort s'emparer insidieusement des êtres vivants, se couler goutte à goutte dans leurs veines, et les figer peu à peu.

Gabrielle Gousselin présenta Sarah McNeill au responsable du personnel, qui la trouva avenante et apprécia l'élégance de sa robe. Tous les chandeliers disponibles ayant été transférés dans la salle à manger où étaient réunis les clients du palace, il faisait relativement sombre dans le hall et le responsable ne vit pas, ou ne voulut pas voir, à quel point la percale jaune anisé était froissée, ni que cette toilette n'était peut-être pas exactement celle d'une jeune fille posant humblement sa candidature à une place de promeneuse de chiens. Mais le filet de voix de Sarah et son aptitude à s'exprimer aussi aisément en français qu'en anglais suffirent à le convaincre qu'elle était la personne idéale, bien dans la ligne feutrée des Roches Noires (contrairement à son rival l'Hôtel de Paris, qui misait sur une clientèle clinquante, le palace des récifs se distinguait par la garantie d'une discrétion et d'un calme absolus), pour remplacer cette petite sotte de Gabrielle Gousselin qui laissait mourir les chiens qu'on lui confiait.

– Tout de même, s'enquit-il, pourquoi parlez-vous si bas ?

– Une extinction de voix, monsieur.

– J'espère que ça ne durera pas trop longtemps. Pour commander aux chiens, il faut parfois savoir élever le ton. Vous prendrez vos fonctions dès demain. Gabrielle vous montrera votre chambre – qui n'est autre que la sienne, bien entendu, et qu'elle devra libérer au matin, mais il est tard et je ne vois pas d'inconvénient à ce que vous la partagiez pour cette nuit. De toute façon, il faudra vous lever tôt. La première promenade des chiens a lieu à sept heures trente très précises. Le pipi du matin ne souffre aucun retard, ajouta-t-il en souriant. Vous ferez en sorte d'emmener les animaux à l'écart, le plus vite et le plus loin possible, de façon à ce qu'ils ne souillent pas le sable de la plage. Gabrielle vous indiquera les itinéraires que vous devrez emprunter. Vous passerez devant des villas appartenant à des personnes éminentes, aussi ne saurais-je trop vous recommander d'avoir une attitude digne de la réputation de notre établissement.

Il avait tout prévu, sauf qu'il négligea de lui demander si elle avait dîné.

Gabrielle guida Sarah jusqu'aux combles, dont les chambres étaient occupées par les employés qui n'étaient pas du pays, ou ceux que leur service obligeait à se coucher très tard ou à se lever très tôt ; en longeant les portes, comme elle l'avait fait en lui présentant les chiens un à un, elle lui apprit de qui elle devrait se méfier.

La pièce où logeait Gabrielle ne comportait qu'un lit étroit que les jeunes filles se partagèrent, à la joie de Sarah, heureuse de sentir un corps chaud se lover contre le sien. Elle s'endormit presque aussitôt, songeant combien elle aurait eu froid si elle avait dû se résoudre à se réfugier dans une des tentes sur la plage, et ne pensa même pas à demander à Gabrielle de fermer la fenêtre qui recevait de plein fouet le vent de la mer.

– 2 –

Elle fut réveillée le lendemain matin par le maître-baigneur de l'hôtel, qui se levait avant le jour pour ratisser son coin de plage, disposer les chaises et les pliants, réparer et gonfler les bouées, et surtout calligraphier les diplômes de natation qu'il remettrait à ses clients dont le séjour aux Roches Noires s'achevait aujourd'hui. L'homme ouvrit la porte avec brusquerie, cria : « On se bouge, là-dedans ! » et, comme Sarah lui faisait remarquer qu'il aurait pu frapper avant d'entrer, il maugréa que Gabrielle n'en demandait pas tant.

– Par contre, ajouta-t-il, elle ne détestait pas une petite mise en train. C'est pour ça que je la réveillais toujours dix minutes avant l'heure. Mais tu n'as peut-être pas les mêmes besoins qu'elle.

– Non, dit sèchement Sarah, je n'ai aucun besoin.

Le maître-baigneur sortit en laissant ostensiblement la porte ouverte. Peut-être espérait-il que Sarah allait se raviser et le rappeler. Elle se leva, claqua la porte de toutes ses forces pour que le maître-baigneur l'entende et cesse de se faire des illusions.

Avant de s'en aller, Gabrielle avait posé sur l'oreiller une feuille du papier à lettre à l'en-tête des Roches Noires. Elle l'avait simplement signée d'un G, laissant la page absolument vierge ; cette virginité même, pensa Sarah, en disait beaucoup plus que toute une litanie de souhaits.

Elle descendit aux cuisines, où elle eut droit à un petit déjeuner composé de café au lait, de tranches de pain grillé et de fromage blanc – « sucré au miel pour notre amie Sarah qui a si mal à la gorge », recommanda le maître-baigneur qui, sans rancune pour la porte claquée, lui avait gardé une place sur le banc à côté de lui. Il sentait le savon à barbe et passa le plus clair du repas à épiler maniaquement, à l'aide d'une pince, ses jambes déjà étrangement glabres qu'il allongeait à tour de rôle sur le banc.

– Moins on a de poils aux pattes, mieux on nage. Tu n'as qu'à voir les poissons. Est-ce que tu as des poils, toi ? Je peux te les enlever, si tu veux. Je sais faire ça comme un barbier professionnel, avec de la bonne cire chaude.

Un des garçons de restaurant vint s'asseoir à son tour sur le banc et confirma qu'il récupérait, pour le maître-baigneur, la cire de bougie qui coulait des chandeliers. Cette cire était pure et d'excellente qualité.

– En ce moment, précisa le garçon de restaurant, elle est blanche. Mais pendant le meeting des courses on mettra partout des bougies rouges. Le rouge, ça excite les parieurs.

– Sans compter que la cire rouge doit être du plus bel effet sur les jambes d'une blonde, dit le maître-baigneur.

Sarah n'avait jamais pensé qu'on puisse s'épiler les jambes. De toute façon, elle voulait rester pour Gaudion exactement comme elle était la nuit où il l'avait portée dans ses bras. Elle se désolait déjà bien assez d'avoir deux ans de plus.

Derrière les fenêtres montait lentement un jour gris, délavé. Des oiseaux de mer, ronds et potelés comme des poules, dormaient encore sur les planches. Parfois, l'un d'eux ouvrait une aile aiguisée, du bec il fouaillait nerveusement son plumage, puis il s'éloignait en se dandinant et d'un seul élan il s'envolait, montait dans le ciel avec un cri rauque. Grimpés sur des échelles, des employés tendaient entre les mâts blancs les calicots annonçant les réjouissances du jour, les amusements de famille avec courses d'ânes, bals d'enfants et tombolas, une fête de charité au profit des veuves de marins, un thé dansant sur les terrasses d'une villa, avec quadrilles, valses, mazurkas et polkas, et la soirée de comédie où l'on donnerait *La Tour de Nesle* ou *Les Deux Divorces* – selon la troupe d'artistes arrivée la première par le train de Paris. Un maître d'hôtel, en queue-de-pie et gants blancs, alla plonger un thermomètre dans l'eau, et il revint inscrire, sur une ardoise, la température de la mer, qui était ce matin de dix-sept degrés.

Pendant que Sarah se restaurait, un cuisinier commença à peler des oignons pour le bouillon qui, accompagné d'un verre de madère, serait servi à partir de onze heures aux clients des Roches Noires ayant pris un bain à la lame. Sarah lui demanda si les oignons venaient de Roscoff. Le cuisinier haussa les épaules :

– Je n'en sais fichtre rien, ma belle. A mon avis, ils viennent surtout du potager du coin. Tout le monde peut en faire pousser, ça n'a rien de sorcier, tu sais.

Sarah, la bouche encore pleine de miel qui lui collait la langue et ne facilitait pas son élocution, raconta l'épopée des *Johnnies*. Ni le cuisinier, ni le maître-baigneur, ni le garçon de restaurant n'en avaient jamais entendu parler. Ils trouvaient même que c'était une drôle d'idée de se donner le mal d'affronter la mer pour aller vendre une pareille camelote aux Anglais. Sarah pensait un peu comme eux, et elle se promit de persuader Gaudion d'oublier la *Dame-de-Penhir* et l'Angleterre pour limiter son commerce à Roscoff et Saint-

Pol-de-Léon – si lady Jane avait retrouvé sir John vivant, ne l'aurait-elle pas supplié de renoncer à trouver le passage du Nord-Ouest ? A supposer que Gaudion juge la baie de Morlaix trop étroite pour ses ambitions, Sarah lui proposerait d'essayer les marchés parisiens – M. Pook était allé à Paris étudier les paons du Jardin des Plantes, et il était revenu émerveillé par la beauté de la ville et l'élégance du Boulevard. Sarah se voyait remonter ce Boulevard, un bras passé autour de la taille de Gaudion (enfin, *presque* autour, car la taille de Gaudion était évidemment beaucoup trop large pour qu'on puisse l'enlacer), l'autre balançant un panier plein d'oignons. Il ferait très beau, et Gaudion lui achèterait une ombrelle blanche – sauf que, si ses deux bras étaient occupés, Sarah aurait des difficultés à faire tourner l'ombrelle au-dessus d'elle, négligemment, à la mode parisienne ; il serait merveilleux, se dit-elle, de n'avoir plus que ce genre de problème à résoudre.

Un peu plus tard, elle accompagna le garçon d'étage qui assurait le service des petits déjeuners. Elle l'attendait devant la porte des chambres, le garçon entrait avec le plateau, il demandait s'il y avait un chien à promener et, dans l'affirmative, il le confiait à Sarah.

A sept heures et demie, Sarah eut ainsi récupéré les douze chiens dont elle avait la charge. Elle traversa le hall aussi dignement que possible, sous le regard du responsable du personnel. Celui-ci consulta ostensiblement sa montre :

– C'est bien, mademoiselle. Et cette extinction de voix ?

– Ça va mieux, chuchota Sarah, ça va beaucoup mieux depuis que j'ai pris du miel, merci monsieur.

Elle s'en alla, plus aphone que jamais, contourna l'hôtel

par la droite et emprunta la route de la Corniche qui longeait les villas dont Gabrielle, la veille, lui avait psalmodié les noms comme on récite une prière : « villa Montebello, villa Leroy d'Etiolles, tour Malakoff, maison gothique, maison persane, maison normande, évitez de faire aboyer les chiens en passant, ces gens-là dorment tard, et ils ont le bras long… ».

Les villas étaient en effet silencieuses derrière leurs volets clos, mais des femmes, pour la plupart âgées, vêtues de bleu sombre, sortaient furtivement des propriétés, se reconnaissaient, se saluaient et s'en allaient de front, comme une troupe, tenant toute la chaussée. C'étaient les cuisinières qui partaient au marché. Elles se levaient tôt pour être sûres de trouver les meilleurs produits.

L'une d'elles, petite et ridée, dont la robe laissait voler dans son sillage une vague odeur d'urine, marchait moins vite que les autres à cause d'une jambe raide. En entendant les chiens aboyer derrière elle, elle ralentit encore, volontairement cette fois, pour permettre à Sarah de la rejoindre. Elle se pencha sur les chiens que retenait la jeune fille, les cajola l'un après l'autre en les appelant par leur nom :

– C'est que je les connais bien, les voyous ! Et la personne avant vous me connaissait bien, elle aussi. Elle m'appréciait, parce que je suis de bon conseil.

Elle se présenta comme étant Marie Le Faouêt, originaire du Finistère, et plus précisément de Huelgoat.

– Ne vous attachez à rien, ma petite. Surtout pas aux chiens, car on vous les enlèvera sans vous donner seulement le temps de leur faire une dernière caresse. C'est un pays de sable, ici, tout vous file entre les doigts. Même votre mansarde, ils vous en feront déguerpir pour la louer à prix d'or dès que commenceront les courses de chevaux. Et Dieu sait où vous irez vous pelotonner pour dormir – ils ne sont pas tenus de vous fournir le coucher, que nenni ! Bon, il y a les kiosques à musique, heureusement. Et les bateaux de pêche. On dort bien au fond d'un bateau de pêche, ça vous berce. A condition d'en choisir un qui reste à quai, et de connaître le truc pour se faire un matelas avec les filets. Mais ça, je pourrai vous montrer la méthode. Les courses de chevaux, ici, c'est le commencement de la fin. Un grand commencement, faut dire. Mais après, tout s'effiloche et part en quenouille. On blanchaille les vitres, on brûle les lauriers morts et les chaises longues cassées. Oh, il y a encore de la villégiature, mais de la petite, du fretin comme disent les pêcheurs, du fretin qui compte ses sous. L'an dernier, en septembre, j'ai vu des bonnes sœurs sur les planches. Elles cherchaient à acheter des chapelets. Des chapelets à Trouville, et quoi encore ! s'esclaffa la cuisinière dont le rire se tarit brusquement. Et puis, c'est l'hiver qui vient. C'est dur à passer, l'hiver, tout est fermé, pas de chiens à promener, pas de salaire, pas de pourboires, rien. Au fait, vous savez où est passée Gabrielle ?

– Elle a dû rentrer au Havre, dit Sarah.

– Foutaises, gronda Marie Le Faouêt. Allez donc traîner du côté de la gendarmerie, le violon des femmes est derrière la muraille de droite. Collez-y votre oreille, et vous l'entendrez pleurnicher, la pauvre gosse.

– On l'a mise en prison ?

– Arrêtée et enfermée, oui, ma jolie ! dit Marie Le Faouêt. Pour l'assassinat d'un chien. J'étais là, moi, j'ai tout vu. C'est vrai qu'elle l'avait attaché au soleil, mais ce n'est pas vrai qu'il est mort de ça. La bête aurait crevé de toute façon.

Soleil ou pas, ce pauvre cabot n'aurait pas fait un pas de plus. Mais il faut bien que Gabrielle aille devant le tribunal, et vous savez pourquoi ?

Sarah n'en avait pas la moindre idée.

– A cause du pedigree du chien, pardi ! Sur le pedigree, c'est une chose de marquer *crevé de maladie*, et c'en est une autre de marquer *mort de mauvais traitements*. Dans le premier cas, la lignée ne vaut rien – supposez que les descendants de ce chien soient atteints du même mal ?

– Mais hier soir, dit Sarah, Gabrielle était libre.

Elle la revoyait marchant sur les planches, les cheveux fous, et riant de toutes ses dents qui étaient mal rangées mais si blanches. Elle pensait aux longs bras potelés de Gabrielle, restés pâles malgré le soleil d'été, et elle ne parvenait pas à imaginer qu'on les lui avait peut-être attachés derrière le dos, et qu'elle était maintenant incapable de seulement repousser une mèche de cheveux lui tombant sur les yeux.

– On l'aura prise au moment où elle se préparait à embarquer sur le vapeur du Havre, dit Marie Le Faouêt, décidément intarissable. Délit de fuite. Les gendarmes sont partout, à l'époque des courses. Et en plus, on fait venir la troupe. Cinquante hommes qui nous arrivent de Lisieux le matin, qui s'en retournent le soir. J'espère que vous n'avez rien sur la conscience.

– Oh non, dit Sarah.

L'idée qu'elle avait volé quatorze salières et une robe jaune anisé, puis escroqué la compagnie qui armait le paquebot du Havre, ne l'effleura même pas.

Elle prenait un singulier plaisir à suivre la route qui conduisait au centre de Trouville, à côté de cette femme aussi loquace qu'elle-même était taiseuse, et aussi ouverte au désespoir que lady Jane l'avait été à l'espérance. Car Marie Le Faouêt ne voyait en toute chose que ce qui pouvait advenir de pire. Elle craignait que les planches de la promenade de la plage ne prennent feu le jour où elles seraient touchées par la foudre, ou que les chevaux parqués sur l'hippodrome ne s'échappent et, dans leur fuite à travers la ville, ne renversent et ne tuent des passants. Mais elle prophétisait ces abominations avec une bonne humeur contagieuse, riant de toute sa bouche sans dents, comme si elle pensait que la Providence n'avait jamais autant d'humour que lorsqu'elle baissait les bras et laissait déferler les pires cataclysmes. Avec une sorte de jubilation, elle décrivit à Sarah les inondations, les averses de grêle, les neveux morts à la guerre, les troupeaux décimés par des maladies inconnues et brutales, tous les malheurs qui avaient scandé son enfance. Ses yeux d'un bleu naïf semblaient tout étonnés d'avoir traversé tant d'épouvantes et d'être restés assez bien enfoncés dans leurs orbites pour pouvoir contempler encore une fois le jour qui se levait sur Trouville.

Ses patrons étaient des banquiers, un peu armateurs, un peu négociants en bois exotiques, un peu vendeurs de canons, qui ne passaient à la villa que le seul mois d'août, pestant contre l'humidité, les petites araignées, le grincement des planchers. Le reste du temps, Marie Le Faouêt régnait en solitaire sur un labyrinthe d'escaliers obscurs, d'étages cotonneux, de chambres glacées où l'allumage d'une maigre chandelle suffisait à embuer les miroirs. Elle pouvait y cultiver à loisir son pessimisme immense. Chaque soir, selon les ordres qui lui avaient été donnés une fois pour toutes, elle préparait un souper fin au cas où ses maîtres auraient débarqué à la gare de la Touques. Elle tenait ses plats au chaud jusqu'à minuit, puis elle en mangeait une partie et distribuait les restes, qui étaient conséquents, à la salle d'asile de la ruelle Desseaux et aux habitants des petites maisons ouvrières de la rue Guillaume-le-Conquérant.

Sarah l'invita à prendre un café sur le quai de Joinville. Marie Le Faouêt accepta, à condition que le café soit arrosé d'un petit verre de n'importe quoi, du moment que ce n'importe quoi était honnêtement alcoolisé. Cela faisait monter le prix du café au-delà de ce que Sarah avait prévu d'investir, aussi se contenta-t-elle, malgré son envie de moka, de demander pour elle un simple verre d'eau. Elles continuèrent à parler de Gabrielle et de la façon dont l'ordre et la discipline régnaient dans cette ville où, disait Marie, la joie puérile des baigneurs et de leurs cocottes cachait bien des perditions.

Nimbées d'une mousseline de brume fine et bleue, les maisons qui longeaient la Touques étaient tranquilles, leurs pignons barbouillés de réclames bon enfant vantaient des farines de cacao roboratives, des apéritifs aux plantes, des lingeries qui ne faisaient pas transpirer la peau. Les premiers baigneurs se hâtaient vers les plages, les coudes au corps, la moustache plaquée sur leurs joues rosies par le vent. Un marchand de filets à crevettes venait d'ouvrir sa boutique, des enfants trépignaient pour y entrer. Sarah demanda brusquement à Marie ce qu'elle savait de Roscoff, puisqu'elle était bretonne. Marie dit que ça devait être une belle ville, assurément, comme toutes celles de Bretagne, mais qu'elle n'y avait jamais mis les pieds, et qu'elle ne les y mettrait jamais.

– Parce que c'est loin d'ici, se justifia-t-elle, oh ! fichtrement loin d'ici...

Mais sa jambe raide, pensa Sarah, rendait peut-être Marie Le Faouêt aussi désabusée par rapport aux distances qu'elle l'était déjà par rapport à tout le reste – y compris au petit verre d'alcool dont elle affirmait que ce bandit de cafetier l'avait certainement coupé d'eau ; en regardant la Touques qui gonflait ses eaux beiges le long du quai, la cuisinière ajouta qu'il n'était d'ailleurs pas exclu que la mer finisse un jour par déborder.

– Mais comment on y va, à Roscoff ? insista Sarah. Même si c'est loin, quel est le meilleur moyen d'y aller ?

– Le meilleur moyen, c'est d'y être née, et de mourir en espérant que quelqu'un aura la bonne idée d'y rapatrier ce qui reste de toi. Je ne vois pas d'autre moyen d'y aller quand on gagne cette misère qu'on gagne, nous autres, conclut la cuisinière. En tout cas, moi, c'est sûrement comme ça que je retournerai à Huelgoat.

Sur quoi, Marie Le Faouêt se leva, défroissa sa robe qui laissa échapper de nouveaux effluves indéfinissables, et s'en fut au marché, non sans avoir gratifié Sarah d'une molle bénédiction du bout des doigts, comme elle l'avait vu faire à l'évêque de Lisieux.

A neuf heures, Sarah ramenait les chiens à leurs propriétaires. Elle n'avait rien à faire jusqu'à midi, l'heure de la deuxième promenade, dite « la digestive » car elle suivait immédiatement le repas des bêtes. Elle était à nouveau libre jusqu'à dix-huit heures, où elle repartait pour « l'apéritive ». Elle dînait aux cuisines, dans la vapeur des casseroles, nourrie des restes de la salle à manger que lui apportaient les maîtres d'hôtel en pleine agitation. De vingt et une à vingt-deux heures, elle ressortait promener les chiens pour « la nocturne ».

C'est au cours d'une de ses récréations que Sarah dénicha, chez un libraire de la rue des Bains, un ouvrage sur la vie maritime où il était question des *Johnnies*. Elle le consulta longuement, cherchant à repérer, sur les images qui montraient la longue cohorte des charrettes d'oignons rangées le long des bateaux, le visage ou à tout le moins la silhouette de Gaudion. Ayant cru reconnaître celui-ci, elle fut bouleversée. Sans doute ne voyait-on Gaudion que de dos, mais ce dos était haut et large, et ces mains énormes avec lesquelles il s'apprêtait à empoigner un sac d'oignons ne pouvaient appartenir qu'à lui. D'une voix plus étouffée que jamais, Sarah s'enquit du prix de l'ouvrage, mais il excédait largement ce qu'elle pouvait mettre. Elle reposa le livre sur son étagère. Moitié riant et moitié pleurant, en tout cas dans un état d'excitation intense, elle traversa la rue et acheta, chez le coutelier d'en face, un rasoir dont le prix était inférieur au dixième de celui du livre qui parlait des marchands d'oignons. Dissimulant le rasoir dans sa manche, elle retourna aussitôt chez le libraire où, prétextant s'être ravisée, elle demanda à voir à nouveau l'ouvrage. Elle s'isola près de la vitrine. Discrètement, à l'aide du rasoir qu'elle venait d'acheter, elle découpa l'image représentant Gaudion au milieu des autres *Johnnies*. Elle la glissa sous sa robe, l'appliqua contre la chaleur de son bas-ventre et quitta la librairie en disant que décidément non, elle ne serait pas raisonnable de s'offrir ce livre. En courant sur la promenade des planches, elle jeta le rasoir dans la mer, furtivement, comme s'il lui avait servi à tuer quelqu'un.

De retour aux Roches Noires, Sarah sortit la page découpée de dessous sa robe. Elle s'était imbibée de quelques gouttes des sucs intimes de la jeune fille qui, sans doute à cause de l'émotion, lui avaient échappé. Sur cette image à présent gondolée, Gaudion, si tant est que c'était lui, était devenu méconnaissable. Des traces de mouillure striaient son dos comme des coups de fouet, tandis que des cloques d'humidité déformaient ses grandes mains. Curieusement, seule la silhouette de Gaudion avait été dégradée, tandis que les marchands d'oignons autour de lui étaient demeurés intacts.

Sarah parla à l'image, s'excusant de ce qu'elle avait fait – était-ce un sacrilège, ou bien, au contraire, Gaudion accepterait-il d'y voir comme une sorte d'offrande anticipée que Sarah lui faisait de son corps ? Car elle avait décidé, lui chuchota-t-elle, de se donner à lui dès qu'il le voudrait, et elle espérait que ce serait le plus tôt possible.

– 3 –

Ce soir-là, le dîner fut servi plus tôt et, contrairement aux habitudes, la salle à manger commença à se vider avant même qu'on ait proposé les desserts. Par les baies ouvertes sur la plage, on entendait hennir les chevaux de course que les lads entraînaient sur la plage, les faisant trotter au bout d'une longe à la lisière du sable et des vagues. Alors les femmes se hâtèrent de gagner la promenade des planches, éclairée par les lumières des Roches Noires et des villas enchâssant le palace, pour regarder évoluer les chevaux, mais surtout pour révéler quelques détails précurseurs des toilettes de foulard, crêpe de Chine ou cachemire qu'elles porteraient pour le grand steeple-chase et qui donneraient ensuite, à l'automne, le ton de la mode parisienne. On se répétait que les courses de cette année, dotées de plus de cent vingt mille francs de prix, seraient les plus brillantes qu'on n'aurait jamais vues. On se désignait les chevaux du duc d'Hamilton, qui partiraient favoris.

Des gendarmes s'étaient glissés parmi la petite foule des élégantes, pour surprendre les pickpockets et les bonneteurs, et surveiller les romanichels qui jouaient de l'orgue de Barbarie en faisant danser des singes.

Sarah avait reçu l'ordre d'avancer sa « nocturne », de façon que la meute des chiens ne perturbe pas les exercices des chevaux. Quand elle rentra, le maître-baigneur l'avertit que sa chambre avait été mise à la disposition d'un jeune baron imprévoyant.

– Où vais-je dormir ? demanda Sarah.

– J'ai bien ma petite idée là-dessus, dit le maître-baigneur en faisant sauter dans sa main la clé de sa propre mansarde.

Sarah haussa les épaules et alla se mettre à l'écart, parmi le personnel. Sa toilette tranchait sur les robes noires et les tabliers blancs des femmes de chambre.

Du plus loin qu'elle l'aperçut, Marie Le Faouêt courut vers elle en boitillant, répandant son aigre odeur d'urine qui, par chance, se confondait avec celle des chevaux et des coquillages morts sur le sable.

– Nous aurons de l'orage avant qu'il soit minuit. Tu vois ces nuages à l'horizon, ma pauvre, ils ont le ventre trop violet pour être honnêtes. Je ne donne pas cher de toutes ces malheureuses cavales. Sans compter les barques qui ont pris la mer.

Le télégraphe l'avait avertie que ses patrons, retenus à Paris par une opération boursière, n'assisteraient pas cette année au meeting des courses. Elle avait donc apporté, pour Sarah, le meilleur du souper préparé pour les banquiers – un consommé Mirette et du suprême de barbue à la trouvillaise accompagné de ses pommes Beauharnais. Sous les regards d'envie des domestiques, Marie Le Faouët déballa ses victuailles :

– Ah, j'ai aussi pensé à te munir d'une serviette. Tu n'as qu'une robe, à ce qu'on dirait. Gare à ne pas la tacher.

– Les lingères de l'hôtel sont gentilles avec moi, dit Sarah en laissant Marie Le Faouët lui nouer une serviette immaculée autour du cou, elles s'occupent de ma robe.

Elles se reculèrent. Les chevaux, en caracolant, leur envoyaient des giclées de sable humide que Marie chassait d'un geste agacé, comme s'il s'agissait de moustiques.

– Vous aviez raison, murmura Sarah, ils m'ont pris ma chambre. Je ne sais pas où aller.

– Ne te fais pas de souci pour ça, dit Marie. Puisque les patrons ne sont pas là, tu n'as qu'à venir dormir à la villa. J'y ai déjà casé du beau monde, à deux francs cinquante la chambre, tu y feras peut-être des rencontres agréables.

Sitôt reçu le télégramme l'informant que ses banquiers restaient à Paris, la cuisinière s'était en effet précipitée à la gare où, dans l'encombrement des fiacres, des voitures publiques et des omnibus desservant les hôtels, elle avait repéré et recruté, parmi les voyageurs exténués qui erraient en quête d'un logement, quelques locataires d'une nuit. Tous les hôtels affichant complet, il y avait davantage de demandes que d'offres, et Marie Le Faouët fit son choix, tranquillement, parmi les hommes les plus avenants ; c'était bien la seule circonstance où elle pouvait espérer entraîner derrière elle de jeunes hommes qui, prêts à toutes les lâchetés contre la promesse d'un hébergement confortable, la suivaient comme des toutous, insistaient pour porter eux-mêmes leurs bagages, et l'appelaient madame. En chemin, elle croisa d'autres femmes pareillement escortées, et Marie compara avantageusement son petit cheptel à celui des autres « logeuses ».

Mais Sarah dit que les jeunes hommes rameutés par Marie ne l'intéressaient pas. Elle, elle avait Gaudion – c'est-à-dire qu'elle l'aurait bientôt, car elle aussi s'était rendue à la gare, pour se renseigner sur le prix d'un billet de chemin de fer pour la Bretagne : il lui faudrait encore promener les chiens des Roches Noires pendant un mois, trois semaines si les pourboires étaient plus généreux que prévu, pour en acquitter le prix. Alors, au plus tard en octobre, elle serait à Roscoff. Ce serait une merveilleuse surprise pour Gaudion de la voir arriver. Elle se présenterait à lui vers sept heures du matin, au moment où, sa lanterne à la main, il se préparait à gagner ses champs d'oignons. Elle se tiendrait devant la porte de sa ferme et, quand il l'ouvrirait, il la trouverait, immobile et souriante dans le crachin d'automne, un peu lasse après un aussi long voyage. Ce jour-là, les oignons devraient se débrouiller pour pousser tout seuls.

– Et s'il n'était pas à Roscoff ? risqua Marie.

– Il n'est pas à Londres, Dunglewood dit qu'il n'est plus en Cornouailles, personne ne se souvient de l'avoir vu ici, alors il faut bien qu'il soit rentré chez lui.

Elle montra à Marie l'image découpée au rasoir, qu'elle

avait patiemment séchée et nettoyée, reconstituant la silhouette de Gaudion à l'aide du crayon noir dont elle s'était servi pour écrire dans son carnet des tentations. La cuisinière admira les mains du marchand d'oignons, dont les traits de crayon avaient renforcé l'énormité.

– Des battoirs pareils, dit-elle en sifflant entre ses dents disjointes, on ne croirait pas que ça puisse exister.

Et elle ajouta, pensive, que les freluquets qu'elle avait amenés à la villa ne faisaient évidemment pas le poids.

– Et vous verriez son visage, dit Sarah (l'image s'était mise à trembler un peu entre ses doigts), il a un pli entre les yeux, une sorte de fronce terrible. Mais moi, ça ne me fait pas peur.

– Nous avons eu un majordome un peu comme ça, autrefois à la villa, dit Marie. Je serrais mes bras pliés le long du corps, il plaçait ses paumes sous mes coudes et m'envoyait valser en l'air, comme un petit ballon. Si haut, ma chère, que je retombais à califourchon sur ses épaules, lui coiffant le museau de ma robe. Toi qui es encore jeune, demande donc à ton Gaudion de te faire voltiger, et retombe sur lui, les cuisses ouvertes, la robe en corolle. On doit pouvoir jouer à ça partout, même dans les champs d'oignons. Oh, Sarah, si seulement j'avais été belle, comme je me serais amusée !

Sarah voulut dire que ce qu'elle éprouvait pour Gaudion n'avait rien d'un jeu, mais elle en fut empêchée par des applaudissements qui se mirent à crépiter : après les chevaux d'Hamilton, ceux portant les couleurs du duc de Fezensac défilaient maintenant le long de la mer. Des serveurs circulaient parmi les spectateurs, proposant du champagne. On entendait parfois le bruit d'une coupe qui tombait et se brisait sur les marches des escaliers. Par intervalles, le glissement rêche de la mer sur le sable couvrait tout.

Sarah et Marie décidèrent de rester encore un peu pour admirer le feu d'artifice qu'on devait tirer depuis des barques mouillées au large. Juste avant, on avait pris soin d'éteindre les lampes à gaz et de souffler les bougies. Durant cette brève pénombre qui ruissela sur les planches, Sarah sentit une main se poser sur sa nuque, et la serrer un peu, comme pour l'inviter à se montrer docile. Elle crut que c'était le maître-baigneur, et elle lui décocha une ruade dans les tibias.

– Ne soyez donc pas si méchante, dit à son oreille une voix suave et un peu moqueuse. Je savais bien que je finirais par vous retrouver.

Elle se retourna, et reconnut Nicholas Dunglewood bien qu'il soit vêtu avec une élégance recherchée qu'elle ne lui avait jamais vue. Il souriait :

– Que pensez-vous de Trouville ? Je me suis un peu joué de vous, je l'admets. Mais avouez que ça aurait pu être pire, Gaudion pouvait tout aussi bien se reconvertir dans la pêche à l'anchois, et je risquais alors de vous envoyer à Biarritz, à Monte-Carlo ou à Cannes. Et vous y seriez allée, n'est-ce pas ?

– Gaudion est à Roscoff, dit-elle de sa toute petite voix obstinée.

– Très probablement oui, confirma Dunglewood avec indifférence. Et vous, grâce à moi, vous voilà déjà en France. Vous avez donc fait la moitié du chemin, c'est toujours ça de gagné. Mais rassurez-vous, Sarah, je n'abuserai pas davantage de votre crédulité, je n'en ai plus besoin : j'ai quitté les jeunes tombes qui sentent la terre fraîche pour un vieux et riche mausolée aux senteurs d'héliotrope – en un mot, j'accompagne une dame de Highgate, assez fanée sans doute, mais qui souhaitait un protecteur pour s'aventurer sur les champs de courses. Elle me paye pour ça, et plutôt bien. Nous sommes logés pour la semaine à l'Hôtel de Paris. Ils ont un jardin ravissant, là-bas. Viendrez-vous ? Vous aurez une surprise qui, j'en suis sûr, vous fera plaisir en vous rappelant le bon vieux temps.

D'une certaine façon, il disait vrai : sans lui, elle se serait épuisée à chercher Gaudion dans cette Angleterre où il n'était pas. Et elle était heureuse de le revoir, de pouvoir s'exprimer en anglais avec lui – elle n'était pas trop fière de la manière patoisante dont elle parlait le français, sur cette plage où les baigneurs avaient (ou prenaient) l'accent de Paris, un accent si pincé, impossible à imiter pour elle qui faisait rouler les *r* et prononçait les *h* de façon rauque, à la viking. Avec Oscar Wilde, Dunglewood était le seul Anglais à l'avoir émue.

Elle le lui dit, en sautillant de joie :

– Contente, Nick, si contente !

Il répondit qu'il était rudement content, lui aussi : ah ! c'était enfin fini, il ne gravait plus de pierres tombales – il était tellement lassant, à force, ce manque d'imagination des gens pour le choix des épitaphes ; il avait proposé de nouveaux textes, des vers d'Oscar Wilde, justement, mais les familles n'en voulaient pas ; il allait se décider à démissionner, et connaître le chômage, lorsque cette dame de Highgate, un jour qu'elle visitait le cimetière, l'avait remarqué et lui avait fait sa proposition.

– Mettons que je la promène, un peu comme vous promeniez vos oiseaux. Sauf qu'elle n'est pas dans un sac, mais dans de belles robes. A ce propos, est-ce Pook qui vous a payé la vôtre ?

– N'écoute pas ce type, intervint avec brusquerie Marie Le Faouêt. Sarah, ne l'écoute pas, ne lui réponds pas.

– Mlle McNeill est une amie de longue date, se justifia Dunglewood d'un ton outragé. Nous nous sommes connus à Londres. Si vous saviez ce que j'ai fait pour cette petite, ma pauvre femme !

Sarah rembarra la cuisinière – oui, de quoi se mêlait-elle ?

– Comme tu voudras, dit Marie Le Faouêt. Mais l'orage sera bientôt sur nous, ajouta-t-elle en désignant l'horizon violacé. Cet orage que tu vois là-bas, et d'autres que tu ne vois pas. Je ne me trompe jamais.

– Sorcière, dit Dunglewood.

En grommelant, elle remballa sa porcelaine, éparpilla sur le sable, pour les mouettes, les restes du festin. Sarah ne l'aida pas. Elle n'avait d'yeux que pour Dunglewood, qui dit, en regardant s'éloigner Marie :

– Et en plus, elle pue, cette vieille !

Ce qui peina Sarah, car elle se rappelait que Jo Zemetchino avait vitupéré contre elle quelque chose d'analogue le soir où elle s'était présentée au bal dans une robe souillée.

– A demain ? fit négligemment Dunglewood.

– Mais oui, dit-elle, à demain.

Il tendit la main, cherchant au moins à lui effleurer le bout des doigts. Elle s'esquiva d'une pirouette qui, de façon ravissante, fit s'évaser sa robe jaune anisé et voler ses cheveux blonds. Dommage qu'elle sente un peu le chien, songea Dunglewood en s'éloignant sur les planches ; du bout de sa canne à pommeau, il fustigeait les petites spirales de sable qui, enchantées par le vent d'orage, virevoltaient autour de ses bottines à lacets.

Traversant le hall désert, Sarah quitta les Roches Noires par la porte donnant sur la route de la Corniche. Entre deux haies de lauriers et de petits pins tourmentés, elle grimpa jusqu'à la villa. Marie Le Faouêt s'était assise sur les marches du perron. Dans les étages, les jeunes locataires menaient une sarabande de chats. Ils avaient arraché les draps de lit pour se déguiser en fantômes. Sarah s'approcha de la cuisinière et s'assit près d'elle. Depuis un moment, de grosses gouttes d'eau tombaient du ciel. Au loin, à travers les feuillages, on voyait des colonnes de foudre, d'un rouge flamboyant, perforer la mer, sans bruit.

– Ce garçon qui t'a parlé, dit Marie après avoir laissé s'installer le silence, il ne vaut guère mieux que le maître-baigneur, tu sais. Lui aussi, il a envie de faire l'amour avec toi. Mais toi, est-ce que tu en as envie ?

– Oui, avoua honnêtement Sarah.

– Alors, dit Marie, vous allez faire l'amour.

– Non, dit Sarah, j'en ai envie, c'est sûr que j'ai envie d'amour, mais je ne le ferai pas avec lui. Même de toucher mes doigts, je ne lui ai pas permis ça. Seulement voilà, c'est agréable, le désir d'un homme. Je ne sais pas trop comment vous expliquer. Est-ce que vous ne croyez pas que lady Jane et ses capitaines, une fois ou l'autre...

– Oh ! mais je me fiche pas mal de lady Jane, l'interrompit Marie. Ne m'as-tu pas dit qu'elle était morte et enterrée, lady Jane ? Qu'elle dorme en paix entre ses planches, c'est de toi qu'il s'agit à présent.

– Eh bien moi, dit Sarah, pendant tellement longtemps, j'ai cru que j'étais laide.

Un rire silencieux secoua la cuisinière :

– Laide, toi ?

– Mais oui, chuchota Sarah, ma bouche, j'ai une drôle de bouche, non ?

– Une bouche d'enfant, dit Marie. Arrête avec ça. Le monde entier voudrait avoir ta laideur.

Elle avait parlé avec gravité, après avoir attendu, pour se prononcer, qu'un éclair inonde de lumière le visage de Sarah. C'était un très joli visage, et Marie Le Faouêt était sincère. Des femmes réputées pour leur beauté venaient parfois passer quelques jours à la villa, des coiffeurs faisaient tout exprès le voyage de Paris pour leur sculpter des chignons, des manucures massaient leurs mains au lait d'amandes douces, les fiacres qui les amenaient étaient chargés de cartons à chapeaux, de longues boîtes rigides contenant des robes étonnantes dont la moire était supposée répéter les luisances du sable gris, mais, selon la cuisinière, aucune de ces femmes ne pouvait prétendre rivaliser avec Sarah McNeill : la beauté de Sarah n'était ni dans les traits de son visage, ni dans sa silhouette, elle était dans sa certitude de trouver Gaudion, et qu'ils s'aimeraient.

Marie, elle, n'avait jamais eu de certitude, sinon celle du pire. Et les femmes de la villa n'en avaient pas davantage, toutes leurs phrases finissaient par des points d'interrogation – Est-ce que Raoul viendra cet été ? Fera-t-il beau pour les courses ? La femme de chambre est-elle enceinte ? Charles gardera-t-il son mandat de député ? Est-il vraiment dans l'air du temps de se faire construire un yacht et que diable en fait-on quand la saison s'achève ?…

– Marie, dit brusquement Sarah, est-ce qu'il y a des baignoires dans la villa ?

– Deux, ma fille, avec des pieds comme des pattes de lion.

L'une d'eau douce, l'autre d'eau salée. Mais j'ai coupé la chauffe puisque les maîtres ne viendront pas.

– Ça ne fait rien, nous monterons des brocs d'eau chaude. Vous voulez bien que je vous lave ? Il vous suffira de vous allonger dans la baignoire, et je m'occuperai de tout.

La proposition de Sarah était si inattendue, si saugrenue, que Marie Le Faouêt, sur l'instant, ne sut que répondre.

C'était la première fois que Sarah contemplait la nudité d'une femme aussi vieille. Marie Le Faouêt la fit penser aux oiseaux de M. Pook, quand celui-ci les vidait : la cuisinière avait beaucoup trop de peau sur elle pour le peu de chair qui la remplissait ; alors, cette peau qui n'avait pas assez à couvrir retombait en faisant des plis. La jambe plus courte était aussi plus maigre et plus blême.

– Elle n'a jamais voulu pousser comme l'autre, dit Marie en soulevant cette jambe à deux mains pour lui faire franchir le rebord de la baignoire.

Le premier moment de surprise passé, Marie s'amusait de la situation. Sarah et elle riaient comme deux folles.

– Oh ! mon Dieu, répétait Marie en refermant ses mains sur ses seins avec une pudeur de petite fille, on n'a jamais vu une chose pareille ! C'est bien parce que c'est la semaine des courses, et que la semaine des courses est toujours un peu insensée pour tout le monde…

Sarah la lava en la frottant doucement, comme si elle la caressait. Elle se disait que Gaudion avait peut-être chez lui, dans sa ferme, une mère de l'âge de Marie Le Faouêt qui serait heureuse qu'on lui rende le même service. Sauf qu'il n'avait sans doute pas de baignoire – même sans connaître la vie quotidienne des marchands d'oignons, Sarah imaginait aisément que prendre des bains n'était pas pour eux une préoccupation majeure. Eh bien, ce serait une des premières choses qu'elle lui ferait acheter, ils iraient la choisir ensemble et elle lui apprendrait la volupté qu'il y a à s'enfoncer lentement dans l'eau chaude, surtout lorsqu'il fait froid et nuit dehors. Peut-être existait-il des baignoires assez grandes pour qu'on puisse y chahuter délicieusement à deux.

L'orage avait éclaté. On entendit, sur la route de la Corniche, le trot affolé des chevaux que les lads ramenaient vers les stalles de l'hippodrome. Sur les planches, quelques personnes restèrent massées sous des parapluies pour assister à la conclusion du feu d'artifice. Mais les dernières fusées, mouillées par l'averse, éclatèrent avec un bruit sec, sans lâcher d'étoiles. Alors les parapluies se refermèrent et l'on se réfugia dans les salons où allait être organisée une partie de cartes.

– 4 –

Le lendemain, à l'heure de la cérémonie du *five o'clock tea*, qui se célébrait un peu partout en ville mais avec un lustre particulier à l'Hôtel de Paris, Sarah traversa les jardins du palace – l'*autre* palace, disaient avec condescendance les gens établis aux Roches Noires. Elle chercha Dunglewood du regard. Des musiciens tziganes jouaient parmi les fleurs, dont le parfum était estompé par celui de farine tiède des viennoiseries.

A l'instant même où elle aperçut Nick Dunglewood, elle reconnut la dame de Highgate qu'il accompagnait. Elle voulut s'esquiver, mais il était trop tard. Cette femme, elle aussi, l'avait reconnue.

– Mademoiselle McNeill, s'écria Mme Forbes, quelle merveilleuse surprise ! Je constate avec plaisir que ma robe vous va bien. Le jaune anisé n'est pourtant pas une teinte si facile à porter, surtout pour une blonde.

Sarah s'avança vers Mme Forbes et voulut lui faire une révérence. Mais elle la manqua, s'empêtra et tomba à genoux sur le gravier de l'allée. Elle ne chercha pas à se relever, et garda cette position d'humiliée, en espérant que Mme Forbes la prendrait pour de la honte et du repentir :

– Madame, chuchota-t-elle, je vous rendrai votre robe.

– Bien sûr, dit Mme Forbes, apparemment sans s'émouvoir. C'était juste un emprunt, n'est-ce pas ? Mais la question de savoir comment vous me la rendrez est intéressante. Il y a plusieurs hypothèses. Allez-vous l'ôter tout de suite, là, dans ce jardin ? Au rythme des violons, pourquoi pas ? Ce serait adorable, n'est-ce pas, Nicholas ? Tout dépend, mademoiselle, de ce que vous portez sous cette robe.

– Rien, dit Sarah.

– Alors, n'en parlons plus, votre déshabillage pourrait choquer la société. Envisageons une autre possibilité. Voyons, voulez-vous que M. Dunglewood vous accompagne jusqu'à ma chambre, afin de vous dépouiller là-haut ? Il y a, près du lit, un cordon de soie avec un gland. Vous tirez dessus, et une soubrette apparaît pour vous aider. C'est magique.

– Je ferai comme vous voudrez, madame.

– A la vérité, dit Mme Forbes, je ne veux plus de cette robe. Vous l'avez imprégnée de votre odeur. Je me souviens de votre odeur, mademoiselle, vous sentiez fortement le camphre, et je ne sais quels autres produits chimiques dont se servait Pook et qu'il nous facturait d'ailleurs fort cher. Seriez-vous assez inconsciente pour penser que je porterais une toilette qui pue l'oiseau mort ? Gardez cette robe sur vous, Sarah McNeill. Et vous, Nicholas, faites donc quelque chose, au lieu de donner l'impression que vous tombez de la lune !

Dunglewood se leva et offrit son bras à Sarah pour la relever ; comme ils formaient un couple jeune et charmant, les tziganes les escortèrent jusqu'à la sortie du jardin.

– Je ne savais pas, balbutia-t-il, je vous jure que je ne savais pas. Elle ne m'a jamais parlé de cette histoire de robe.

Sarah lui demanda ce que, d'après lui, Mme Forbes allait faire à présent.

– Mais rien du tout, la rassura Dunglewood, que voulez-vous qu'elle fasse ? Vous, par contre... le mieux, j'imagine, serait que vous portiez cette robe chez un teinturier, après quoi vous la ferez livrer dans sa suite à l'Hôtel de Paris.

– Oui, dit pensivement Sarah, qui n'avait pas l'intention de se séparer de la robe, et encore moins de gaspiller l'argent qu'elle avait économisé pour rejoindre Gaudion.

– Vous reverrai-je ? Bien sûr, vous ne pouvez plus vous montrer ici – surtout si vous êtes toute nue, ajouta-t-il en riant. Mais pourquoi ne pas nous retrouver à Deauville ? C'est juste de l'autre côté de la Touques, il existe un bac pour traverser. Nous irons chez un glacier que je connais. Aimez-vous la vanille ?

Ils étaient dehors, au soleil et dans le vent, parmi la vague ininterrompue des voitures, des chevaux, et des baigneurs qui rentraient en portant crânement sur l'épaule leurs filets de pacotille aux mailles desquels restaient accrochées de minuscules virgules translucides, cinq ou six crevettes dans le meilleur des cas, et le bouteillon d'eau de mer dans laquelle ils les feraient cuire, les regardant mourir en rendant grâces à Dieu d'avoir fait le monde si beau et de leur avoir accordé un mois d'août aussi incomparable. Dunglewood se pencha sur Sarah :

– Pourquoi ai-je dit la vanille ?

– Je ne sais pas.

– Parce que c'est un goût délicieux, ma chérie. Tout à fait le genre de goût que je m'attends à trouver dans votre bouche. Demain quinze heures ?

Mais le lendemain, le jour était à peine levé que deux gendarmes, après avoir attaché leurs chevaux aux grilles, frappèrent à la porte de la villa. Marie Le Faouêt, les cheveux encore frisottés par son bain de la veille, descendit leur ouvrir. Ils lui présentèrent un document officiel sur lequel, ne sachant pas lire, elle se contenta de jeter un regard distrait. Elle les fit entrer dans le hall de style chinois. Comme les navires transatlantiques, les villas respectables récusaient absolument tout ce qui pouvait rappeler la proximité de la mer ; on se décorait à la persane, à la romaine, à la mauresque, à la paysanne, à la n'importe quoi en fait, mais pour rien au monde on n'aurait accroché des marines, ni posé sur les guéridons des maquettes de voiliers ou des coquillages ; seuls les petits enfants ramenaient du sable entre leurs doigts de pied et dans les plis de leurs habits, une poussière d'un gris humide qu'on se dépêchait de balayer avec des mines dégoûtées. Donc, ce hall était chinois, avec de part et d'autre de l'escalier deux formidables tigres de porcelaine verte, les griffes vernissées d'or, et un haut paravent tout miroitant d'ailes de papillons bleus qui dissimulait les patères du vestiaire. Les gendarmes s'avancèrent sur un dallage ressemblant à une tapisserie géante, où étaient figurés des dragons soufflant leur haleine de feu sur les toits pointus d'un quelconque palais d'été ; aux quatre angles du hall, des dalles octogonales, d'un bleu profond, étaient incrustées d'idéogrammes.

– En pékinois, expliqua Marie Le Faouêt, ça veut dire : le vent porte le bonheur dans la maison qu'il effleure.

Les gendarmes hochèrent la tête avec respect et ils évitèrent de marcher sur ces dalles ; ils apportaient rarement le bonheur là où ils entraient.

– Un instant, messieurs, dit Marie, la petite ne sera pas longue.

Les gendarmes n'avaient pas précisé le but de leur visite si matinale, mais l'idée que ces hommes auraient pu venir pour l'un ou l'autre des jeunes gens insouciants qu'elle avait hébergés cette nuit, voire pour elle-même, n'effleura pas la cuisinière. Les jeunes messieurs étaient trop respectables, et Marie trop insignifiante : c'était évidemment Sarah que les gendarmes désiraient voir, et sans doute emmener avec eux. L'un d'eux avait d'ailleurs déroulé une sorte de laisse de cuir reliée à deux menottes. C'était répugnant à voir, mais Marie n'y pouvait rien. Elle ne se demanda pas quelle faute avait commise Sarah : la plupart des choses hideuses qui arrivaient étaient rarement méritées, mais il n'y avait tout simplement pas d'autre possibilité que de s'y soumettre.

– Laissez-moi seulement la prévenir, ajouta la vieille femme, il est si tôt qu'elle doit dormir encore.

Traînant sa jambe courte, elle monta péniblement l'escalier, et on l'entendit frapper à la porte de la chambre où elle avait logé Sarah :

– C'est pour toi, petite. Descends vite, des messieurs t'attendent. Si tu te dépêches, tu auras peut-être le temps d'avaler un peu de café, je m'occupe tout de suite de t'en réchauffer un fond.

Et Marie fila vers son office. Sinon pour y caser ses pensionnaires personnels, elle n'avait jamais aimé rôder dans les parties nobles de la villa. Ce qui s'y tramait, affaires d'amour ou d'argent, ne lui disait rien qui vaille. Un jour, un vieux financier s'était suicidé dans la chambre de l'ouest, et c'était elle qui l'avait trouvé au matin, affalé sur un sofa, sa tempe trouée toute bruissante des sales mouches de l'été.

Sarah se leva. Elle ouvrit les volets et, constatant qu'une fine rosée les humectait, elle se dit qu'il allait faire très beau. Une vieille ballade d'Écosse qui parlait des splendeurs du loch Schyn lui revint en mémoire, et elle la chantonna dans sa tête, joyeuse de pouvoir soudain s'en rappeler les paroles. Au temps où sa gorge blessée l'empêchait d'avaler, Wilma la lui chantait quelquefois pour l'encourager à manger. Elle croyait avoir oublié cette ballade à jamais, et voilà qu'elle s'en souvenait tout à coup. Elle se dit qu'en se rendant tout à l'heure au rendez-vous de Nick Dunglewood elle sacrifierait un peu d'argent pour acheter une carte postale et l'envoyer à ses parents. Elle aurait dû faire ce geste depuis longtemps. Elle en aurait volontiers envoyé également une à Hermie, mais elle ne savait pas où la lui adresser, car elle pensait bien que Toby l'avait chassé de la ferme des Hauts-de-Clonque.

La présence dans le hall de deux hommes qui demandaient à la voir ne l'inquiétait pas. Il s'agissait probablement de clients des Roches Noires qui venaient juste d'arriver à l'hôtel – en période de courses, les trains de plaisir débarquaient leurs voyageurs à des heures imprévisibles – et qui venaient lui confier leurs chiens pour pouvoir se rendre tranquillement à l'hippodrome.

La veille, en quittant les jardins de l'Hôtel de Paris, le premier réflexe de Sarah avait été de fuir Mme Forbes. Elle avait couru jusqu'à la gare, mais aucun train ne quittait plus les bords de la Touques ce soir-là. Il n'y avait pas non plus de bateau en partance à l'embarcadère de la Compagnie normande de navigation, et les coches qu'elle croisa se contentaient d'assurer la navette entre le chemin de fer et les hôtels. Alors elle était rentrée aux Roches Noires, elle avait promené ses chiens, puis elle était montée dormir à la villa, oubliant le mouvement de peur qui l'avait submergée – Nick Dunglewood ne lui avait-il pas promis qu'elle n'avait rien à craindre de Mme Forbes ?

– Ma fille, dit l'un des gendarmes en voyant Sarah descendre l'escalier dans sa toilette jaune anisé, je ne crois pas que tu vas pouvoir garder cette robe. On va plutôt la ficeler et la mettre dans un paquet pour la suite de l'enquête.

– C'est sur elle que repose l'accusation, dit l'autre gendarme.

– Monsieur, chuchota Sarah, je n'ai rien d'autre à me mettre.

– On va te trouver quelque chose, dit Marie.

Les jeunes gens avaient été réveillés par le bruit. Penchés par-dessus la rampe de l'escalier, ils regardaient Sarah, la cuisinière et les gendarmes.

– L'un de vous, dit Marie en levant la tête vers les jeunes gens, aura bien quelque chose à lui prêter.

Le vicomte, qui était le mieux réveillé des cinq, dit qu'il

avait apporté avec lui un peignoir de bain, rayé blanc et bleu, qui devrait convenir. Il serait sans doute un peu ample, mais il avait une ceinture qu'on pouvait nouer serré.

– Sauf que, dit-il aux gendarmes, il est brodé à mes initiales sur la poche poitrine. Est-ce que ça peut me valoir des ennuis si cette fille le porte ?

– Aucun ennui, monsieur, le rassura le gendarme.

– Très bien, dit le vicomte, je fais confiance aux forces de l'ordre de mon pays.

Suivi de ses amis, il courut dans sa chambre chercher le peignoir. Tous paraissaient fort excités, moins par l'arrestation elle-même que par le fait qu'une criminelle allait enfiler ce peignoir pour traverser la ville. Il était encore très tôt et les rues devaient être à peu près désertes, mais qu'arriverait-il si une commère à sa fenêtre reconnaissait les initiales brodées et la couronne de vicomte qui les surmontait ?

– C'est très chic de ta part, Maxime, dirent les amis du vicomte. Un peu audacieux, sans doute, mais d'une telle générosité !

Pendant ce temps, dans le hall, Sarah se déshabillait. Malgré le bol de café brûlant que lui avait donné Marie, elle avait froid, et avait à nouveau oublié l'air et les paroles de la ballade écossaise. Avant qu'elle soit nue, on lui tendit enfin le peignoir. Elle l'enfila. Perdue là-dedans, et même en retroussant les manches, elle avait l'air d'une toute petite fille convalescente dans un hôpital. Les gendarmes n'avaient pas l'habitude, et ils éprouvèrent de la compassion pour elle.

– Ce n'est pas que ça nous amuse, dit celui qui, dès le début, avait exhibé la laisse de cuir et les menottes, mais il va falloir qu'on t'attache un peu.

– S'il vous plaît, non, chuchota Sarah.

Ce serait la première fois que, d'une certaine façon, elle appartiendrait à quelqu'un qui pourrait la conduire où il voulait, et elle avait l'impression de trahir Gaudion. Lui seul avait le droit de se pencher sur elle pendant qu'elle dormait, de la soulever pour l'emporter dans ses bras, et de l'embrasser. Elle cacha ses mains derrière son dos. C'est Marie qui, pour que les choses ne s'enveniment pas, dut les lui saisir et les glisser dans les menottes.

– Qu'est-ce qu'elle a fait, au juste ? demanda le vicomte.

– Volé cette robe, dit un gendarme en finissant de tasser dans un sac l'objet du délit. Et c'est une sacrée belle robe, ça peut lui coûter cher.

Ils sortirent, entraînant Sarah. Marie pleurait, l'un des jeunes gens bâillait. En détachant leurs chevaux, les gendarmes dirent qu'ils regrettaient de ne pas être venus avec un de ces fourgons cellulaires qui, en même temps qu'ils étaient plus sûrs, protégeaient l'anonymat des prisonniers. Mais le seul dont ils disposaient était en réparation chez le forgeron, qui refaisait le cerclage des roues.

– Ne t'en fais pas, dirent-ils à Sarah, on ne rencontrera personne, les bains de mer commencent rarement avant neuf heures.

– Je n'ai pas honte, chuchota-t-elle.

Évitant tout de même les villas et la proximité de la plage, ils menèrent Sarah par la rue du Chalet-Cordier, empruntèrent la rue de la Cavée, puis, après avoir suivi une partie de la rue des Bains, ils atteignirent enfin l'hôtel de ville. Ses poignets tendus et attachés à l'arçon d'une selle, Sarah se laissait promener, car on allait à un pas de promenade, surtout attentive à éviter que les pans de ce peignoir qui n'était pas à elle ne traînent dans le crottin que les chevaux lâchaient sur le pavé.

Les gendarmes lui expliquèrent qu'elle serait provisoirement détenue dans le cachot de la mairie, habituellement dévolu aux marins ivrognes qui menaçaient de ne pas se présenter à l'embarquement, car, à la gendarmerie même, la cellule des femmes était déjà pleine – en période de grand steeple-chase, il n'y avait malheureusement pas que les hôtels pour afficher complet. Le cachot de la mairie, dirent-ils, n'était pas un lieu de détention convenant à une jeune fille, car ses murs étaient, de façon écœurante, imprégnés des déjections des marins ; mais pour peu que le vent veuille bien tourner au suroît, ça chasserait les odeurs et Sarah pourrait entendre le bruit de la mer, ce qui l'aiderait si elle voulait essayer de dormir. De toute façon, elle n'aurait pas trop longtemps à s'y morfondre : dès ce soir, le fourgon, avec ses roues cerclées de neuf, viendrait la chercher pour l'emmener à Pont-l'Évêque où siégeait le tribunal auquel avait été transmise la plainte déposée par Mme Forbes.

Averti par Marie, qui avait couru à l'Hôtel de Paris, Nicholas Dunglewood se présenta à la mairie à l'heure du déjeuner, et supplia qu'on lui permette de voir Sarah. Il ne savait pas trop ce qu'il allait bien pouvoir lui dire. Il s'était cherché mille raisons d'éviter cette rencontre mais, d'un autre côté, il se sentait incapable de rester près de Mme Forbes une minute de plus.

La permission demandée lui fut refusée : son séjour à l'Hôtel de Paris étant réglé par Mme Forbes, Dunglewood pouvait être considéré comme allié de la plaignante, et donc partie prenante dans l'affaire de la robe volée.

Lorsqu'il fut tout à fait certain de ne pas être autorisé à voir Sarah, les appréhensions de Dunglewood s'envolèrent et il ne se gêna plus pour clamer que c'était un abus d'autorité, que pareille chose ne se serait jamais produite en Angleterre où, même si on n'avait pas la prétention de les avoir inventés, on respectait autrement les droits de l'homme. Sarah entendit sa voix résonner dans les étages, et elle en fut un instant consolée.

En réalité, elle était à peu près paisible. Elle pensait que son agenouillement involontaire sur les graviers de l'Hôtel de Paris n'avait pas suffi à satisfaire la vengeance de Mme Forbes et que celle-ci voulait lui donner une leçon plus sévère. Mais, avant l'arrivée du fourgon, elle retirerait certainement sa plainte et Sarah serait remise en liberté. Dans les États d'Alderney, arrêter des gens et les enfermer pour quelques heures était considéré comme une punition suffisante ; il était rarissime que les délinquants soient conduits jusqu'à Guernesey et *a fortiori* à Londres. Sarah McNeill ne pensait pas que la loi française puisse être plus barbare que celle des magistrats de son île, et elle se prépara à vivre humblement une rude journée de pénitence.

Les gendarmes avaient dit vrai : la cellule où on l'avait enfermée sentait atrocement mauvais. Loin de retenir sa respiration, elle s'obligea à en respirer tous les miasmes. Honnêtement, simplement, elle s'efforçait de participer de son mieux à la punition qu'on lui avait choisie.

A midi, on lui servit une portion de congre bouilli, arrosée d'un peu de lait, qu'elle trouva détestable et mangea pourtant jusqu'au bout, c'est-à-dire jusqu'à en sucer les arêtes – et ce tronçon de congre en avait beaucoup.

Le récit de tout ce qu'elle supportait occuperait bien des

veillées d'hiver à Roscoff. Elle espérait seulement que Gaudion ne lui en voudrait pas d'avoir volé la robe de Mme Forbes. Sous ses allures de forban, il était peut-être scrupuleux – habitués à prendre la moindre averse de grêle pour un châtiment divin, les paysans l'étaient souvent ; mais lui-même n'avait-il pas joyeusement trompé son monde en persuadant la veuve de lui confier la *Dame-de-Penhir*, et en emmenant ses compagnons sur la mer alors qu'il ignorait à peu près tout de la manœuvre d'un navire courant au grand large ?

Peu à peu, elle sentit la fatigue la gagner. Elle avait mal à ses poignets, qui avaient été trop comprimés et raclés par les menottes. Elle s'allongea sur le bat-flanc et décida de dormir un peu. Elle n'éprouvait encore aucun découragement, mais une sensation de vacuité qu'elle ne savait pas comment combler. A travers le soupirail du cachot, elle entendit les barques qui revenaient de la pêche, les cris des poissonnières, et le piétinement joyeux des baigneurs qui se pressaient sur le quai pour acheter des cornets de crevettes chaudes.

Vers dix-sept heures, le jeune vicomte qui avait prêté son peignoir vint demander s'il pouvait le récupérer et, sinon, quand il lui serait rendu. Sarah entendit quelqu'un répondre au vicomte que la prison de Pont-l'Évêque ne manquerait pas de lui faire renvoyer son peignoir aussitôt que la fille aurait reçu son uniforme de détenue, ce qui, compte tenu des vacations du fourgon cellulaire et du temps pour désinfecter le peignoir en le passant à l'étuve, ne devrait pas excéder deux ou trois jours. Sarah ne crut pas qu'on la tiendrait enfermée encore deux ou trois jours, et elle s'amusa des protestations courroucées du vicomte. Puis le jeune homme s'en alla, sans son peignoir brodé, et le silence revint.

Il faisait presque nuit lorsqu'on vint chercher Sarah. Autant elle s'était docilement laissée attacher le matin, autant elle se débattit quand les gendarmes voulurent, le soir, lui faire supporter la même gêne. Elle montra ses poignets qui portaient encore les marques de la contention.

– Nous autres, dirent les gendarmes en lui passant les bracelets, on n'y peut rien. De toute façon, il n'y a pas loin d'ici à Pont-l'Évêque. Là-bas, on te fichera la paix avec tout ça. Ce sont les premières heures qui sont les plus dures.

Le fourgon était une carriole attelée à deux chevaux, peinte de couleur sombre. Solidaires du timon, les roues avant étaient assez petites, tandis que celles de l'arrière, hautes et larges, rappelaient celles d'une diligence, le tout donnant à l'ensemble du véhicule une impression de déséquilibre et d'instabilité. Au cul du fourgon, une double porte s'ouvrait sur deux sortes de cabinets étroits, chacun fermé par une porte en fer. Ces maigres réduits ne comportaient aucun moyen d'aération, mais les gendarmes répétèrent à Sarah que le voyage serait bref. Ils lui laissèrent ses menottes, se contentant de détacher et de récupérer la laisse de cuir par laquelle ils l'avaient tirée dans l'escalier, puis dans cette cour où l'attendait la voiture cellulaire.

S'aidant du marchepied, Sarah monta dans le fourgon. D'elle-même, elle alla se blottir dans la cage de droite, dont la porte fut aussitôt repoussée et verrouillée. Alors, l'obscurité fut totale.

– 5 –

Le fourgon s'ébranla et partit en cahotant sur les quais. Malgré l'allure tranquille des chevaux, le remuement de la caisse était tel que Sarah fut violemment ballottée d'une muraille à l'autre de son placard. Elle essaya de se protéger, mais ses mains entravées la rendaient maladroite et le cercle métallique des menottes lui meurtrissait les poignets. Elle décida de s'asseoir sur la planche scellée dans la paroi, et qui faisait office de banc. Affolée par la claustration dans ce cercueil privé d'air et de lumière, elle eut aussitôt mal au cœur.

Pour la première fois depuis le matin, elle éprouva un sentiment de révolte, puis de peur, qui l'étouffa presque. L'air ne passait plus dans sa gorge – et il ne s'agissait pas d'essayer de parler, cette fois, mais seulement de réussir à respirer. Ne pouvant pas hurler, elle donna des coups de pied et frappa avec ses chaînes contre la ferraille de la porte. Pour elle, ce vacarme était assourdissant et elle était persuadée que le fourgon allait s'arrêter, que quelqu'un allait venir, ouvrir la porte et voir ce qui n'allait pas. Mais le cocher ne s'occupa pas d'elle et continua de mener son hideux attelage à travers la ville, en chantonnant. Navrée, Sarah se rassit sur sa planche. Elle sentit une coulée de sueur inonder son corps et imbiber le peignoir rayé. Elle comprenait maintenant pourquoi on avait parlé de la nécessité de passer ce peignoir à l'étuve avant de le restituer à son propriétaire – il serait en effet dans un état lamentable à la fin du voyage, trempé d'aigreurs et, si elle ne parvenait pas à se retenir, de vomissures.

Elle essaya de penser à tous ceux qui l'avaient aimée, de Jo Zemetchino au vicaire Bancroft, de M. Pook à Nick Dunglewood, sans oublier ses parents ni Hermie, qui ne recevraient jamais leur carte postale. Pourquoi ne venaient-ils pas à son secours ? Ils avaient l'habitude de sa voix morte, pourtant, ils accouraient sans qu'elle ait jamais eu besoin de les appeler. Hermie, peut-être davantage que tous les autres, avait toujours eu le pressentiment des détresses de Sarah, grandes ou petites, et il surgissait sur la lande, inattendu, toujours à point nommé, son grotesque chapeau tremblotant sur sa tête pointue, en s'écriant : « Eh bien, mademoiselle McNeill, qu'est-ce qui ne va pas, encore ? Appuyez-vous sur moi, mademoiselle, laissez-moi vous ramener à la maison… » Elle s'appuyait sur lui, et elle était bien, apaisée, rassurée, même quand une tempête échevelée rugissait à travers la lande.

Ce qu'Hermie avait fait pour l'enfant que Sarah était restée si longtemps, Gaudion le ferait pour la femme qu'elle était devenue. Ses mains géantes pouvaient attraper les chevaux par les naseaux, immobiliser le fourgon, jeter au loin son cocher, exactement comme on se débarrasse d'une mouche, arracher de ses gonds la porte de fer, sortir Sarah de là, et d'une chiquenaude faire sauter les bracelets qui lui faisaient tellement mal aux mains. C'était si simple, tout ça, pour Gaudion, ce ne serait qu'un jeu pour lui. Elle l'appela, elle chuchota son nom, elle le supplia de se dépêcher de venir.

La voiture cellulaire s'immobilisa. Mais ce n'était pas Gaudion qui l'avait arrêtée, c'était juste un gendarme qui retenait les chevaux par la bride. Le fourgon venait de pénétrer dans la cour de la caserne de gendarmerie et des voix dirent qu'on allait charger un second colis. On ouvrit les deux battants de l'arrière, et également la porte de la cellule qui faisait face à celle qu'occupait Sarah. D'après ce que la jeune fille pouvait entendre, on traîna ensuite un corps inanimé, dont les pieds raclaient la poussière de la cour.

– C'est qu'il est diablement lourd, le bougre ! dit un gendarme. Est-ce qu'il va falloir gréer un palan pour le monter à bord ?

– En s'y mettant nous tous, dit un autre, ça pourra faire. Mais le problème sera de bien tasser toute cette viande de façon à pouvoir fermer la porte.

Lorsque le prisonnier fut hissé dans le fourgon, celui-ci vacilla sur ses roues, et les chevaux hennirent de frayeur.

Collée contre la porte de son réduit, Sarah entendit le son flasque, presque malsain, que faisait le corps du prisonnier poussé par les gendarmes dans la cellule opposée. Les chaînes que portait l'homme devaient être considérables, elles ne tintaient pas comme de simples menottes, mais s'entrechoquaient et ferraillaient avec des bruits sourds de cloche fêlée.

– Est-ce qu'il dort, ou quoi ? demanda le cocher.

– Une brute pareille, dit un gendarme, on a dû l'assommer un peu, forcément.

Sarah commençait à comprendre ce que signifiait « un peu » dans la bouche de ces hommes-là – ce matin, ils s'étaient presque excusés de devoir l'attacher « un peu », et elle avait eu l'impression qu'on lui écrasait les os des poignets.

– Même qu'il a fallu cogner plusieurs fois, poursuivait le gendarme, il a une telle tignasse que ça lui fait comme un casque. Surtout sur la nuque.

– Je le débarque à Pont-l'Évêque, avec la petite fille ? s'enquit encore le cocher.

– Pour cette nuit seulement. Après, il continue jusqu'à Caen. Les crimes de sang, c'est toujours là-bas que ça se traite.

Poussé aux roues par des gendarmes, tandis que d'autres tiraient sur le mors des chevaux, le fourgon effectua péniblement un demi-tour. Sarah entendit grincer des grilles, puis le coche prit sa vitesse de croisière. Des bruits secs de voiles qui claquaient lui firent penser qu'on suivait les quais. Elle se rassit sur son bout de planche. Curieusement, elle se sentait un peu moins désemparée à présent qu'elle n'était plus toute seule dans la voiture. L'homme qu'on avait enfermé dans le cagibi juste en face du sien allait se réveiller, s'ébrouer, et probablement crier.

Et Sarah attendait ce premier cri avec une sorte de fébrilité, car l'idée lui était soudain venue que ce prisonnier que les gendarmes avaient décrit comme un géant, et dont ils semblaient éprouver une crainte respectueuse puisqu'ils l'avaient affublé de chaînes énormes pour se prémunir contre la force de ses mains, pouvait être Gaudion. Il ne serait pas plus absurde de le retrouver là qu'au hasard des marchés de Londres. Cela, du moins, aurait rendu explicables l'injustice dont elle était victime, la punition excessive à laquelle l'avait condamnée Emma Forbes : enfin se serait appliquée la fameuse règle « un bien pour un mal » que prêchaient le révérend Ruskin et le jeune Bancroft, et qui, d'une certaine façon, avait toujours été la philosophie des habitants d'Alderney, accoutumés à prendre dans les naufrages ce qu'il y avait de bon.

Après avoir tressauté sur le pavement des quais, le fourgon s'engagea sur la route de Pont-l'Évêque. Sarah put se remettre debout sans craindre de se fracasser contre la paroi. Elle appliqua son oreille contre la porte et écouta. A travers le brimbalement de la voiture, elle entendit une respiration profonde, rageuse et entrecoupée de grognements. Mais cela restait trop imprécis pour lui permettre de reconnaître ou non la voix de Gaudion. Il faut qu'il parle, pensa-t-elle, il faut qu'il se réveille et qu'il dise quelque chose.

Elle essaya de s'adresser à lui. Mais deux portes en fer les séparaient, à quoi s'ajoutait le tintamarre naturel du fourgon. Le fait de pouvoir enfin murmurer « Gaudion, Gaudion ! » en s'adressant à autre chose qu'à un souvenir exalta Sarah, la rendit folle d'espoir et d'impatience. Elle se mit à faire des paris, à se dire : Si nous passons une ornière avant d'avoir compté jusqu'à sept, c'est Gaudion. Et aussitôt le fourgon se penchait sur le côté, comme un bateau qui gîte, et Sarah entendait le cocher, depuis son siège haut perché à l'avant de la voiture, maudire cette route pleine d'ornières, et ces damnés cantonniers qui ne faisaient pas leur travail.

La course du fourgon lui rappela celle de la carriole sur la lande, la nuit du couteau. Elle n'en avait aucun souvenir direct mais Hermie lui avait si souvent raconté leur équipée folle, dans la brume. C'était déjà au rythme d'un attelage que son destin, une première fois, s'était joué. Tout pouvait recommencer cette nuit – il suffisait que Gaudion soit Gaudion, et surtout qu'il se réveille, et qu'il la sauve.

Pour arracher l'homme à sa léthargie, elle recommença à ruer contre la porte de son cagibi obscur, à cogner de toutes ses forces en y faisant sonner ses menottes. Jamais, de toute sa vie, Sarah McNeill n'avait engendré un tel vacarme. Le cocher l'entendit et cria :

– C'est pas bientôt fini, là-dedans ? Tu veux que je descende et que je te fasse goûter de mon fouet ?

Sarah continua son sabbat. Elle devinait que le cocher avait bien trop peur de l'homme enfermé pour arrêter le fourgon et en ouvrir la porte.

Mais malgré les efforts de la jeune fille, le prisonnier s'en tenait toujours à ses grondements inarticulés. Peut-être souffre-t-il, se dit-elle, peut-être les gendarmes lui ont-ils cassé la tête pour de bon.

C'est alors qu'elle sentit quelque chose d'humide sous ses pieds. Profitant d'un moment de répit où le fourgon ne tressautait pas trop, elle s'accroupit et palpa cette humidité. Elle porta ses doigts mouillés à ses narines, reconnut aussitôt l'odeur âcre de l'urine. L'homme se soulageait, il avait donc repris conscience. Profitant du mouvement de balancier du fourgon, son urine avait traversé l'étroite coursive et s'était répandue sous la porte de Sarah.

– Gaudion, murmura-t-elle, fais encore un effort. Dépêche-toi de parler avant qu'on arrive.

Elle avait souhaité désespérément que l'ignoble voyage s'achève aussi vite que possible ; à présent, pour que Gaudion ait toutes ses chances, pour qu'il ait le temps de reprendre connaissance et de recouvrer les forces dont il allait avoir besoin, elle suppliait Dieu qu'une roue se brise, qu'un des vieux chevaux meure à force d'efforts, qu'une ornière plus prononcée jette le cocher à bas de son perchoir. A Londres, elle avait connu des accidents d'omnibus – pourquoi n'existerait-il pas, entre Trouville et Pont-l'Évêque, des accidents de voiture cellulaire ?

La flaque d'urine semblait s'élargir. Sarah continuait d'y tremper ses doigts comme elle le faisait dans la mer, sans éprouver aucune répugnance. C'était chaud comme la vie, ce devait être doré, et ça venait du ventre de l'être qu'elle aimait le plus au monde.

Elle rit. N'était-ce pas aussi dans une boîte que lady Jane avait retrouvé ce qui restait de sir John ? Sauf qu'il n'y avait qu'une lettre dans la boîte de lady Jane, alors que dans la boîte qui faisait face à celle où Sarah était recluse il y avait un homme vivant, qui manifestait sa vie en pissant.

Au bout d'un moment, un liquide un peu gluant se mêla à l'urine. Dans la nuit où elle était plongée, Sarah ne put voir de quoi il s'agissait. Mais à la saveur fade qui accompagnait maintenant sur ses doigts celle de l'urine, elle sut que c'était du sang.

Elle comprit alors que Gaudion, même s'il avait enfin rouvert les yeux, était trop sérieusement blessé pour la sauver. Contre toute attente, c'était à elle de lui venir en aide. Pour cela, il lui faudrait défoncer les deux portes en fer et celle, sans doute plus vulnérable, qui fermait l'arrière de la voiture.

L'idée que c'était une tâche impossible ne l'effleura même pas. De nouveau, elle se jeta sur sa porte. Elle ouvrit sa bouche silencieuse pour y planter ses dents.

Le fourgon ralentit, s'immobilisa. Sarah, crucifiée contre sa porte, les lèvres éclatées, les genoux sanglants à force de frapper, les poignets déchirés par les menottes, entendit des bruits de grilles, des verrous, des voix dans la nuit.

On venait d'arriver à la prison de Pont-l'Évêque, surnommée la Cohue en raison d'une surpopulation chronique qui, à dire vrai, était due davantage à l'exiguïté de ses coursives, de ses escaliers, de ses logements, de son architecture générale qu'à ses effectifs – une cinquantaine de prisonniers pour cinq ou six gardiens.

Lorsque les portes de leurs deux cellules s'ouvriraient, pensa Sarah, il y aurait des gens tenant des lanternes à bout de bras, et elle saurait enfin si l'homme en face d'elle était Gaudion. Cette reconnaissance serait immédiate, fulgurante. Sans doute se précipiterait-on sur eux deux, pour les emmener et les enfermer à nouveau, chacun de leur côté. Mais ça lui était égal, elle l'aurait revu – et si ses yeux à lui n'étaient pas trop tuméfiés par les coups, peut-être aurait-il le temps de l'apercevoir, lui aussi.

Même s'il devait s'avérer fugitif et sans suite, elle attendait cet instant depuis si longtemps qu'elle en éprouva comme un vertige. La bouffée de joie qui la submergea alors fut si violente qu'elle vacilla sans pouvoir se raccrocher à rien – pas même à son intuition, car l'homme pouvait tout aussi bien être Gaudion qu'un prisonnier anonyme, une brute ayant commis ce crime de sang dont avaient parlé les gendarmes de Trouville.

Si cette seconde hypothèse se vérifiait au moment de vérité où l'on ouvrirait les portes, toutes les souffrances que Sarah s'était infligées, tous les efforts accomplis, tous les dégoûts surmontés n'auraient servi à rien. Elle se retrouverait dans la plus terrible des solitudes, une petite fille dérisoire avec des poignets écorchés et des doigts trempés d'urine.

Abruti par les coups, l'homme restait à demi inconscient. On fit donc signe à Sarah de descendre du fourgon la première.

De peur d'une possible déception qu'elle ne se croyait pas assez forte pour surmonter, elle fit alors le choix imprévisible de ne pas se retourner, de ne pas chercher à voir qui était vraiment cet homme anéanti.

Les yeux baissés comme il sied à une prisonnière résignée, elle décida de suivre ses gardiens là où ils la conduiraient. Simplement, elle s'obligea à croire que cet homme était Gaudion, qu'elle l'avait bel et bien retrouvé, qu'ils avaient fait ce voyage ensemble et que, puisqu'il vivait, ils en feraient d'autres, dont le dernier les conduirait à Roscoff.

Près des gardiens, deux religieuses attendaient Sarah dans la cour. C'étaient deux femmes âgées qui habitaient ensemble un logis d'une salubrité douteuse, aménagé à fleur d'eau dans une des anciennes tanneries des bords de l'Yvie. Leur seul luxe était une petite barque verte qu'elles utilisaient pour aller faire oraison au fil de la rivière, l'une lisant l'office du jour pendant que l'autre, tirant sur les rames, propulsait mollement l'embarcation parmi les nénuphars et les lentilles d'eau. Elles ne faisaient pas partie du personnel pénitentiaire mais avaient obtenu l'autorisation d'assister les femmes de la maison d'arrêt, sous condition de ne jamais contrevenir à son règlement intérieur. Dominicaines de la communauté des Emmurées de Rouen, dont le couvent se dressait autrefois sur l'emplacement qu'occupait désormais la prison, sœur Véronique et sœur Saint-Mélaine avaient jusqu'alors réussi à garder l'équilibre, un équilibre certes parfois précaire, entre la compassion naturelle et la discrétion que leur imposait une mission non officielle tout juste tolérée par les gardiens ; cette tolérance devait beaucoup à la diplomatie dont avaient fait preuve les deux religieuses, notamment en s'attirant les bonnes grâces du chien de la prison, un berger allemand dont la vigilance était supposée pallier le manque d'effectifs.

En voyant Sarah quitter le fourgon sans même un regard sur le détenu affalé dans son placard souillé dont on avait ouvert la porte de fer, sœur Véronique dit à sœur Saint-Mélaine :

– Avez-vous remarqué l'attitude de cette enfant ? Vraiment, c'est très singulier. N'importe quelle autre fille, à sa place, se serait retournée. Ces malheureuses donneraient n'importe quoi pour emporter en détention l'image d'un homme, ne vont-elles pas jusqu'à découper celle du Christ dans les missels que nous leur prêtons ?

Prenant une lanterne des mains de l'un des gardiens, sœur Véronique s'approcha de Sarah, qui s'éloignait déjà du fourgon, et éclaira sa silhouette :

– Quelle tenue grotesque, ce peignoir ! Qui vous a déguisée de cette façon ? Vous n'êtes plus aux bains de mer, ici.

Sœur Saint-Mélaine, qui se tenait deux pas en arrière, ne put s'empêcher d'admirer l'habileté de sœur Véronique qui, après le premier mouvement d'intérêt qu'elle avait manifesté à l'égard de la fille, lui montrait à présent le regard sévère dont son travail l'obligeait à faire preuve, et qui plaisait tant aux gardiens.

Pendant ce temps, ceux-ci avaient chargé sur une civière le corps de l'homme que Sarah n'avait pas voulu regarder, et ils l'emportaient en trottinant. Leur chien les suivait, reniflant le sang qui poissait les cheveux du blessé.

– Et maintenant, dit sœur Véronique à la jeune fille, le mieux que vous ayez à faire, c'est de dormir. Mais avant de fermer les yeux, priez Notre-Seigneur afin qu'il vous pardonne vos fautes. Nous nous verrons demain.

– Oui, madame, souffla Sarah.

– On ne dit pas madame, on dit ma sœur. Et vous pouvez parler plus fort, nous ne sommes pas dans une église.

– Je n'ai jamais pu parler plus fort, murmura Sarah.

Elle offrit ses mains à la religieuse, espérant que celle-ci allait se décider à lui enlever ses menottes. Mais le règlement interdisait aux sœurs de disposer d'aucune clé.

– 6 –

Chapeautée d'un haut fronton triangulaire et flanquée d'une vieille tour dont la blancheur des pierres évoquait de loin le marbre, habillée de briques délavées à chaînage de moellons, la Cohue se donnait des allures de grosse villa toscane. Mais les ouvertures en demi-lune au fond desquelles luisait doucement le fer des barreaux indiquaient assez la triste fonction de cette bâtisse qu'on avait élevée en bord de ville, face à un paysage tranquille de coteaux et de bois, d'herbages et de rivières. Humidifié par les cours d'eau qui se divisaient en un réseau compliqué de marécages, de ruisseaux et de canaux alimentant des moulins et des lavoirs, l'air sentait l'argile grasse, la lessive et le tan. La nuit, quand tout se taisait enfin, on pouvait entendre, lointaines, les aubes des roues battre les eaux de la Calonne et de l'Yvie.

Sarah avait été logée dans une cellule isolée où, sur un jour ou deux, on observait le comportement des nouveaux arrivants avant de les mêler aux autres détenus. Au dire des gardiens, elle y avait passé une première nuit plutôt calme.

Elle n'avait ni appelé ni crié et, si elle avait pleuré, c'était en silence, le visage tourné contre le mur ; elle serait une pensionnaire facile.

Dès le matin qui suivit son incarcération, sœur Véronique et sœur Saint-Mélaine obtinrent le droit de lui rendre visite. Sœur Saint-Mélaine apportait des onguents, des pansements pour ses écorchures et une robe de droguet pour remplacer le peignoir rayé jugé par trop inconvenant ; sœur Saint-Mélaine avait été manucure avant d'entrer chez les Dominicaines, et c'est avec des gestes de professionnelle qu'elle prit les mains de Sarah et les allongea sur ses genoux où elle avait étalé une serviette. Sœur Véronique dévisageait avec curiosité la jeune fille qui se taisait.

– Nous étions toutes bien fatiguées hier soir, lui dit-elle, car d'habitude le fourgon ne nous arrive jamais aussi tard. Mais j'ai noté votre indifférence pour ce malheureux qui avait voyagé avec vous.

Sarah crut que la religieuse lui reprochait un manque de charité, et elle rougit.

– Ne vous troublez pas, reprit sœur Véronique, c'est une attitude de réserve que j'approuve tout à fait. Sans doute aurai-je des occasions de vous reprocher votre inconduite, mais ce n'est pas le cas pour hier soir. Sœur Saint-Mélaine et moi, nous protestons régulièrement contre ces transferts mixtes qui engendrent trop souvent des sortes de complicités redoutables.

– Ma sœur Véronique ne parle pas de complicités en vue de s'évader, précisa en souriant sœur Saint-Mélaine. Ma pauvre petite, dans quel état avez-vous mis vos mains !

– Vous êtes bien jeune et vous avez un joli visage, reprit sœur Véronique. Qui sait tout ce qu'on peut se raconter, voire se jurer, pendant ces voyages ! Des choses qui échauffent le sang des hommes et tournent l'esprit des femmes, et qui ne servent finalement qu'à se faire souffrir davantage. En prison, le désir peut exister. Mais pas l'amour. Enfin, pas cet amour-là. Heureusement, nous nous efforçons d'y entretenir d'autres manifestations de l'amour.

– L'amour de Dieu, dit sœur Saint-Mélaine. Celui-là ne vous manquera jamais.

Sarah continuait à se taire, espérant que l'une ou l'autre des religieuses finirait par laisser échapper un détail grâce auquel elle saurait si cet homme était ou non Gaudion – il suffisait qu'elles lui parlent de ses mains.

Juste à cet instant, sœur Saint-Mélaine lui fit très mal au poignet droit, celui qu'elle s'était le plus abîmé, et cela donna à Sarah l'idée d'une question qu'elle pouvait poser sans risque, une excellente question que les religieuses ne manqueraient pas d'interpréter comme un mouvement de pitié :

– Vous allez le soigner, lui aussi ? Ses mains doivent être blessées. Je crois qu'on lui avait mis des chaînes autrement plus fortes que les miennes.

– Mais il ne s'est pas débattu comme vous l'avez fait, remarqua sœur Véronique.

– Je sais, dit Sarah, il était évanoui, ou quelque chose comme ça. J'ai même cru qu'il était mort.

– Peut-être que cela aurait mieux valu pour lui, observa pensivement la religieuse. On sait trop bien ce qui l'attend, là-bas à Caen. Mais lui, s'en doute-t-il seulement ? En reprenant conscience ce matin, il paraît qu'il a réclamé à manger. Être si proche du jugement suprême et songer à manger ! De quoi les hommes sont-ils donc faits ? Il faudra prier pour lui, beaucoup prier.

– De quel crime est-ce qu'on l'accuse ? souffla Sarah.

– Quelle importance ? dit la sœur. Un meurtre, probablement. Nous nous soucions le moins possible de ce qu'on vous reproche, à vous autres. Il nous est bien égal de savoir pourquoi vous êtes ici – n'est-ce pas, sœur Saint-Mélaine ?

Sarah faillit dire qu'elle avait été dénoncée par Mme Forbes pour lui avoir volé une robe jaune anisé dans sa maison de Highgate, mais elle se retint : à trop parler d'elle, on en oublierait Gaudion.

– De toute façon, dit sœur Saint-Mélaine, il va de soi que nous n'avons pas le droit de pénétrer dans le quartier des hommes. Et quand on en sort un du fourgon, nous faisons comme vous, nous détournons les yeux. Tout ce que nous pouvons savoir à propos de ces malheureux, c'est ce que les gardiens racontent. Et les gardiens sont habitués. Ils n'ont pas besoin d'attendre que les juges du tribunal se réunissent pour savoir ce qu'il adviendra de tel ou tel.

– Ils peuvent se tromper, dit Sarah.

– Sur la longueur des peines, oui, quelquefois. Mais quand la mort est au bout, ils la pressentent.

Sœur Véronique se leva en soupirant de la paillasse où elle s'était assise :

– Mais mon propos était simplement de vous dire combien ma sœur Saint-Mélaine et moi-même avions apprécié votre retenue, votre pudeur. Malgré ce peignoir que le vent écartait et qui laissait voir un peu trop vos jambes, ajouta-t-elle en souriant.

Elle considéra Sarah qui, après que sœur Saint-Mélaine eut fini de panser ses poignets, avait enfilé la robe de droguet :

– Mais vous voilà tout à fait convenable, à présent. Vous

n'avez jamais connu d'homme, n'est-ce pas ? Je veux dire : vous êtes intacte, vous êtes vierge ?

– J'ai un fiancé, dit Sarah.

Puisqu'il semblait que la conversation allait s'écarter de Gaudion, elle y revint :

– Il a une ferme à Roscoff, où il fait pousser des oignons, et ensuite il va les vendre en Angleterre. Il est en train de devenir très riche.

Sœur Véronique parut déçue. Mais le regard candide de Sarah la rassura aussitôt : ces pauvres fiançailles n'avaient pas dû aller bien loin. La plupart des filles arrivaient d'ailleurs en prison avec des maris, des fiancés, des amis, mais la détention avait vite fait d'effilocher tout ça. La possession de photographies et d'objets auxquels pouvaient s'attacher des souvenirs personnels était interdite, et la censure veillait à ce que les lettres échangées avec l'extérieur restent strictement utilitaires et soient vidées de toute substance sentimentale ; à tout cela qui était savamment organisé s'ajoutait, naturellement pourrait-on dire, un détachement inéluctable, feutré et parfois inconscient, qui s'assimilait au travail de deuil ; seuls les mariages résistaient, et encore, pas toujours.

– Je dois vous informer de quelque chose de pénible et de bien scandaleux, mon enfant, dit sœur Véronique. Les autres femmes que vous rencontrerez dans cette prison ne sont pas aussi pures que vous semblez l'être. Nous ne sommes probablement que trois, ici, à nous garder dans cet état : sœur Saint-Mélaine, vous et moi. Soyez donc sur vos gardes, et persévérez.

– Oh, dit Sarah, je ne resterai pas longtemps ici. Ce que j'ai fait, ce n'est pas grand-chose.

Les religieuses hochèrent la tête. C'était un trait commun

aux nouvelles venues que de ne pas savoir apprécier la gravité de leur acte. Sans oser toutefois prétendre à l'innocence absolue, elles minimisaient leur faute. Puis, au fur et à mesure qu'approchait la date de leur procès, elles se l'exagéraient, et passaient des nuits d'épouvante. C'était à ce moment-là que sœur Véronique et sœur Saint-Mélaine pouvaient apporter le meilleur de leur réconfort : à la sévérité prévisible des hommes, elles substituaient la miséricorde certaine de Dieu. Les prisonnières se calmaient. Le jour de l'audience, certaines réussissaient même à sourire, et demandaient à être débarbouillées et un peu coiffées. Les choses se compliquaient au retour du tribunal, quand la peine avait été prononcée : les cheveux étaient à nouveau poisseux de sueur aigre, les visages bouffis de larmes, et les sourires du matin n'étaient plus que des rictus amers ou furieux. Mais dans la plupart des cas les condamnées étaient immédiatement transférées vers d'autres établissements. Les religieuses voyaient une dernière fois ces pauvres femmes, dans la cour où on leur mettait des fers aux chevilles, pour leur dire que, si les juges les avaient durement frappées, Dieu leur maintenait sa proposition de pardon. Tout était alors si lamentable, les mots si impuissants à consoler, si méprisants les crachats et les injures reçus en retour ! Ces soirs-là, les religieuses doutaient de tout, parfois de Dieu lui-même, et leur petite barque verte s'aventurait plus longtemps et plus loin sur la rivière, comme si les deux femmes cherchaient une cache secrète parmi les roseaux pour y noyer toute la haine accumulée pendant le jour. Mais cette petite fille, songeait sœur Véronique en regardant Sarah, elle ne crachera pas sur nous après son procès, elle ne nous insultera pas – et ça ne sera pas plus supportable pour autant.

Elles frappèrent à la porte. Un gardien leur ouvrit, et referma aussitôt derrière elles. Sarah resta seule, à flairer les pansements qu'on lui avait mis et qui exhalaient une fade odeur de pharmacie qui lui rappelait le laboratoire de M. Pook. Elle s'assit sur son bat-flanc, et resta longtemps ainsi, immobile, maintenant ses poignets enrobés de blanc écartés de son corps, comme des moignons d'ailes.

On vint, un peu plus tard, la chercher pour une heure de promenade. Elle s'y rendit joyeusement, car, dans son ignorance de la vie en prison, elle s'imaginait qu'on lui permettrait de gambader dans les herbages qu'elle voyait depuis sa cellule. Il lui était égal qu'on lui attache à nouveau les mains si elle pouvait courir un peu et respirer l'odeur de l'herbe. Mais on la mena dans une cour poussiéreuse, en compagnie d'autres femmes, où on lui dit de tourner en rond.

Comme cette cour était environnée de hauts murs flanqués d'une tour crénelée d'où les gardiens surveillaient la promenade, Sarah s'imagina qu'elle était redevenue une petite fille et qu'elle explorait l'une des forteresses délabrées sur la côte des États d'Alderney. Elle avait fermé les yeux et, dans son rêve, s'attendait à entendre la voix d'Hermie lui crier : « Allez-vous bientôt rentrer à la maison, mademoiselle McNeill ? Votre mère vous réclame. Nous aurons ce soir la visite des Pentecôte, pour la veillée. Vous devez coiffer vos cheveux, vous faire belle. J'ai mis de l'eau à tiédir sur les quaipeaux, votre bain est prêt. »

A ce détail près qu'elle s'y engloutissait dans la pénombre de la cheminée au lieu d'en jaillir dans une lumière radieuse, les bains avaient toujours donné à Sarah une idée de ce que serait cette fameuse résurrection des corps dont parlaient les prêtres et les pasteurs – un des rares points sur lesquels ils s'accordaient, sauf qu'ils avouaient ne pas savoir quelle tournure ça pourrait prendre alors que, grâce à ses bains, Sarah aurait pu le leur dire. Mais, au lieu de la voix d'Hermie l'invitant au bain, ce fut une autre voix qui retentit, venant du quartier des hommes, et cette voix s'écria brièvement, sur un ton à la fois de révolte et de désespoir : « Qu'on me laisse sortir d'ici, je n'ai rien fait ! »

– C'est l'assassin qu'ils ont amené cette nuit, dit tout bas une des femmes qui tournaient en rond avec Sarah. Vivement qu'on nous en débarrasse, de celui-là.

Sarah s'arrêta de tourner. Peut-être parce qu'elle-même en était privée, elle avait toujours été très attentive aux voix. Elle aurait pu classer toutes celles qu'elle avait entendues dans sa vie selon des critères aussi précis que ceux qu'employait M. Pook pour répertorier ses oiseaux ; elle n'en oubliait jamais aucune – elle se rappelait sans hésitation celles de tous les voyageurs des omnibus de Londres, alors même que leurs visages se perdaient dans sa mémoire.

Cette voix qui venait de la figer sur place pouvait passer pour celle de Gaudion, non pas le Gaudion qui lui parlait doucement en l'emportant dans ses bras, mais un Gaudion retenant sa grande colère, comme la nuit où il s'était empoigné avec le Grêle. Mais elle n'en avait pas entendu assez pour être absolument sûre.

– Dites encore quelque chose, monsieur, murmura-t-elle, le visage levé vers les lucarnes du quartier des hommes.

Son chuchotement ne monta pas jusqu'à ces lucarnes, ni jusqu'au gardien qui surveillait la ronde du haut de sa tour. Ce fut heureux pour elle, car il était interdit de parler pendant la promenade ; la transgression était encore plus grave si c'était une femme qui s'adressait au quartier des hommes, et pouvait valoir à la fautive trois jours de cachot.

Sarah reprit sa ronde, mais elle ne parvint pas à rattraper son rêve de petite fille dans les forts d'Alderney. Elle se répétait dans sa tête ce qu'avait crié le prisonnier de façon si brève – elle en détachait chaque syllabe, chaque tonalité, s'efforçant de les associer à une silhouette, un visage, une bouche sur lesquels elle aurait pu mettre un nom. Quand la promenade s'acheva, elle n'avait pas réussi à identifier cette voix mais elle était heureuse de l'avoir entendue : si cet homme protestait contre sa capture et son enfermement, c'était la preuve qu'il allait bien ; même s'il n'était pas Gaudion, c'était réconfortant.

La nuit même, Sarah reconnut le roulement du fourgon dans la cour, le bruit des portes en fer et celui des chaînes. Elle devina qu'on venait chercher l'homme avec lequel elle avait voyagé, qui était aussi celui qui avait crié tout à l'heure, pour le mener à Caen. Elle s'agrippa aux barreaux, tendit l'oreille en espérant qu'il parlerait et que, cette fois, elle saurait de qui venait cette voix. Mais il se contenta de gronder sourdement, sans rien dire d'intelligible. Puis le chien de la prison se mit à aboyer, et d'autres chiens de la ville lui répondirent, déclenchant un vacarme qui couvrit les sons pouvant encore monter de la cour. Lorsque les chiens se turent enfin, le fourgon était déjà loin sur la route de Caen. Malgré ses poignets douloureux, Sarah resta encore un moment accrochée aux barreaux. Comme souvent au mois d'août, il y avait des étoiles filantes ; après avoir décrit une longue courbe dans le ciel, elles donnaient l'impression de tomber pour s'éteindre là-bas, dans les champs mouillés qui s'étendaient à perte de vue devant la prison.

– 7 –

Il ne fut pas facile à sœur Véronique d'obtenir que Sarah, après la période de probation à laquelle on l'avait soumise, ne soit pas aussitôt transférée dans une cellule collective. Ce n'était pas par souci du confort de la jeune fille – l'isolement était plutôt considéré comme une pénitence que comme un privilège – que la religieuse avait fait cette démarche. Mais, alors que les premiers jours de détention recroquevillaient habituellement les autres prisonnières dans une sorte de léthargie tragique, Sarah semblait s'épanouir. Elle était arrivée à la Cohue si livide et si chiffonnée que sœur Véronique l'avait d'abord trouvée presque laide – sans d'ailleurs s'en étonner, les détenues ayant presque toujours, quel que soit leur âge, cette allure flétrie de marchandises trop trimbalées. Mais à présent, tout ce que Sarah avait connu de fatigues et d'émotions s'estompait peu à peu et elle se redressait, se rouvrait comme une fleur après l'orage. Peut-être n'avait-elle pas plus de courage qu'une autre, mais au moins n'était-elle pas déconcertée : dans ce rythme lent et répétitif de la détention, le retour implacablement régulier des heures de repas et de promenade remplaçait pour elle l'alternance des marées, et elle retrouvait les temps d'attente et de vacuité de l'île où elle avait grandi, de longs temps écartés de tout, troués seulement par l'ordre rauque que lançait parfois un gardien invisible, criant brièvement comme font les oiseaux de mer.

Sœur Véronique, habituée à fréquenter ces femmes de la Cohue que la disgrâce rendait revêches et maussades, avait été étonnée par la beauté lisse et tranquille que révélait chaque jour un peu plus le réveil de Sarah. Tôt le matin, avant le bruyant cérémonial de la distribution du café, quand la religieuse ouvrait discrètement le judas pour observer Sarah, elle éprouvait un sentiment indéfinissable en voyant celle-ci s'étirer et bâiller, puis se lever et suivre à travers sa cellule un itinéraire de pas de danse, ou quasiment, qui ne la menaient nulle part, aussi imprévisibles que le vol d'un papillon enfermé dans une pièce. Chacune des autres détenues avait son rituel immuable, l'une commençait la journée par des mouvements d'assouplissement, une autre se postait à la lucarne pour voir quel temps il faisait dehors, ou bien s'asseyait sur la tinette pour démêler ses cheveux en y fourrageant de ses doigts écartés. Si la lucarne ou la tinette étaient déjà occupées par une femme dont ce n'était pas le tour, on se jetait sur l'usurpatrice en lui crachant au visage – on se crachait beaucoup au visage, à la Cohue, en visant de préférence les yeux ou le dessous du nez, on appelait ça escargoter, ça dégoûtait l'ennemie, et au moins on ne risquait pas de se retourner un ongle, sans compter que ça ne laissait pas de traces en cas d'enquête des gardiens.

Tandis qu'on ne savait jamais quel geste allait faire Sarah, quelle attitude elle allait prendre, quel intérêt ou quelle indifférence elle allait marquer pour tel ou tel minuscule événement. Si elle apercevait une araignée courant le long du mur, elle pouvait tout aussi bien l'écraser sèchement que s'accroupir et rester immobile pour la contempler. La seule chose qu'elle n'avait jamais faite était de se tenir face à la porte, comme quelqu'un qui attend que celle-ci s'ouvre enfin – cette porte, pivot de l'existence de tous les autres prisonniers, hommes ou femmes, paraissait pour elle n'être rien du tout, elle la franchissait avec autant d'indifférence dans un sens que dans l'autre. Ou la jeune fille était persuadée qu'elle n'était là que de passage, par suite d'un malentendu qui n'allait pas tarder à se dissiper, ou bien le principe même de l'enfermement ne lui pesait pas. Sans doute souffrait-elle (il lui arrivait, disaient les gardiens, de sangloter quelquefois en silence), mais d'un autre chagrin que celui d'être confinée, solitaire, dans un espace aussi étriqué.

Après l'épisode de la descente du fourgon, la religieuse s'était convaincue que Sarah McNeill était absolument innocente – dans son esprit, il s'agissait, bien sûr, de la seule innocence de la chair et des sens, car, pour le reste, la fille devait être comme les autres, une voleuse ; et elle se demandait si elle ne réussirait pas enfin avec Sarah ce à quoi elle n'était encore jamais parvenue, et qui justifiait pourtant son engagement auprès des prisonnières : faire passer une détenue de sa cellule de la Cohue à celle d'un couvent dominicain. Pour cette raison, aussi longtemps qu'elle le pourrait, sœur Véronique affronterait l'administration pour tenir la jeune fille à l'écart des autres femmes, de leur influence sournoise et perverse.

Sarah ne demandait jamais rien. Elle prenait ce qu'on lui donnait, soins, linge, nourriture, et tout semblait lui convenir. Elle ne remerciait pas, mais on n'attendait pas d'elle qu'elle soit aussi bien élevée. Alors peut-être, rêvait sœur Véronique en ramant chaque soir sur l'Yvie, accepterait-elle Dieu avec la même simplicité.

Dans un premier temps, elle voulut en quelque sorte récompenser Sarah de la discrétion admirable dont elle avait fait preuve à l'égard du prisonnier du fourgon. Pour lui faire toucher du doigt à quel point son réflexe de pudeur avait été juste, elle lui donna des nouvelles de cet homme. Elle raconta à Sarah que son transfert à la prison de Caen s'était fort mal passé. L'homme s'était agité dans son cagibi avec une telle violence que les chevaux du fourgon avaient pris peur et menacé de s'emballer. Le cocher et le gardien qui l'accompagnait avaient dû descendre et, en pleine nuit, sur une route déserte en lisière d'une forêt, prendre le risque d'ouvrir les portes de la voiture pour calmer le forcené en le cinglant de quelques coups de fouet. Il avait rugi d'une manière épouvantable et cherché à saisir la lanière qui s'abattait sur lui en sifflant.

– Comme cela doit faire mal, chuchota Sarah, d'attraper un fouet au vol.

L'un des possibles détails de reconnaissance qu'elle attendait tellement allait lui être enfin donné – de même que le jour où le dernier des capitaines de lady Jane avait trouvé le cairn sous lequel était enfouie une boîte en fer-blanc avait bien, lui aussi, fini par arriver. Elle ferma les yeux, un peu haletante. Sœur Véronique crut une fois de plus à une manifestation de compassion, remercia Dieu de lui avoir confié une âme aussi généreuse, et s'empressa de la rassurer :

– A tout un chacun, oui, mais pas à lui. Il paraît qu'il a des mains insensibles à la douleur, comme certains forgerons qui ne perçoivent même plus la brûlure du fer rouge.

Le gardien, poursuivit la religieuse, avait été obligé de s'arc-bouter pour refermer la porte. Le charivari avait continué jusqu'à Caen où, depuis, l'homme végétait, comme abruti et rongé de l'intérieur par sa propre rage.

– On ne sait pas d'où il vient, d'ailleurs il refuse de dire son nom. On l'a littéralement épluché, et on a retrouvé sous ses ongles des fibres de chanvre. Il se pourrait qu'il ait essayé de se pendre après avoir accompli son forfait.

Sarah pensa que le chanvre pouvait aussi bien provenir des cordages d'une goélette, mais elle ne le dit pas. De même qu'elle ne demanda plus en quoi consistait le forfait – s'il s'agissait de Gaudion, c'était une immense erreur que de lui imputer un crime, car le seul mal qu'il était capable de faire était de se pencher sur une fille endormie, muette et souillée de bouse, pour la soulever, la prendre dans ses bras et l'embrasser malgré tout. Elle murmura qu'elle était trop fatiguée pour en entendre davantage – c'est-à-dire qu'elle en avait assez entendu pour se faire une opinion : des mains capables d'affronter, nues, l'atroce morsure d'un fouet pouvaient évidemment être celles de Gaudion.

La religieuse la bénit subrepticement, d'un geste enfoui dans les plis de ses manches, car il n'était évidemment pas très régulier de bénir une voleuse, et elle sortit.

– 8 –

Réputée indigente, Sarah se vit désigner un avocat commis d'office : maître Didier Darnault, trente-huit ans, qui s'était spécialisé dans la défense des faiseuses d'anges, si nombreuses dans la région. Ce n'était pas que ces femmes le payaient bien, mais, Darnault étant libre penseur, il avait chaque fois l'impression de plaider en accord avec ses convictions les plus profondes. Il s'étonna d'abord qu'on ait songé à lui pour représenter une voleuse de linge mais, à la réflexion, il prit cela comme une occasion de récréation : à la différence de ses avorteuses, dont certaines étaient condamnées à mort et qu'il devait alors accompagner à l'échafaud, ce qui ne manquait jamais de le bouleverser, les voleuses n'encouraient qu'une peine de prison, d'ailleurs pratiquement toujours la même, et sa plaidoirie n'y changerait pas grand-chose. Il le savait, et c'était là qu'il trouvait un sentiment de récréation.

Maître Darnault était un homme chevalin, au nez très long et bourgeonnant. Particularité assez remarquable pour son époque, peut-être liée d'ailleurs aux dimensions de son nez, il redoutait par-dessus tout de dégager des odeurs *sui generis* – mais, en revanche, il appréciait grandement celles des femmes. Lorsqu'il approcha Sarah, qui pourtant ne sentait que le savon de ménage dont elle s'était frottée avant leur premier entretien, il tomba instantanément et éperdument amoureux d'elle. Il est vrai que leur rencontre eut lieu par un de ces après-midi radieux de fin septembre, qu'une lumière dorée traversait en oblique le parloir où un gardien avait conduit la jeune fille, laquelle se tenait assise de dos à la fenêtre grillagée, le soleil jouant dans ses cheveux blonds qui semblaient d'autant plus pâles qu'on venait de les lui couper, à hauteur des oreilles comme l'exigeait le règlement. En cet instant, elle était irrésistible, et il ne résista pas : après des décennies de faiseuses d'anges, il croyait voir enfin un ange tel qu'en lui-même.

Cet amour, que bien sûr il n'avoua pas, rendit maître Darnault un peu plus stupide qu'il ne l'était déjà naturellement, et lui fit bâtir une défense lamentable. Le vol de la robe jaune anisé ayant été commis à Londres par une ressortissante de la Couronne au détriment d'une citoyenne elle-même britannique, l'avocat voulut à toute force démontrer que le tribunal de Pont-l'Évêque devait se déclarer incompétent, ce qui agaça prodigieusement les juges. Didier Darnault réussit seulement à obtenir une suspension d'audience, pendant laquelle l'accusation de vol fut remplacée par celle de recel d'objet volé.

Durant cet intervalle, après s'être rafraîchi d'eau de Cologne à l'aide du petit vaporisateur à poire dont il ne se séparait jamais, maître Darnault descendit au sous-sol du tribunal où il rejoignit sa cliente qui, assise sur un banc, attendait sagement en comptant et recomptant le nombre de maillons de la chaîne qui reliait ses menottes – mais elle ne trouvait jamais le même nombre.

– Je vois ce qui ne va pas, dit Darnault. Comment comptez-vous les anneaux directement scellés à chacun de vos bracelets ? Comme des demi-maillons ou des maillons à part entière ?

– Ça dépend des fois, chuchota Sarah.

– Un demi-maillon au départ de chaque bracelet, dit l'avocat, cela nous fait un maillon en tout. Plus les trois maillons pleins de la chaînette elle-même, et nous arrivons à quatre.

Ils gaspillèrent une vingtaine de minutes à débattre de cette manière de compter. Pour prouver *in vivo* que sa méthode était la bonne, Darnault avait saisi les poignets de Sarah, autour desquels les bracelets n'étaient pas trop serrés. Sous prétexte de lui tâter le pouls pour s'assurer qu'elle n'était pas excessivement émue par son procès, il insinua son index entre les cercles de métal et en appuya la pulpe sur la peau si douce. Il banda – avec un plaisir dénué de toute inquiétude, car, sous la robe noire qui bouffait sur ses genoux, cela ne pouvait évidemment pas se remarquer. Alors il s'enhardit et se pencha davantage sur Sarah. Pour la première fois, il adorait la fragrance du savon. Il fut tout de même assez lucide et honnête pour se reprocher de profiter d'un instant de ravissement volé dans un lieu lugubre où, au contraire, il aurait dû n'être qu'appréhension à l'idée de la punition qui attendait irrémédiablement sa jeune cliente. Mais « irrémédiablement » était le mot juste, et Didier Darnault se rassura en songeant qu'après tout il n'y pouvait rien. Il resta donc blotti contre elle, comme si c'était lui qui éprouvait de l'angoisse et avait besoin du contact de l'autre pour se rassurer.

– Maître, lui demanda soudain Sarah, avez-vous entendu parler d'un homme terrible, qu'on va bientôt juger à Caen ?

– Oui, dit-il, espérant qu'ainsi elle ne s'écarterait pas tout de suite, et qu'il pourrait rester encore un peu dans sa rude odeur de savon.

– Il s'appelle comment ?

– Là tout de suite, son nom ne me revient pas.

– Est-ce que ça ne serait pas Gaudion ?

Son doigt toujours posé sur le poignet de Sarah, comptant les battements sous l'acier de la menotte que la chair avait tiédi, maître Darnault aurait bien dû se rendre compte que le cœur de sa petite cliente s'emballait. Mais il crut que l'accélération des pulsations venait de son index à lui, de l'émotion que lui procurait sa bandaison, et il trouva très habile de marquer une hésitation comme s'il réfléchissait intensément, puis il dit au hasard :

– Si, c'est tout à fait ce nom que vous venez de prononcer. Vous le connaissez donc ?

– Non – mais qu'est-ce qui va lui arriver ?

Maître Darnault, qui savait d'évidence que Sarah McNeill allait se voir infliger quelques années de prison, pensa que, peut-être, elle accepterait d'autant mieux son sort qu'elle pourrait le comparer à un autre destin, ô combien plus terrible.

– Eh bien, dit-il, il va de soi que je n'ai pas suivi le dossier. Mais tout le monde s'accorde à penser que ce type-là sera condamné à mort – verdict en octobre, cassation en février-mars, exécution en juin.

– Comme ça ? murmura Sarah. Juste comme ça ?

– Que voulez-vous dire avec votre « comme ça, juste comme ça » ?

– Mais il ne faut pas ! dit Sarah.

Pour la première fois, sa voix avait failli ressembler à quelque chose d'audible.

– Quand le président vous interrogera tout à l'heure, s'empressa l'avocat, si vous pouviez vous exprimer avec cette force de conviction... (elle pleurait, maintenant)... ou pleurer, des fois ça les impressionne assez bien.

Sarah fut ramenée dans son box. Elle ne dit pas un mot et, malgré les regards d'encouragement de son avocat, elle ne pleura pas non plus. Elle s'était, tout à l'heure, vidée de tout ce qu'il y avait de liquide en elle, sauf le sang.

– Monsieur le président, messieurs les assesseurs, commença maître Darnault, ma cliente a depuis sa tendre enfance perdu l'usage normal de la parole. Cette fragilité excuse à mes yeux bien des choses.

Les digressions de l'avocat sur la fragilité de sa cliente (il n'osait pas dire beauté, mais la façon dont il usait du mot fragilité ne trompait évidemment personne) ne firent qu'exaspérer davantage les juges, qui lui rappelèrent que les charmes éventuels de Sarah McNeill n'avaient rien à voir avec le passage de la justice. En réalité, ces charmes influencèrent le tribunal à l'inverse de ce qu'espérait l'avocat : pour ceux qui la jugèrent, Sarah représentait ce qu'ils adoraient et détestaient tout à la fois, elle était ce visage inaccessible dont ils rêvaient en sachant qu'ils ne le contempleraient jamais que dans ces circonstances trop solennelles pour aimer un visage – à quinze mètres de distance, derrière leurs lorgnons et par-dessus leurs dossiers. Et il n'est pas interdit de penser que Sarah fut punie autant pour avoir porté une robe volée que pour avoir été, en cet après-midi d'automne, aussi désespérément jolie dans son chagrin.

Elle fut condamnée à quatre ans de détention, au remboursement de la robe jaune anisé que la cour considéra comme définitivement gâchée, et à une indemnité calculée sur le nombre de jours pendant lesquels Mme Emma Forbes avait été privée de l'usage de sa toilette.

Le verdict prononcé, et Sarah ayant renoncé à sa faculté d'interjeter appel, sœur Véronique ne put empêcher l'autorité pénitentiaire de prendre possession de la jeune fille, et de traiter désormais celle-ci avec toute la rigueur qui convenait à une condamnée. A peine de retour à la Cohue, on la fit asseoir sur un tabouret et on appela une détenue qui posa un bol sur la tête de Sarah et cisailla tous les cheveux qui dépassaient. Profitant de ce qu'elle se tenait tranquille sur son tabouret, on fit venir le chien près d'elle pour qu'il la renifle et mémorise son odeur de façon, si elle s'évadait, à pouvoir la retrouver en pleine nuit, même dans les marécages. Elle esquissa le geste de toucher le chien, peut-être pour le caresser, mais la détenue qui lui coupait les cheveux lui dit de retirer ses mains, parce que ce chien était dangereux. Au prétexte qu'ils n'étaient pas réglementaires, on lui confisqua les bas de laine grise que lui avaient discrètement fournis les deux religieuses en prévision d'un hiver qui s'annonçait rude.

Bien que le tribunal soit pratiquement contigu à la prison, on avait attendu pour ramener Sarah que toutes les affaires qui devaient passer après la sienne aient été jugées, il faisait donc nuit quand elle rentra en détention, et on ne lui donna pas à manger.

– 9 –

Un soir, au cours d'une de leurs promenades sur l'Yvie, au moment où la barque verte passait à proximité de la rue de la Geôle, sœur Véronique dit à sœur Saint-Mélaine qu'elle avait réfléchi, et qu'elle pensait lui déléguer le soin de s'occuper des vingt et une autres femmes détenues, elle-même se réservant la direction de Sarah McNeill ; mais elle n'avait en réalité aucune autorité pour agir ainsi, et sœur Saint-Mélaine lui reprocha cette manière de jouer à l'abbesse.

– Mais voyons, s'écria sœur Véronique, qu'allez-vous chercher là ! McNeill est une fille étrange, qui ne vous apporterait que des scrupules et des désillusions. Je vous en délivre en prenant la plus mauvaise part, voilà tout. Remerciez-moi plutôt.

Sœur Saint-Mélaine, qui maniait les rames, les sortit de l'eau et, en signe de fâcherie, les croisa en travers de la barque. Abandonnée au gré du courant, l'embarcation se mit à filer le long de la rive dont elle heurtait parfois la banquette avec un bruit sourd.

– Vous allez nous faire chavirer et nous noyer, dit sœur Véronique. Est-ce donc là ce que vous cherchez ?

Profitant des dernières lueurs du jour, des oiseaux pêchaient dans la rivière. D'habitude, c'était avec ravissement que les religieuses admiraient la précision de leurs plongeons au ras des encorbellements, mais ce soir elles les observèrent avec une sorte de hargne jalouse. Dans leurs piqués étourdissants, les petits cincles et les martins-pêcheurs leur rappelaient soudain que ce monde avait été fait *aussi* pour des créatures joyeuses et libres, alors que les deux descendantes des Emmurées de Rouen se morfondaient depuis de longues années entre la tanière humide où elles végétaient et la prison surpeuplée où on les confinait dans des tâches subalternes, qui allaient de la distribution des bonnes paroles et des missels à la vidange des tinettes des malades ; leurs mains, le bas de leur robe étaient parfois éclaboussés d'excréments, mais qui s'en souciait – les religieuses n'étaient-elles pas réputées invulnérables aux miasmes les plus putrides ?

D'une simple querelle d'autorité, elles en vinrent peu à peu à une crise de confiance. La dérive de leur foi accompagnait celle de leur barque.

– Au fond, dit sœur Saint-Mélaine, je crois que je n'ai jamais tellement aimé les oiseaux.

– Moi non plus, reconnut sœur Véronique. Ils vous ont

un petit air immaculé, vu d'ici, mais Sarah m'a confié qu'ils sentaient extrêmement mauvais quand on les ouvrait.

– Encore cette petite McNeill ! s'écria sœur Saint-Mélaine. Décidément, vous n'avez que ce nom-là à la bouche.

Nerveuse, elle se laissa aller à écraser une libellule égarée au-dessus de la flaque d'eau stagnant au fond de la barque. C'était la première fois qu'elle commettait un acte de cruauté gratuite, et elle s'en excusa : elle était, dit-elle, agitée par la crainte que sœur Véronique ne soit en train de se perdre, en cédant à cet immense péril d'une affection particulière, contre lequel elles n'avaient cessé de se prémunir l'une l'autre.

– Soit, dit alors sœur Véronique, j'admets qu'elle est attachante.

– Le fait est que nous n'en avons jamais eu aucune qui soit aussi charmante, sauf Geneviève Touzil, durant l'hiver 74-75 – cette petite rouquine, avec son nez retroussé, vous la rappelez-vous ?

– Le nez était aquilin, rectifia sœur Véronique, et c'était au cours de l'hiver 76-77. Elle est morte en janvier. Je lui tenais la main. Comme si j'avais pu l'oublier !

– Oh oui, la chose est connue, dit sœur Saint-Mélaine, vous l'aimiez bien.

– Je l'aimais tout court, ma sœur. A présent, vous feriez mieux de reprendre les rames et de nous ramener à la maison. Je sens le froid sur mes épaules. Nous en avons assez dit pour ce soir, il me semble.

La dominicaine estimait que l'aveu de son amour pour Geneviève Touzil – un amour si discret, si balbutié qu'il n'avait jamais dépassé l'offrande de quelques paquets de bonbons – la dispensait d'avoir à se justifier davantage à propos de Sarah McNeill. Elle avait aimé une fois, elle le reconnaissait avec humilité, avec même de la honte, mais elle ne recommencerait pas : Sarah n'aurait ni caresses ni bonbons. D'ailleurs, la religieuse n'éprouvait aucune attirance humaine pour la jeune fille. Elle lui trouvait une physionomie trop enfantine, trop mièvre, manquant de charpente. Elle percevait dans son haleine une vague odeur de laitage qui la révulsait. Elle avait eu autrefois une poupée qui ressemblait un peu à Sarah, avec des brins de laine jaune pour figurer les cheveux blonds ; et comme c'était sa seule poupée, elle avait dû, pendant des années, faire semblant de la cajoler, malgré l'odeur révoltante – de laitage, justement – qu'elle exhalait depuis le jour où sœur Véronique, qui était alors une petite fille, lui avait vomi dessus.

C'était bien autre chose qui la fascinait : la sérénité, quasiment l'indifférence, avec laquelle Sarah avait accueilli sa condamnation (maître Darnault lui-même n'en était pas revenu) confortait la dominicaine dans son idée que cette fille était faite pour la vie cloîtrée, et qu'elle-même pouvait être celle qui lui révélerait sa vocation.

Pourtant, une singularité empêchait encore la religieuse de s'avancer plus à découvert : Sarah, qui, le soir de son incarcération à la Cohue, s'était si spontanément détournée de l'homme du fourgon, semblait maintenant se passionner pour le sort de cet inconnu. Il ne se passait pas un jour sans qu'elle trouve une occasion de poser des questions le concernant : comment se comportait-il en prison, avait-il fait du cachot, quand serait-il jugé, avait-il un bon avocat, recevait-il des colis, des visites – et de qui, les visites ?

Sœur Véronique voulut continuer à voir dans cette obsession de Sarah une preuve éclatante de son esprit de partage et de charité envers un plus malheureux qu'elle. Malgré les protestations de sœur Saint-Mélaine, elle piocha dans les maigres économies que les deux religieuses gardaient dans une boîte à sel : à défaut des bonbons qu'elle s'interdisait pour ne pas retomber dans l'« ornière Touzil », elle acheta des journaux qu'elle éplucha ensuite ligne par ligne – gaspillant la chandelle, s'indignait sœur Saint-Mélaine – pour pouvoir répondre aux questions de la jeune fille, essayant d'en savoir chaque jour davantage sur celui qu'elle avait décidé d'appeler simplement *cet homme*.

– Mais *cet homme*, avait protesté Sarah, il a un nom, forcément qu'il en a un ! Dites-moi lequel, ma sœur, les journaux doivent bien l'appeler par son nom, au moins pour que les lecteurs s'y reconnaissent.

– Certes, il a un nom. Mais, de même que nous n'évoquerons pas son crime, je propose que nous taisions son nom. Laisser *cet homme* dans l'anonymat, c'est probablement ce que vous et moi, mon enfant, pouvons lui donner de meilleur. L'appeler *cet homme* n'est pas du tout l'humilier, c'est au contraire préserver ce qui lui reste de dignité : sa nature d'homme, justement, unique aux yeux de Dieu.

On apprit ainsi que *cet homme*, après des semaines de prostration, avait subitement repris goût à la vie – les nouvelles courent vite d'une prison à l'autre, avait aussitôt pensé Sarah, il aura su que j'étais à la Cohue, enfermée comme lui.

Les chroniqueurs précisaient que son appétit étant contrarié par deux dents gâtées qui le faisaient souffrir abominablement, un dentiste était venu en prison les lui arracher. Cet épisode du dentiste ébranla un peu Sarah, qui se rappelait la dentition de Gaudion comme la plus saine, la plus blanche et la mieux alignée qu'elle ait jamais vue. Mais peut-être, se dit-elle, que les coups assenés par les gendarmes de Trouville lui avaient brisé des dents qui, à force, s'étaient mises à pourrir. Elle se souvenait de la façon pitoyable dont il avait gémi tout le temps du voyage. C'était déconcertant, bien sûr, mais on pouvait être Gaudion et avoir mal aux dents – mordre à pleines gencives dans les meilleurs oignons du monde ne vous garantissait pas contre la fureur de gens armés auxquels, parce qu'on était plus fort et plus beau que les autres, on faisait peur.

Assisté d'un avocat venu tout exprès de Paris, *cet homme* fut jugé en novembre. Malgré la pluie glaciale, la foule des grands jours avait envahi la cour d'assises du Calvados, au point qu'il fallut renforcer le service d'ordre et mobiliser un escadron de gendarmes à cheval pour prendre position sur les marches du palais de justice et devant la souricière – on appelait ainsi l'entrée dérobée par laquelle arrivait le fourgon cellulaire qui amenait le prévenu. Sur le trajet menant de leur hôtel au tribunal, les jurés, dont trois femmes, étaient escortés par des hommes sabre au clair. On venait moins pour entendre le récit d'un crime dont les détails les plus abominables avaient été depuis longtemps révélés que pour apercevoir enfin celui qui en était accusé. En s'engouffrant dans la souricière, *cet homme* ne manquait jamais de crier à la foule qu'il était innocent, mais cela ne troublait personne.

Sœur Véronique jubilait : la plupart des journaux consacraient de larges comptes rendus au procès, et elle avait enfin de quoi nourrir l'insatiable curiosité de Sarah. Certaines feuilles publièrent même des croquis d'audience où l'on voyait *cet homme* tassé dans son box, enfouissant parfois son visage dans ses mains qui vibraient de colère et d'indignation (de fins petits traits, noirs et hachés, figuraient le tremblement). Ces croquis étaient si réalistes qu'on croyait entendre le grondement sourd et continu que l'accusé laissait échapper, n'interrompant sa plainte que pour hurler « Non, mais non, je jure que non ! » à toutes les questions qu'on lui posait.

En les dissimulant sous sa robe, la religieuse aurait pu faire passer ces images à Sarah ; mais elle y renonça, estimant que donner à la jeune fille l'occasion de contempler la physionomie de *cet homme*, même déformée par la liberté et la créativité des caricaturistes, serait en contradiction avec la précaution que Sarah elle-même avait prise en ne se retournant pas sur lui quand on leur avait ouvert à tous les deux les portes du fourgon.

Sœur Véronique finit pourtant par reconnaître avoir vu ces dessins, et Sarah tressaillit :

– Comment est-il, ma sœur ? Oh ! je vous en prie…

– Petite sotte ! Et qu'est-ce que cela vous rapportera de plus ? Si je vous dis qu'il a tout à fait l'air d'un monstre, vous n'aurez plus envie de prier pour lui – or il n'en a jamais eu autant besoin.

– Mais est-ce qu'il a l'air d'un monstre ?

– Oh, un monstre, éluda sœur Véronique, qu'est-ce qu'un monstre ?

Elle avait beau porter le nom de celle qui avait essuyé le visage du Christ, elle était, avoua-t-elle, la dernière personne à pouvoir se prononcer sur le physique d'un homme ; encore que, pour autant qu'elle pouvait en juger, *cet homme* ne différait pas tellement des autres hommes.

– Mais ses mains ? réclama Sarah.

– Le dessinateur du journal ne les montre pas, mentit la religieuse. Sans doute que *cet homme* les tenait serrées entre ses genoux.

Sarah n'insista pas, plus pensive que déçue. Elle se souvenait des premiers indices, si ténus, et surtout si contradictoires, rapportés par les capitaines de lady Jane avant que l'un d'eux ne découvre enfin la terrible boîte en fer-blanc. Il fallait attendre encore un peu. A la Cohue, Sarah n'avait que cela à faire.

Bien que l'affaire qui conduisait *cet homme* devant la justice soit des plus simples à juger (un cadavre qu'on avait trouvé, des indices qu'on avait relevés, une brute qu'on avait arrêtée), le procès s'enlisa du lundi au vendredi jusque tard dans la nuit : ayant deviné depuis le début que la partie serait perdue, l'avocat venu de Paris utilisait le moindre incident, la moindre faille dans la procédure, pour en retarder l'issue, cherchant à sauver sa réputation de plaideur à défaut de sauver la tête de son client. Le vendredi, après avoir déjeuné à la Brasserie du Palais, mais légèrement, d'un maquereau mariné et d'une tranche de gigot froid qu'il mangea sans mayonnaise, il commença sa plaidoirie à quatorze heures et la conclut à dix-huit, dans un mélange de huées et d'applaudissements.

La fin du procès fut pour Sarah d'autant plus insupportable que sœur Véronique, en faisant oraison sur la rivière, avait attrapé un refroidissement, et confié à sœur Saint-Mélaine le soin de la remplacer auprès de la jeune fille. Or sœur Saint-Mélaine, qui avait décidé de ne plus se mêler des affaires de sœur Véronique, prétendait tout ignorer de *cet homme*. S'il lui arrivait de lire un journal, c'était un très vieux numéro qui avait servi à envelopper les légumes qu'elle achetait au marché du lundi, place Dubois. De toute façon, elle jetait au feu la page des crimes. Le samedi matin, quand sœur Véronique fut guérie et que, la gorge enveloppée d'ouate thermogène, elle revint enfin auprès de Sarah, elle lui apporta la nouvelle que le procès s'était conclu sur le verdict que tout le monde pressentait : une condamnation à mort.

– Tandis qu'on l'emmenait, *cet homme* a crié qu'il refusait de se pourvoir en cassation, dit sœur Véronique. Il n'a pas envie de gagner du temps. Bon, je lui donne raison, moi. A présent, le plus vite tout cela finira, le mieux ce sera.

Alors Sarah perdit connaissance. La religieuse tenta de lui souffler dans la bouche un peu de sa propre respiration mais, Sarah ne revenant pas à elle, sœur Véronique dut se résoudre à appeler au secours. Il n'y avait pas loin de la Cohue à l'hôpital des sœurs de la Providence, près du pont du Moulin. La jeune fille y fut emmenée sur une brouette où, après en avoir longuement débattu, les gardiens n'estimèrent pas nécessaire de la ligoter puisqu'elle était inconsciente. Le médecin diagnostiqua que sa faiblesse venait de ce qu'elle ne mangeait probablement pas assez pour refaire le sang qu'elle perdait en quantité excessive chaque fois qu'elle avait ses règles.

Sarah resta huit jours chez les sœurs de la Providence, à se laisser gaver de bouillons riches, dans un lit propre et chaud qui lui aurait paru agréable si elle n'y avait été attachée par une menotte reliée à son poignet droit, qui l'obligeait à tenir son bras plié et tiré en arrière vers la tête du lit.

– 10 –

En principe, les rivières arrosant Pont-l'Évêque n'inondaient la ville qu'au printemps, après la fonte des neiges. Mais cette année-là, les pluies d'automne ayant été d'une exceptionnelle violence, la Touques, la Calonne et l'Yvie s'enflèrent du ruissellement venu des herbages et débordèrent pendant que Sarah se trouvait à l'hôpital. Elle entendit le flot de l'inondation clapoter contre les murs de la salle commune où on l'avait couchée et, sous ses fenêtres, les gens qui se hélaient d'une embarcation à l'autre. Ils semblaient avoir l'habitude des caprices de leurs trois rivières et suivaient la montée des eaux avec un certain fatalisme. Aussi discutaient-ils volontiers d'autres sujets dont, parfois, le procès de Caen, qui était encore dans toutes les mémoires – les grandes affaires étaient rares, on les ruminait longtemps, on en suçait l'émotion jusqu'à la moelle. Sarah se reprit à espérer que l'un ou l'autre des inondés finirait bien par laisser échapper le nom du condamné mais, parlant de lui, ils disaient seulement le salaud ou la brute.

Parce qu'elles possédaient la petite barque verte, les dominicaines se mirent au service de la population, aidant les habitants à se déplacer d'une maison à l'autre et à sauver leurs meubles du déferlement des eaux boueuses. Rue Thouret, où le flot atteignait le premier étage, sœur Saint-Mélaine fut tuée sur le coup par la chute d'une armoire que quelqu'un tentait de hisser jusqu'à une fenêtre.

Après ce drame, sœur Véronique ne se sentit plus de force à rester seule, et elle écrivit à sa supérieure une lettre demandant à être réintégrée dans une communauté.

– On ne m'a pas encore répondu, dit-elle à Sarah, qui venait tout juste d'être ramenée à la Cohue. Mais je partirai sans doute avant six mois. Et d'une certaine façon, ajouta-t-elle en regrettant instantanément les mots qu'elle prononçait, cela me peine, car le moment de me séparer de vous viendra toujours trop tôt.

Elle se détourna, gênée et contrariée. Si elles l'avaient entendue, les autres détenues qui s'affairaient dans la cellule, l'une à sa lessive, l'autre à coller des étiquettes sur des boîtes de fromage, la troisième accroupie pour laver le sol, auraient pu s'imaginer des choses qui n'étaient pas. Sœur Véronique parlait et agissait toujours trop vite, décidément. Elle se rappela le mouvement spontané qu'elle avait eu l'autre matin, lorsqu'elle avait appliqué sa bouche sur celle de la jeune fille évanouie pour la forcer à respirer. Sarah sentait le café au lait. Depuis, sœur Véronique se privait de café pour ne plus jamais retrouver ce goût mais, surtout, elle se reprochait amèrement son geste, tellement inutile puisque Sarah n'avait en fait jamais cessé de respirer. Les prisonnières s'étaient d'ailleurs écartées d'elle en disant : « Mais qu'est-ce que vous lui faites, ma sœur ? »

Comme sœur Véronique s'approchait de la lucarne et cherchait à retrouver son calme en regardant au-dehors les dernières luisances de l'inondation qui allaient se perdre dans les herbages, Sarah la prit par la manche pour la forcer à se retourner :

– Ne partez pas, ma sœur, j'ai encore besoin de vous.

Elle se serra contre elle et, s'agrippant à la robe blanche, monta coller ses lèvres tout contre l'oreille de la dominicaine, la suppliant d'écrire des lettres pour elle.

– Des lettres, c'est impossible, dit sœur Véronique, à la fois soulagée et navrée d'avoir enfin à lui opposer un refus. Vous savez bien qu'il nous est interdit de faire passer au-dehors les messages des détenues.

Sarah la rassura : la religieuse n'aurait rien du tout à faire sortir de la prison.

– Je vous dirai ce qu'il faut mettre dans les lettres, chuchota-t-elle, je vous le dirai mot à mot, très lentement, de façon à ce que vous puissiez l'apprendre par cœur, vous vous le répéterez tout le long du chemin pour ne pas l'oublier et, une fois chez vous, vous n'aurez plus qu'à écrire.

– Et votre signature ? Comment vous y prendrez-vous pour signer vos fameuses lettres ?

– Vous les signerez à ma place, dit Sarah. Ça n'a pas d'importance, les gens auxquels je veux écrire ne connaissent pas ma signature, ils ne l'ont jamais vue.

– Qui sont-ils ?

– Le président Jules Grévy, la reine Victoria, le président des États-Unis d'Amérique et le tsar de Russie. Et d'autres dont je n'ai pas encore trouvé les noms, mais vous m'aiderez pour ça aussi.

Sœur Véronique écarta Sarah en riant, et les autres prisonnières en profitèrent pour rire avec elle – n'ayant rien entendu, elles ne savaient pas trop pourquoi il fallait rire, mais il leur plaisait toujours assez que Sarah soit un peu rabrouée, surtout si c'était sa protectrice elle-même qui la repoussait. La jeune fille ignora les rires et s'accrocha de nouveau à l'habit de sœur Véronique :

– Ces gens-là, lady Jane leur a écrit pour leur demander de l'aide quand elle cherchait sir John. Le Russe n'a rien fait du tout, je crois, mais les Américains ont armé des bateaux. Je compte beaucoup sur le président américain. Mais il ne faut pas traîner, ma sœur, il faut qu'ils se dépêchent tous, à présent. J'ai entendu les gens dans les barques, sous ma fenêtre, dire que *cet homme* serait exécuté avant la fin de cette année – est-ce que vous ne les avez pas entendus dire ça, vous aussi, ma sœur ?

Des larmes mouillaient ses yeux, mais sœur Véronique crut que la cause de ce brusque chagrin était le sentiment d'impuissance qu'instillait peu à peu la Cohue, même chez les femmes les plus résistantes. Sarah McNeill commençait peut-être à prendre enfin conscience qu'elle était là pour des années, et que ces années ne seraient pour elle qu'un long temps morne, vide et stérile. La dominicaine et sa sœur Saint-Mélaine, du temps où elle vivait encore, étaient persuadées que la souffrance des prisonnières leur venait seulement des conditions dans lesquelles on les tenait, du froid, de l'oisiveté ou du travail forcé (les deux se valaient), des punitions, de la peur du chien. Il était beaucoup trop désespérant de penser que, en plus de tout cela, il pouvait y avoir quelque chose de secret, au fond d'elles, qui les blessait.

La nuit, Sarah concevait ses lettres. Si leur contenu n'était évidemment pas le même que celui des suppliques que lady Jane avait adressées aux grands de ce monde, et dont les journaux de Toby avaient reproduit les larges extraits qu'elle se remémorait, elle pouvait au moins s'inspirer de leur solennité et des passages sur la confiance et l'espoir. Au matin, elle les récitait à sœur Véronique qui, les yeux clos pour mieux se concentrer, les apprenait par cœur au fur et à mesure.

« Nous prions ensemble », avait expliqué la religieuse aux détenues de la cellule pour justifier ces longs conciliabules pendant lesquels la jeune fille et elle s'isolaient sous la lucarne. Alors les autres femmes faisaient silence, attendant la fin de la « prière » pour manier la tinette et se livrer, à coups de socque, à la bruyante chasse aux cafards ; à la Cohue, on appréciait celles qui s'enfonçaient ainsi dans le mysticisme, car leur marotte les conduisait bien souvent à une véritable folie de dépouillement allant jusqu'à les faire renoncer à leurs rations au profit de leurs codétenues, ou à se charger des corvées les plus répugnantes.

– Ma sœur, avait rappelé Sarah, vous savez le nom de *cet homme* et vous ne voulez pas que je le sache. En vous dictant mes lettres, je continuerai donc à dire *cet homme* quand je parlerai de lui. Mais vous, surtout, mettez bien son vrai nom et tout ce que vous pouvez connaître de lui, pour qu'on ne se trompe pas.

Sœur Véronique ne comprenait pas pourquoi Sarah s'acharnait ainsi à vouloir sauver *cet homme*. Mais, se disait-elle, la jeune fille avait probablement trouvé là un moyen de survivre qui valait bien les délires d'évasion ou de passions contre nature de certaines autres : pendant ce temps, contrairement à la plupart des prisonnières, qui donnaient l'impression de sécher sur place et de se racornir à force de se renfermer sur elles-mêmes, la pauvre petite oubliait ses propres tourments. N'ayant plus à affronter le jugement de sœur

Saint-Mélaine, la dominicaine avait franchi le pas et s'avouait qu'elle aimait Sarah d'un amour plus fort que celui qu'elle avait éprouvé, des années auparavant, pour Geneviève Touzil. Prudente, elle n'essayait pas d'y voir trop clair en elle et de départager ce qui, dans cet amour, relevait de la chair ou de la charité. Une chose était sûre : elle ne trouvait plus que l'haleine de Sarah sentait le laitage, ou bien cela avait cessé de lui paraître désagréable.

Elle fit tout ce qui était en son pouvoir pour satisfaire Sarah. La seule chose qui la navrait était que la jeune fille ne puisse pas admirer les lettres une fois achevées, et voir avec quelle application sœur Véronique les calligraphiait, copiant certains caractères, notamment les majuscules, dans un admirable livre d'heures du quinzième siècle qu'elle avait reçu le jour où elle avait prononcé ses vœux perpétuels.

Tout ce que l'univers comptait alors de puissants, rois, princes, présidents, hauts responsables religieux, et même tyrans reconnus, reçut une lettre de Sarah McNeill, implorant la grâce de *cet homme*. La majorité de ces missives devaient partir pour l'étranger, parfois pour le bout du monde, or le maigre pécule de Sarah était loin de pouvoir couvrir les frais d'affranchissement. Sœur Véronique ne lui en parla même pas et dépensa en timbres presque tout le contenu de la boîte à sel ; à présent que sœur Saint-Mélaine n'était plus là, et qu'elle-même allait quitter Pont-l'Évêque pour entrer dans une communauté où l'on subviendrait à ses besoins, elle n'avait plus besoin d'argent.

Mais comme elle doutait tout de même un peu de l'efficacité de ces lettres, la religieuse usa du moyen qu'elle avait toujours employé, avec des résultats divers il est vrai, pour obtenir ce qu'elle désirait : après avoir rédigé les messages de Sarah, elle se mettait en prière jusqu'à une heure avancée de la nuit. Elle disait à Dieu : Seigneur, ne regardez pas le crime de *cet homme*, mais la ténacité merveilleuse que met cette fille à vouloir qu'il vive. Je ne sais pas pourquoi elle est tellement obstinée, mais je vous demande de lui accorder cette joie. Certes, il n'y a aucune raison pour que vous nous exauciez, ni elle ni moi – surtout pas moi, parce que je suis dans le péché d'intention à cause de cette fille. Mais vos critères ne sont pas les nôtres. Et qui sait avec quelle générosité vous répondra Sarah McNeill si vous lui donnez ce signe de votre puissance ?

Elle se rendit à l'hôpital, où elle demanda aux sœurs de la Providence de prier elles aussi pour une intention particulière – elle arrangea un peu les choses à sa manière, en leur assurant qu'il s'agissait en fait de prier pour une vocation.

Ni Sarah ni elle ne connaissaient les formules solennelles qu'il convenait d'employer quand on s'adressait au pape, à des rois ou à des présidents. Alors sœur Véronique racla définitivement le fond de la boîte à sel et acheta un billet de diligence pour aller à Caen consulter un écrivain public. Elle profita du voyage pour essayer de se renseigner à propos de *cet homme*. Elle aurait aimé pouvoir dire à Sarah qu'il allait aussi bien que possible – cela lui aurait certainement valu un sourire, et Sarah ne lui souriait pas souvent. Mais à la prison, où les fenêtres du quartier des condamnés à mort n'étaient pas visibles depuis la rue, on refusa de la laisser entrer, et même de lui donner des nouvelles de *cet homme*. Les gens, là-bas, semblaient avoir oublié jusqu'à son existence – ils ne s'intéresseraient de nouveau à lui qu'au moment de son exécution.

– 11 –

Un soir de mars 1883, sœur Véronique se présenta à la Cohue et demanda à voir Sarah. Les gardiens commencèrent par refuser : l'heure des visites était largement dépassée (si proche était la nuit que, dans les herbages, on ne distinguait déjà plus la rousseur des bœufs de celle des bosses du talus bordant l'égout à ciel ouvert, le mordouet comme on disait ici), les prisonnières avaient regagné leurs cellules, et les gardiens eux-mêmes s'apprêtaient à se rendre au réfectoire pour la soupe qu'ils mangeraient tous ensemble avant de se répartir les tours de garde. De plus, le registre de la détention indiquait que la religieuse avait déjà obtenu le matin même la permission de s'entretenir avec Sarah, or le règlement s'opposait à une double visite en l'espace de vingt-quatre heures.

Lors de son voyage à Caen, la religieuse avait acheté, avec les derniers sous qui lui restaient, une petite boîte de cigares en songeant qu'elle en aurait un jour l'utilité. Ce jour était venu. Se donnant des airs de magicienne, elle fit surgir les cigares de la manche de sa robe blanche. Les gardiens ne purent s'empêcher de rire, autant du plaisir d'avoir les cigares que de la manière inattendue dont on les leur offrait. Ils dirent alors à la dominicaine qu'ils allaient rappeler le chien qu'ils avaient déjà lâché pour la nuit dans les coursives de la Cohue, et qu'elle pourrait aller jusqu'à la cellule de Sarah.

– Pas la cellule, dit sœur Véronique, je préfère la voir seule à seule, dans un endroit tranquille. Le parloir, c'est possible ?

Les gardiens protestèrent qu'il faudrait allumer les lampes, ce qui allait prendre du temps, pendant lequel leur soupe refroidirait. Ce mois de mars était réfrigérant, il était tombé aujourd'hui une sorte de neige fondue qui avait transpercé le drap de leurs uniformes, ils éprouvaient le besoin de se réchauffer.

– Ne vous préoccupez pas des lampes, dit la religieuse, je lui parlerai aussi bien dans la pénombre.

On conduisit sœur Véronique au parloir. Par la porte restée ouverte, la religieuse écouta résonner dans les couloirs les pas du gardien qui allait lui chercher Sarah et le petit vacarme des clés et des verrous qu'il tournait et tirait au fur et à mesure de sa progression.

Quand il ouvrit la porte de la cellule et ordonna à Sarah de le suivre au parloir, celle-ci dut chuchoter quelque chose comme « Qui, moi ? maintenant ? », et les autres femmes se plaignirent probablement qu'on les réveillait dans leur premier sommeil, qui était de loin le meilleur, et le plus difficile à rattraper quand on les en sortait. La dominicaine entendit en tout cas la voix forte du gardien qui disait qu'il avait vraiment autre chose à faire à cette heure, mais que, tant qu'il y était, il était prêt à prendre encore sur son temps pour fourrer tout ce joli monde au cachot. Il y eut à nouveau l'alternance de clés et de verrous, puis Sarah apparut dans l'encadrement de la porte.

– Je lui ai mis les menottes, dit le gardien, parce que je ne vais pas pouvoir rester planté là à la surveiller.

– La soupe, oui, je sais, dit sœur Véronique en souriant.

Le gardien sortit et referma la porte du secteur de détention. Sarah resta debout, tout embrouillée dans un début de sommeil.

– Ma petite fille, asseyez-vous, lui dit la dominicaine.

Sarah obéit et prit place de l'autre côté de la grille qui séparait les pensionnaires de la Cohue de leurs visiteurs. Instinctivement, comme tous les prisonniers, elle fit le geste d'accrocher ses doigts au grillage. Mais le bruit des menottes heurtant les mailles métalliques était agaçant à la longue et Sarah, en soupirant, reposa ses mains sur ses genoux.

– Pourquoi venez-vous à cette heure-ci, ma sœur ? demanda-t-elle. Est-ce que vous avez reçu une nouvelle réponse à mes lettres ?

Jusqu'à présent, seul le président Jules Grévy avait laissé subsister quelque espoir en faisant écrire par son cabinet qu'il aviserait de la suite à donner à cette affaire lorsqu'on lui présenterait le recours en grâce du condamné, comme le prévoyait la Constitution. De son côté, l'ambassade des États-Unis à Paris avait confirmé qu'une lettre du président américain était bien partie de Washington, mais qu'elle se trouvait probablement encore dans un sac postal, quelque part au milieu de l'océan. La reine d'Angleterre avait fait savoir qu'elle ne voyait pas vraiment en quoi cette histoire pouvait la concerner, et le pape profitait de cette douloureuse occasion pour rappeler que l'Église, dans sa prière, intercédait auprès de Dieu pour toute la souffrance du monde.

– Sarah, dit lentement la religieuse, je ne l'ai appris qu'aujourd'hui. Hier matin, ils ont tué *cet homme*. Il ne faisait pas encore jour, il pleuvait sur Caen, il n'y avait pas grand monde pour le voir mourir. Mais tout s'est passé très vite, et dans la dignité. D'habitude, quand le couperet tombe, les chevaux des gendarmes font un écart. Mais là, non, même pas. Alors, si les chevaux n'ont pas eu peur, je pense qu'il n'a pas dû avoir peur lui non plus.

– Oh, murmura Sarah.

Oh, et seulement oh. Ses mains se mirent à trembler sur ses genoux, en faisant tinter la chaîne qui les attachait. Et puis la gorge de Sarah McNeill, qui se découpait toute blanche dans l'échancrure du col de sa robe de droguet, se gonfla, ses veines saillirent, et, du plus profond d'elle-même, monta alors ce qui ressembla d'abord à une toux comme lorsqu'on s'étrangle, puis qui devint un cri, un cri très clair, un cri immense qui, en franchissant ses lèvres, poussa devant lui tellement d'air que sœur Véronique crut sentir son voile se soulever.

La Cohue entendit ce cri, et les deux quartiers, celui des hommes comme celui des femmes, furent agités d'une sorte de frémissement de révolte. Un gardien accourut, c'était celui qui tout à l'heure avait amené Sarah au parloir, il avait sa serviette nouée autour du cou, les lèvres encore grasses de soupe.

– Mais qu'est-ce qui se passe, ma sœur, demanda-t-il d'un ton affolé, qu'est-ce que vous lui faites ?

Sœur Véronique s'était levée. Elle dit qu'elle n'avait rien fait, qu'à travers le grillage on ne pouvait de toute façon rien faire du tout, que c'était fini, que tout était rentré dans l'ordre, et que le gardien pouvait à présent reconduire la détenue dans sa cellule.

– Je ne vais quand même pas la ramener et l'enfermer comme ça, ma sœur !

La religieuse regarda le sang qui, à chaque hoquet (ou

sanglot, ça se ressemblait tellement), giclait de la bouche de Sarah. Elle eut une sorte de vertige en imaginant les profondeurs auxquelles la petite était allée chercher ce cri déchirant – et qui l'avait déchirée, justement, entraînant avec lui, comme un torrent qui déferle, des fragments de chair enfouie. Sœur Véronique quitta la Cohue en chancelant, les mains plaquées sur ses oreilles. Deux jours après, sans avoir revu Sarah, elle entrait dans une maison dominicaine sur les hauteurs de Rouen.

– 12 –

Remise en liberté pour bonne conduite, Sarah quitta Pont-l'Évêque au début de l'hiver suivant. Elle refit en sens inverse, tout simplement parce qu'elle ne connaissait pas d'autre route, l'itinéraire qui l'avait conduite de son île jusqu'à Londres, de là à Trouville, et puis à la Cohue.

Les derniers mois de sa détention, ses cheveux avaient repoussé. Les gardiens n'avaient rien fait pour les en empêcher. Ils ne s'étaient pas concertés, et ils se disaient même, en la regardant tourner dans la cour parmi les femmes aux crânes rasés : « Un de ces jours, il va falloir qu'on se décide à la faire asseoir sur le tabouret et qu'on lui pose le bol sur la tête. D'abord, les cheveux longs attirent les poux, et ce n'est pas parce qu'elle est bientôt libérable qu'on doit faire une entorse au règlement. » Mais chacun d'eux, secrètement, voulait retrouver l'image qu'il avait eue d'elle à son arrivée, quand elle était descendue du fourgon et que le vent léger de la nuit d'août avait fait voler ses cheveux. Alors ils la laissèrent tranquille. Quand l'un des gardiens installait le tabouret dans la coursive, face à la cellule de Sarah, avec les cisailles et la serviette posées dessus, un autre passait par là comme par hasard, et faisait remporter tout l'attirail sous prétexte qu'il était trop tôt ou trop tard.

Le jour de sa libération, le greffier de la Cohue remit à Sarah le pécule qu'elle avait gagné en collant des étiquettes sur des centaines de milliers de boîtes de fromage, et il vérifia que cette somme lui suffirait à acheter les billets dont elle avait besoin pour rentrer à Alderney. Il l'engagea à ne pas traîner en route : quand elle aurait payé ses passages, il ne lui resterait rien pour se nourrir et se loger. Après avoir décousu à la pointe d'un ciseau le rectangle sur lequel était inscrit son matricule, on la laissa partir dans sa robe de droguet. C'était contraire à la règle, mais la jeune fille n'avait rien d'autre à se mettre ; le greffier en délibéra avec ses collègues puis inscrivit sur le registre, à la rubrique Matériel réformé, que l'uniforme pénitentiaire porté par Sarah McNeill ayant été sauvagement lacéré par le berger allemand, on avait dû se résoudre à le jeter dans un des mordouets.

En sortant de la ville par le pont des Chaînes et le quai au Cidre, Sarah rencontra un éleveur qui était allé négocier des chevaux au marché de la place Vauquelin. Il accepta de laisser la jeune fille monter sur une des bêtes qu'il avait achetées, et de la conduire ainsi jusqu'aux faubourgs de Trouville, où il faisait déjà sombre quand ils arrivèrent. Il insista alors pour recevoir Sarah, lui offrir au moins une omelette et une couchette de paille dans ses écuries, mais elle refusa.

Tout au long de la route de Pont-l'Évêque, tandis qu'elle était sur le cheval qu'il tenait par la bride, l'homme s'était débrouillé pour marcher à sa hauteur et frotter sa joue contre son mollet, à travers la robe de droguet. Elle avait parfaitement compris ce qu'il voulait. Il s'imaginait sans doute qu'une fille qui sortait de la Cohue ne ferait pas tant d'histoires. Au contraire, elle en fit énormément. Il lui reprocha son ingratitude. Elle lui cracha au visage comme elle avait accoutumé de le faire en prison, à deux reprises, en visant bien ses narines, qui étaient écartées comme celles de ses chevaux. Il rugit, soufflant de toutes ses forces pour détacher la glaire plaquée sous son nez. Affolée, Sarah partit en courant vers la mer. L'éleveur tenait trop de chevaux par la bride pour pouvoir la poursuivre.

Elle marcha le long de la promenade des planches. Toute grumeleuse des tortillons des coquillages enfouis à fleur de sable gris, la plage, entre les stries miroitantes des longues algues échouées, n'avait pas été ratissée depuis longtemps. Aucun pavillon ne claquait en haut des mâts blancs, certaines cabines de bain gisaient sur le flanc, renversées par un vent qui avait dû être violent. Dans le soir qui tombait, Sarah attendit que s'allument les lampes à gaz de l'hôtel des Roches Noires. Mais on était hors saison, le palace était fermé, tout demeura obscur. Elle remonta la route de la Corniche jusqu'à la villa où Marie Le Faouët était cuisinière. La haie de lauriers était desséchée, brûlée par le sel des embruns. Sarah eut beau frapper, faire crépiter des graviers contre les persiennes, personne ne lui répondit. En ville, le long de la Touques, la plupart des établissements qu'elle avait connus si animés, pleins de musique et de rires, où on se bousculait pour entrer, arboraient des vitres plâtreuses, badigeonnées de l'intérieur au blanc d'Espagne. Elle dormit au fond d'une barque, près de l'embarcadère de la Compagnie normande de navigation. Quand elle se réveilla, en entendant la sirène du paquebot du Havre, elle était enrhumée.

A Londres, les omnibus pataugeaient dans la neige fondue. Un négociant turc avait racheté la maison de M. Pook et installé une brûlerie de café dans l'ancien laboratoire. Il offrit une tasse de moka à Sarah, qui la garda longtemps entre ses mains pour les réchauffer ; quand elle se décida enfin à le goûter, son café avait refroidi. Le nouveau propriétaire ne savait pas ce qu'était devenu M. Pook, et le nom de Sadhana ne lui disait rien.

Sarah se rendit à Chelsea, mais Oscar Wilde et son ami M. Miles n'habitaient plus Tite Street. C'était dommage car Sarah, avec sa robe dont le bas s'effrangeait, dévoré par la saumure qu'on jetait sur les chaussées pour faire fondre la neige, n'avait jamais eu autant l'air d'une de ces navrantes marchandes de violettes dont, d'après M. Wilde, son cher Miles s'entichait si facilement. Elle aurait volontiers posé pour lui en échange d'un morceau de pain avec des échalotes – pour une tartine de pâté, elle serait allée jusqu'à lui laisser peindre ses seins nus.

Elle renonça à manger. Mais son rhume empirait, et, le bateau pour Guernesey et Alderney n'appareillant que le lendemain à midi, elle devait au moins trouver un abri pour la nuit. Elle se souvint du cimetière de Highgate, où elle pénétra facilement en se faufilant entre un méli-mélo de buis et de pierres écroulées, par une voie secrète que lui avait autrefois montrée le graveur de tombes ; mais la porte du caveau d'Egyptian Avenue où Dunglewood et elle avaient eu leurs habitudes était à présent fermée par un cadenas.

Elle ressortit du cimetière et se dirigea vers Forbes House. Soufflant son haleine rendue brûlante par la fièvre sur un coin de vitre pour en dissiper le givre, elle reconnut, dans le salon d'été devenu salon d'hiver, le butor étoilé, le syrrhapte paradoxal, le faucon hobereau et d'autres oiseaux qu'elle avait livrés. Des personnes élégantes allaient et venaient. A un moment, on éteignit les lumières et une domestique entra, apportant un énorme pudding rond et noir sur lequel dansaient des flammèches bleutées. Les gens dans le salon d'hiver poussèrent des exclamations d'enthousiasme et applaudirent. A la Cohue, où les détenues n'avaient droit ni aux miroirs ni aux calendriers, et où celles qui s'obstinaient à compter les jours se trompaient souvent, Sarah avait perdu l'habitude de se demander quelle date on était. L'apparition du pudding flambé lui fit penser que, probablement, cette nuit devait être celle de Noël. Elle vit Mme Forbes s'avancer vers Nicholas Dunglewood, qui avait terriblement grossi, et lui offrir en minaudant un paquet entouré d'un ruban.

Il était tard, les omnibus ne roulaient plus. Sarah regagna à pied le quartier des docks, où elle se réfugia dans un entrepôt.

– 13 –

Le steamer qui ramenait Sarah à Alderney appareilla de Londres avec un retard de six heures, consécutif à cette période de fêtes et de froids vifs où les dockers travaillaient au ralenti, les petits bateaux devant attendre que les long-courriers aient été servis en priorité. Incapable de rattraper un pareil handicap, le navire se présenta dans le courant du Swinge au plus mauvais moment de la marée et fut violemment chahuté. Après une manœuvre rendue délicate par la violence des vents de nord-est qui s'engouffraient jusqu'au fond du port de Braye, il se rangea enfin le long de la digue. Il était à peine cinq heures du matin. La neige tranquille et molle qui tombait encore sur Londres la nuit précédente avait ici, sous l'influence du Gulf Stream, tourné à la pluie diluvienne. Sarah descendit. Malgré son rhume, elle reconnut l'odeur fraîche des granits mouillés et celle, plus entêtante, des nuées iodées qui couraient à ras d'écume, échevelées, en se déchiquetant aux hauteurs de la pointe Quesnard et de Château-à-l'Etoc.

Une seule carriole était descendue de Sainte-Anne pour se mettre à la disposition d'éventuels voyageurs.

– Une voiture pour aller en ville, madame ? cria de loin le cocher, déçu de voir que le steamer ne débarquait qu'une passagère, et sans bagages.

Sarah pensa que cet homme et son cheval s'étaient levés tôt exprès pour elle, et elle fut désolée de devoir répondre non de la tête. La carriole repartit. Sarah nota avec plaisir qu'elle possédait maintenant des lanternes et une capote – même si les lanternes n'étaient pas allumées et que la tempête avait déchiré un pan de la capote noire qui se dressait en palpitant au-dessus de l'habitacle, comme une aile de chauve-souris.

A cause de l'état de la mer, l'équipage du steamer avait renoncé à servir un repas. De toute façon, Sarah n'aurait pas eu de quoi le payer. Mais à présent la faim se rappelait à elle et lui tordait le ventre. Elle s'approcha des tavernes de Braye Road. Probablement pour les mêmes raisons que la carriole était descendue du bourg – chaque penny comptait, surtout au plus fort de l'hiver –, une des tavernes avait ouvert malgré l'heure matinale. C'était celle que les scaphandriers avaient dit qu'ils finiraient par acheter et, en voyant le casque de cuivre toujours scellé dans la façade, Sarah pensa que Jo Zemetchino ou Tom Walcott devaient être là, et qu'ils l'inviteraient à manger quelque chose.

Mais c'était une femme que la jeune fille ne connaissait pas qui se tenait derrière le comptoir. Elle était descendue en hâte en entendant la sirène du steamer, se contentant de jeter un châle noir sur sa chemise de nuit, et elle s'était aussitôt mise à faire bouillir de l'eau pour le thé et à essuyer une poêle en la frottant avec du papier journal. Sarah se demanda si c'était un vieux journal, comme ceux que Toby collectionnait. Elle avait envie de retrouver les paquets de journaux bien ficelés, de respirer en les dépliant leur odeur de papier humide, de relire, dans le désordre, l'histoire de Jane et de John qui avait inspiré sa propre histoire.

La femme dit à Sarah que les scaphandriers n'avaient pas réussi à rassembler assez d'argent pour acheter la taverne – c'est-à-dire que si, ils avaient bien fini par amasser assez d'argent, mais toute cette fortune les avait rendus comme fous, et ils l'avaient dépensée en une nuit. Alors, ils étaient repartis vers d'autres chantiers, Zemetchino en Australie, Walcott aux îles de la Madeleine, dans l'embouchure du Saint-Laurent. Ils étaient désormais trop loin pour jamais revenir, mais on avait reçu des lettres d'eux disant qu'ils allaient bien, et qu'ils se souvenaient avec plaisir de leur séjour à Alderney. Ces lettres étaient là, à disposition de qui voulait les lire, coincées sous un angle du miroir au-dessus du comptoir.

Tout ce que Sarah avait connu et aimé s'était donc transfiguré. Ici comme ailleurs, c'étaient toujours les mêmes théâtres, sans doute, mais la pièce et les acteurs avaient changé à son insu. Elle comprit que la prison ne l'avait pas seulement privée de liberté, mais lui avait pris des années de sa vie. Elle pensa qu'il n'était peut-être pas si juste de voler tellement d'années à une fille qui, elle, n'avait volé qu'une robe – et de surcroît une robe de percale, qui se froissait tout de suite –, mais c'était une pensée trop révoltante pour quelqu'un qui avait d'abord à résoudre un problème d'estomac tenaillé par la faim. Elle reprendrait cette question plus tard, quand elle irait se promener sur la lande, et qui sait si elle ne trouverait pas une réponse ? En apercevant son reflet dans le miroir de la taverne des scaphandriers, elle se demanda si elle avait beaucoup changé elle aussi, et se déplaça sur le côté pour se dévisager – la femme derrière le comptoir fit également un léger mouvement, en sens inverse, pour lui permettre de se regarder tout à son aise. Sarah se trouva sale et fatiguée par le voyage, flottant dans une robe humiliante et triste ; et ses cheveux étaient devenus ternes, mais elle était sûre que, malgré tout, Gaudion l'aurait reconnue.

Elle dit qui elle était – Sarah, la fille des McNeill de la ferme des Hauts-de-Clonque – et demanda à la femme de lui servir quelque chose. Elle prévint honnêtement qu'elle n'avait pas sur elle de quoi régler, mais qu'elle allait monter à la ferme chercher de l'argent et qu'elle reviendrait payer tout à l'heure. La femme parut hésiter : elle connaissait un peu les McNeill, enfin de vue, mais elle ne les avait jamais entendus parler d'une fille qu'ils avaient.

– Même si je n'étais pas leur fille, dit Sarah, vous pourriez toujours me retrouver et me faire payer. Avec cette tempête, les bateaux ne partent pas.

Depuis quelques minutes, la pluie frappait les vitres avec une violence redoublée et le toit de la taverne, comme s'il se soulevait au-dessus de la charpente, laissait passer les hurlements du vent. Sans que personne ne les touche, les verres, les bouteilles, et même les chaises s'entrechoquaient. Alors la femme reconnut que Sarah avait raison et, après avoir posé sa poêle sur le feu, elle lui prépara du lard grillé, un œuf, et lui tira une demi-pinte de bière. Malgré sa faim, Sarah se força à manger lentement, juste parce que c'était délicieux. Elle demanda à la femme si elle avait de bonnes nouvelles des gens d'ici.

– Quels gens d'ici ? dit la femme, redevenant méfiante. Je croyais que vous étiez du pays, que tout le monde vous connaissait ?

Sarah expliqua qu'elle était partie depuis longtemps.

– Par exemple, dit-elle, je me demande comment va Hermie.

– Qui est Hermie ?

– Il était vacher chez nous. Vous voyez sûrement de qui je veux parler. Il est maigre et il a un affreux chapeau noir.

La femme dit que si c'était l'homme auquel elle pensait, alors celui-là était mort, écrasé par la petite locomotive de la carrière de Mannez. C'était un soir de brouillard, on n'avait jamais su s'il s'agissait d'un accident ou bien si le bonhomme s'était volontairement jeté sous les roues.

Sarah ne posa plus de questions.

Après avoir répété qu'elle reviendrait payer son repas (la femme ne la crut pas vraiment, mais elle ne l'empêcha pas de sortir), Sarah se dirigea vers Sainte-Anne. Le ciel était si bas qu'elle avait l'impression qu'elle allait le heurter du front ; et le ciel, en effet, la frôlait, posant une poudre d'eau crépitante sur ses joues et sur sa bouche gonflée. Elle vit, sur la gauche, des petites villas qui n'y étaient pas quand elle avait quitté l'île. L'une d'elles possédait un jardin qu'on ne pouvait apercevoir depuis Braye Road parce qu'il était orienté en direction de la mer. L'homme qui habitait cette maison était en train de se faire du café. Comme chaque fois qu'il entendait des pas sur la route, il écarta son rideau pour voir qui montait la côte, si tôt le matin, un jour où il pleuvait si fort. Mais Sarah était déjà passée, elle s'engageait dans le virage en haut de la rampe, et l'homme n'entrevit que son dos courbé sous l'averse et ses cheveux qui, à cause de la pluie, n'étaient plus si blonds. Sarah elle aussi s'était retournée, parce que cette villa était la première maison d'Alderney dont le granit avait été peint en blanc. Mais le rideau était déjà retombé. Elle continua vers Sainte-Anne tandis que l'homme, décrochant une lanterne, allait à son jardin, s'occuper des oignons qu'il y avait plantés en multitude, et qui, désormais, poussaient là comme chez eux.

Alderney-Chaufour-La Roche
1994-1995

Table

Du même auteur

AUX MÊMES ÉDITIONS

Le Procès à l'amour
bourse Del Duca 1966

La Mise au monde
1967

Laurence
1969

Élisabeth ou Dieu seul le sait
1970
prix des Quatre Jurys 1971

Abraham de Brooklyn
1971
prix des Libraires 1972
coll. « Points Roman » nº R115

Ceux qui vont s'aimer
1973

Trois Milliards de voyages
essai, 1975

Un policeman
1975
coll. « Points Roman » nº R266

John l'Enfer
prix Goncourt 1977
coll. « Points » nº P221

L'Enfant de la mer de Chine
1981
coll. « Points Roman » nº R62

Les Trois Vies de Babe Ozouf
1983
coll. « Points Roman » nº R154

La Sainte Vierge a les yeux bleus
essai, 1984

Autopsie d'une étoile
1987
coll. « Points Roman » nº R362

La Femme de chambre du Titanic
1991
coll. « Points Roman » nº R536

Docile
1994
coll. « Points » nº P216

CHEZ D'AUTRES ÉDITEURS

Il fait Dieu
essai, Julliard, 1975

La Dernière Nuit
Balland, 1978

La Nuit de l'été
d'après le film de J.-C. Brialy
Balland, 1979

Il était une joie… Andersen
Ramsay, 1982

Béatrice en enfer
Lieu Commun, 1984

Meurtre à l'anglaise
Mercure de France, 1988
Folio nº 2397

L'Enfant de Nazareth
(avec Marie-Hélène About)
Nouvelle Cité, 1989

Élisabeth Catez ou l'Obsession de Dieu
Balland, 1991

La Hague
(photographies de Natacha Hochman)
Isoète, 1991

Cherbourg
(photographies de Natacha Hochman)
Isoète, 1992

Lewis et Alice
Laffont, 1992
Pocket n° 2891

LITTÉRATURE POUR ENFANTS

O'Contraire
Robert Laffont, 1976

La Bible illustrée par les enfants
Calmann-Lévy, 1980

La Ville aux Ours
Pour trois petits pandas
Les Éléphants de Rabindra
Le Rendez-vous du monstre
Le Lac de la louve
série « Le Clan du chien bleu »
Masque Jeunesse, 1983

RÉALISATION : I.G.S.-CHARENTE-PHOTOGRAVURE À L'ISLE-D'ESPAGNAC
IMPRESSION : BUSSIÈRE CAMEDAN IMPRIMERIES À SAINT-AMAND (CHER)
DÉPÔT LÉGAL : FÉVRIER 1996. N° 25159 (4/1071)